# 중학생이 되기 전, "방정식" 개념 동영상과 함께  먼저 안다!

 **무료 개념 동영상 강의와 함께 중등 수학을 쉽고, 빠르게!**

**18-1 이항**

방정식은 초등 수학과 다르게 미지수 $x$를 사용하여 어렵다고 하지요.

하하하, 초고필 방정식만 있으면 문제 없소!

중학생이 되기 전인데 괜찮을까요?

무료 스마트러닝에 접속하면 개념이 쉬워지는 동영상 강의가 있어 혼자서도 공부할 수 있답니다.

## 무료 스마트러닝 접속 방법

**방법 1**

동아출판 홈페이지 www.bookdonga.com에 접속하면 초고필 방정식 무료 스마트러닝을 이용할 수 있습니다.

**방법 2**

핸드폰이나 태블릿으로 **교재 표지에 있는 QR코드**를 찍으면 무료 스마트러닝에서 초고필 방정식 개념 동영상 강의를 이용할 수 있습니다.

# 중학생이 되기 전,
## 동영상 강의와 함께 공부의 힘을 키우는
# 초등 고학년 필수 초고필 시리즈

## 국어 독해   지문 분석 강의 / 수능형 문제 풀이 강의

- 지문 분석 강의를 통해 작품을 제대로 이해
- 수능형 문제 풀이를 들으며 어려운 독해 문제도 완벽하게 학습

## 국어 문법   문법 강의

 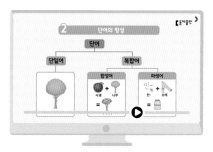

- 어려운 문법 지식도 그림으로 쉽고 재미있게 강의
- 중등 국어 문법을 위한 초등 국어 기초 완성

## 국어 어휘   어휘 강의

- 관용 표현과 한자어의 뜻이 한 번에 이해되는 강의
- 각 어휘의 유래와 배경 지식을 들으며 재미있게 이해

## 유리수의 사칙연산 / 방정식 / 도형의 각도   수학 개념 강의

 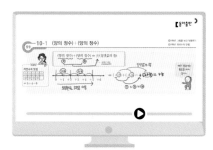 

- 25일만에 끝내는 중등 수학 기초 학습
- 초등 수학과 연결하여 쉽게 중등 수학 개념 설명

## 한국사   자료 분석 강의 / 한국사능력검정시험 대비

 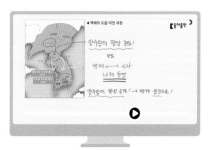

 자료 분석

한국사 개념을 더욱 완벽하게 학습할 수 있는
한국사 자료 분석 강의

한국사능력 검정시험

- 개념 학습, 기출 문제, 모의 평가로 구성된 한국사능력검정시험 대비 특강
- 효과적인 10일 스케줄 강의 구성

# 중학생이 되기 전,
## 반드시 "초고필 수학 시리즈" 해야 할 때

### 🔲 중학생이 되기 전에 중등 수학을 어떻게 공부해야 하나요?

초등학생과 중학생은 학습 연령이 다르기 때문에 학습 이해도가 다를 수밖에 없습니다. 그래서 초등학생에게는 중등 개념서의 설명이 어렵게 느껴집니다. 반면 중등 연산서로 학습하면 쉽게 이해할 수 있으나, 단순한 유형의 문제를 반복 학습하는 것이기 때문에 중등 수학의 기초를 다지기에는 부족합니다. 중등 수학은 학습 내용도 어려워지고 문자나 기호, 한자 용어 등이 등장하기 때문에 단순 반복 학습보다는 깊이 있는 학습이 필요합니다.

따라서 초등학교 때는 초등학생 눈높이에 맞게 중등 수학을 공부하는 것이 중요합니다. 초등과 중등의 수학 개념을 연결하여 쉽게 이해할 수 있는 문제집, 빠르게 이해할 수 있도록 동영상 강의가 제공되는 문제집으로 중등 수학을 공부해야 합니다.

### 🔲 왜 유리수의 사칙연산, 방정식, 도형의 각도를 미리 공부해야 할까요?

#### ❶ 유리수의 사칙연산

초등 수학과 중등 수학은 사용하는 수의 범위가 다릅니다. 중등 수학에서 다루는 수의 범위는 음수가 포함된 유리수이기 때문에 중등 수학을 시작하는 첫 번째 필수 단계로 유리수는 꼭 학습해야 합니다.

특히 초등학생들은 수 앞에 붙은 플러스(+), 마이너스(−) 부호와 덧셈, 뺄셈 기호가 혼동되어 양수와 음수의 연산이 어렵게 느껴집니다. 따라서 유리수의 개념을 확실하게 다지고 유리수의 사칙연산을 학습해 두어야 중학교에 가서도 수학과 친해질 수 있습니다.

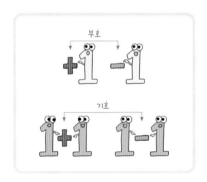

#### ❷ 방정식

방정식 용어는 중등부터 사용하지만 초등학교 때 이미 '□가 있는 식'으로 방정식을 공부했습니다. 즉, 방정식은 식을 세우고 미지수(= 모르는 수)를 구하는 과정으로 향후 모든 수학 공부에서 가장 기본이 되는 영역입니다. 특히, 중등 수학의 방정식은 수의 범위가 유리수로 확장되고 미지수를 $x$라는 기호로 사용하기 때문에 낯설게 느낄 수밖에 없습니다. 따라서 초등학교 때 방정식 준비부터 활용까지 미리 공부해야 합니다.

#### ❸ 도형의 각도

중등부터 도형은 문자와 기호를 사용하여 표현하고, 도형의 성질을 증명하게 되면서 초등학교에 비해 내용이 어려워집니다. 특히 도형의 성질은 각도를 포함하고 있기 때문에 도형 학습 중 도형의 각도가 가장 중요합니다. 따라서 초등학교 때 학습한 도형 개념을 중등과 연결하여 도형의 각도를 학습하면 어려운 중등 수학에 자신감을 가질 수 있습니다.

## 25일 완성 계획표

# 초고필 방정식

| 공부한 날 | | | | 공부할 내용 | 쪽수 |
|---|---|---|---|---|---|
| 01일차 | 월 | 일 | **1단계**<br>방정식 준비 | **01** 정수와 유리수, 절댓값 ~ **03** 유리수의 곱셈과 나눗셈 | 006~011쪽 |
| 02일차 | 월 | 일 | | **04** 문자를 사용한 식 ~ **06** 나눗셈 기호의 생략 | 012~017쪽 |
| 03일차 | 월 | 일 | | **07** 식을 간단히 나타내기(1) ~ **08** 식을 간단히 나타내기(2) | 018~021쪽 |
| 04일차 | 월 | 일 | | **09** 괄호가 있는 식을 간단히 나타내기 ~ **10** 분수 꼴인 식을 간단히 나타내기 | 022~025쪽 |
| 05일차 | 월 | 일 | | **11** 실력 확인 TEST | 026~028쪽 |
| 06일차 | 월 | 일 | **2단계**<br>등식과 방정식 | **12** 등식 ~ **14** 등식의 성질(1), $x-a=b$ | 030~035쪽 |
| 07일차 | 월 | 일 | | **15** 등식의 성질(2), $x+a=b$ ~ **18** 이항 | 036~043쪽 |
| 08일차 | 월 | 일 | | **19** 실력 확인 TEST | 044~046쪽 |
| 09일차 | 월 | 일 | **3단계**<br>방정식 풀기 | **20** 방정식 $ax+b=c$, $ax-b=c$ ~ **22** 방정식 $ax-b=cx+d$ | 048~053쪽 |
| 10일차 | 월 | 일 | | **23** 방정식 $ax+b=cx-d$ ~ **24** 방정식 $ax-b=cx-d$ | 054~057쪽 |
| 11일차 | 월 | 일 | | **25** 방정식의 활용(1) ~ **26** 방정식의 활용(2) | 058~061쪽 |
| 12일차 | 월 | 일 | | **27** 실력 확인 TEST | 062~064쪽 |
| 13일차 | 월 | 일 | **4단계**<br>여러 가지<br>방정식 풀기 | **28** 괄호가 있는 방정식(1) ~ **30** 비례식으로 주어진 방정식 | 066~071쪽 |
| 14일차 | 월 | 일 | | **31** 계수가 소수인 방정식 ~ **33** 계수에 소수와 분수가 모두 있는 방정식 | 072~077쪽 |
| 15일차 | 월 | 일 | | **34** 분수 형태의 방정식(1) ~ **35** 분수 형태의 방정식(2) | 078~081쪽 |
| 16일차 | 월 | 일 | | **36** 실력 확인 TEST | 082~084쪽 |
| 17일차 | 월 | 일 | **5단계**<br>방정식 활용 | **37** 방정식의 활용(1) ~ **39** 방정식의 활용(1) | 086~091쪽 |
| 18일차 | 월 | 일 | | **40** 방정식의 활용(2) ~ **41** 방정식의 활용(3) | 092~095쪽 |
| 19일차 | 월 | 일 | | **42** 방정식의 활용(4) ~ **43** 방정식의 활용(4) | 096~099쪽 |
| 20일차 | 월 | 일 | | **44** 방정식의 활용(5) ~ **45** 방정식의 활용(6) | 100~103쪽 |
| 21일차 | 월 | 일 | | **46** 실력 확인 TEST | 104~106쪽 |
| 22일차 | 월 | 일 | **6단계**<br>성취도 확인 평가 | **47** 성취도 확인 평가 1회 | 108~110쪽 |
| 23일차 | 월 | 일 | | **48** 성취도 확인 평가 2회 | 111~113쪽 |
| 24일차 | 월 | 일 | | **49** 성취도 확인 평가 3회 | 114~116쪽 |
| 25일차 | 월 | 일 | | **50** 성취도 확인 평가 4회 | 117~119쪽 |

# 초고필

지금

## 방정식

을 해야 할 때

# 구성과 특징

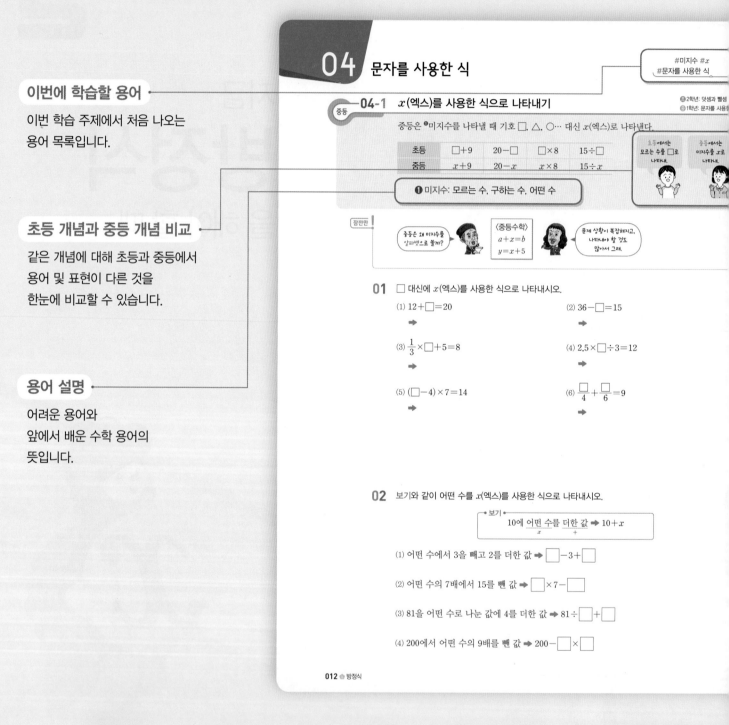

**이번에 학습할 용어**

이번 학습 주제에서 처음 나오는 용어 목록입니다.

**초등 개념과 중등 개념 비교**

같은 개념에 대해 초등과 중등에서 용어 및 표현이 다른 것을 한눈에 비교할 수 있습니다.

**용어 설명**

어려운 용어와 앞에서 배운 수학 용어의 뜻입니다.

---

## 04 문자를 사용한 식

#미지수 #$x$
#문자를 사용한 식

중등 **04-1** $x$(엑스)를 사용한 식으로 나타내기

2학년: 덧셈과 뺄셈
1학년: 문자를 사용

중등은 ❶미지수를 나타낼 때 기호 □, △, ○… 대신 $x$(엑스)로 나타낸다.

| | | | | |
|---|---|---|---|---|
| 초등 | □+9 | 20−□ | □×8 | 15÷□ |
| 중등 | $x+9$ | $20-x$ | $x×8$ | $15÷x$ |

초등에서는 모르는 수를 □로 나타내.
중등에서는 미지수를 $x$로 나타내.

❶ 미지수: 모르는 수, 구하는 수, 어떤 수

잠깐만!

중등은 왜 미지수를 알파벳으로 쓸까?

〈중등수학〉
$a+x=b$
$y=x+5$

문제 상황이 복잡해지고, 나타내야 할 것도 많아서 그래.

**01** □ 대신에 $x$(엑스)를 사용한 식으로 나타내시오.

(1) $12+□=20$
➡

(2) $36-□=15$
➡

(3) $\frac{1}{3}×□+5=8$
➡

(4) $2.5×□÷3=12$
➡

(5) $(□-4)×7=14$
➡

(6) $\frac{□}{4}+\frac{□}{6}=9$
➡

**02** 보기와 같이 어떤 수를 $x$(엑스)를 사용한 식으로 나타내시오.

보기
10에 어떤 수를 더한 값 ➡ $10+x$
       $x$        +

(1) 어떤 수에서 3을 빼고 2를 더한 값 ➡ □−3+□

(2) 어떤 수의 7배에서 15를 뺀 값 ➡ □×7−□

(3) 81을 어떤 수로 나눈 값에 4를 더한 값 ➡ 81÷□+□

(4) 200에서 어떤 수의 9배를 뺀 값 ➡ 200−□×□

---

초고필 수학으로 중등 수학을 쉽게 공부하는 방법은?

첫째, 25일 완성 계획 세우기
둘째, 개념이 쉬워지는 동영상 강의로 개념 이해하기
셋째, 문제 풀기
넷째, TEST로 실력 확인하기

중등 수학은 문자, 기호, 용어를
많이 사용하기 때문에 어렵습니다. 중학교 가기 전에
미리, 쉽고, 빠르게 초고필 방정식으로 공부하세요.

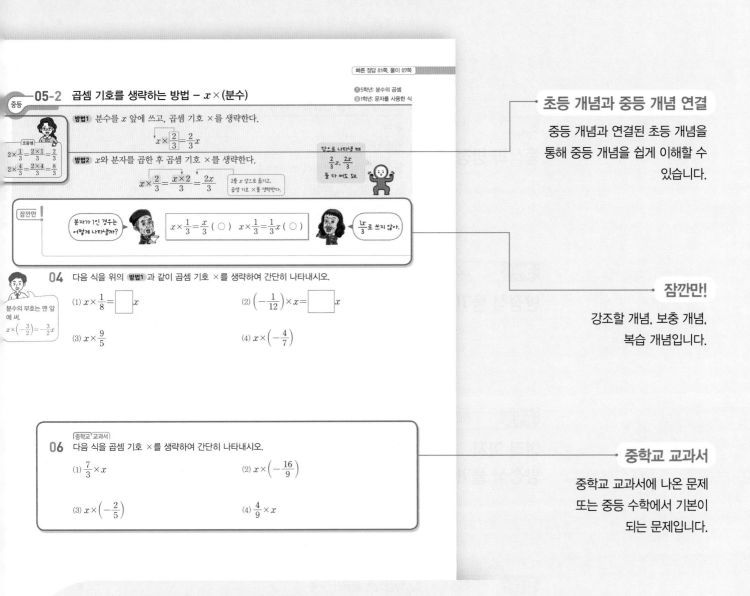

## 초등 개념과 중등 개념 연결

중등 개념과 연결된 초등 개념을
통해 중등 개념을 쉽게 이해할 수
있습니다.

## 잠깐만!

강조할 개념, 보충 개념,
복습 개념입니다.

## 중학교 교과서

중학교 교과서에 나온 문제
또는 중등 수학에서 기본이
되는 문제입니다.

## 무료 스마트러닝 ▶ 개념 동영상 강의

교재의 표지 또는 단계별 시작 페이지에 있는
QR코드를 찍으면 개념이 쉬워지는 동영상 강
의를 볼 수 있습니다.

## 확인 학습

**실력 확인 TEST**
각 단계의 학습이 끝난 후 해당 단
계를 잘 공부했는지 점검합니다.

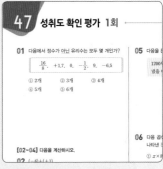

**성취도 확인 평가 (4회)**
모든 학습이 끝난 후 잘 공부했
는지 성취도를 확인합니다.

# 차례

# 1단계

# 방정식 준비

개념 동영상 강의

# 01 정수와 유리수, 절댓값

#부호 #양수 #음수
#정수 #유리수 #절댓값

## 중등 01-1 정수와 유리수

초 1학년: 100까지의 수
중 1학년: 정수와 유리수

(1) 양수: 0보다 큰 수 ➡ 양의 ❶부호 +(플러스)를 붙인 수

(2) 음수: 0보다 작은 수

    ➡ 음의 부호 −(마이너스)를 붙인 수

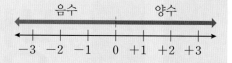

(3) 정수와 유리수

> 양수에 있는 + 부호는 생략할 수 있어.
>
> $+5=5, +\dfrac{1}{2}=\dfrac{1}{2}$

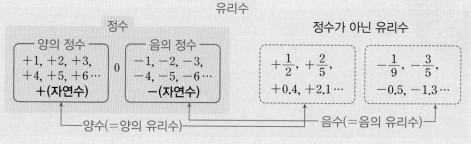

유리수

정수

정수가 아닌 유리수

양의 정수
$+1, +2, +3,$
$+4, +5, +6\cdots$
+(자연수)

0

음의 정수
$-1, -2, -3,$
$-4, -5, -6\cdots$
−(자연수)

$+\dfrac{1}{2}, +\dfrac{2}{5},$
$+0.4, +2.1\cdots$

$-\dfrac{1}{9}, -\dfrac{3}{5},$
$-0.5, -1.3\cdots$

양수(=양의 유리수)    음수(=음의 유리수)

❶ 부호: 수의 성질을 나타내는 기호로 양의 부호 +와 음의 부호 −가 있다.

잠깐만!

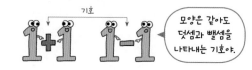

이건 양의 부호야! "플러스 일"이라고 읽어. | 부호 | 이건 음의 부호야! "마이너스 일"이라고 읽어.

1+1 | 기호 | 1-1 | 모양은 같아도 덧셈과 뺄셈을 나타내는 기호야.

---

**01** 다음 수를 부호 +, −를 사용하여 나타내시오.

(1) 0보다 5만큼 큰 수

(2) 0보다 3만큼 작은 수

(3) 0보다 1.2만큼 큰 수

(4) 0보다 2.7만큼 작은 수

(5) 0보다 $\dfrac{3}{4}$만큼 큰 수

(6) 0보다 $\dfrac{1}{2}$만큼 작은 수

---

**02** 다음 수를 보기에서 모두 고르시오.

> • 분수 꼴이어도 약분되면 정수야.
> ➡ $+\dfrac{4}{2}=+2$
> • 정수는 분모가 1인 분수로 나타낼 수 있으므로 모든 정수는 유리수야.

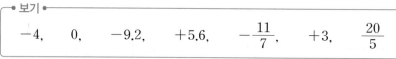

┌─ 보기 ─────────────────────────┐
$-4,\quad 0,\quad -9.2,\quad +5.6,\quad -\dfrac{11}{7},\quad +3,\quad \dfrac{20}{5}$
└────────────────────────────────┘

(1) 정수

(2) 음의 정수

(3) 양의 유리수

(4) 음수

(5) 정수가 아닌 유리수

## 01-2 절댓값

중등

⊕1학년: 절댓값

• 절댓값: 수직선 위에서 어떤 수를 나타내는 점과 ❶원점(0) 사이의 거리  [기호] | |

| 수 | 기호로 나타내기 | 절댓값 | 의미 |
|---|---|---|---|
| $+3$ | $|+3|$ | 3 |  |
| $-3$ | $|-3|$ | 3 | |

❶ 원점: 수직선에서 0을 나타내는 기준이 되는 점

잠깐만!

어떤 수의 절댓값은 그 수에서 부호 +, −를 떼어 낸 수와 같아.

---

**03** 다음 수의 절댓값을 기호를 사용하여 나타내시오.

(1) $+11$

(2) $-5$

(3) $-9.2$

(4) $+\dfrac{2}{5}$

---

중학교 교과서

**04** 다음을 모두 구하시오.

절댓값이 $a(a>0)$ 인 수는 $+a$, $-a$로 2개야.

(1) $+8$의 절댓값

(2) $-4.2$의 절댓값

(3) $\left|+\dfrac{1}{3}\right|$

(4) $|-9|$

(5) 절댓값이 6인 수

(6) 절댓값이 12인 수

---

**05** 절댓값의 합과 차를 구하시오.

(절댓값의 차)
=(절댓값이 큰 수)
　−(절댓값이 작은 수)

(1) $|+4|$, $|+7|$ ➡ 합:

(2) $|-6|$, $|+2|$ ➡ 차:

(3) $|-2.5|$, $|+1.9|$ ➡ 합:

(4) $|+4.1|$, $|-8.6|$ ➡ 차:

(5) $\left|-\dfrac{2}{3}\right|$, $\left|+\dfrac{2}{3}\right|$ ➡ 합:

(6) $\left|-\dfrac{3}{5}\right|$, $\left|-\dfrac{4}{5}\right|$ ➡ 차:

(1) 부호가 같은 경우: 절댓값의 합에 **공통인 부호**를 붙인다.

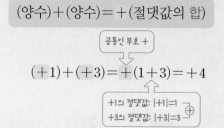

(2) 부호가 다른 경우: 절댓값의 차에 **절댓값이 큰 수의 부호**를 붙인다.

절댓값의 차는 두 수의 크기를 비교한 다음 (큰 수)−(작은 수) 로 구해!

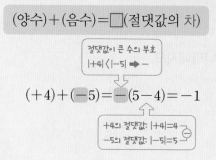

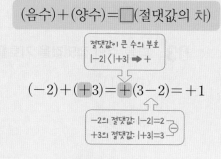

잠깐만!

절댓값의 크기는 어떻게 비교할까?

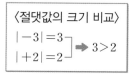
〈절댓값의 크기 비교〉
$|-3|=3$
$|+2|=2$ ➡ 3 > 2

절댓값을 구한 후 크기를 비교해. 부호를 뗀 수끼리 비교해서 큰 수가 커.

---

**01** 다음 ○ 안에는 +, − 중 알맞은 부호를, □ 안에는 알맞은 수를 써넣으시오.

(1) $(+5)+(+9)=\bigcirc(5+9)=\bigcirc\square$

(2) $(-12)+(-4)=\bigcirc(12+4)=\bigcirc\square$

(3) $(+7)+(-3)=\bigcirc(7-3)=\bigcirc\square$

(4) $(-10)+(+11)=\bigcirc(11-10)=\bigcirc\square$

---

중학교 교과서

**02** 다음을 계산하시오.

분모가 다른 분수의 계산은 분모의 최소공배수로 통분한 후 계산해.

(1) $\left(+\dfrac{2}{7}\right)+\left(+\dfrac{2}{3}\right)$

(2) $\left(+\dfrac{2}{5}\right)+\left(-\dfrac{1}{4}\right)$

(3) $(-6.2)+(+3.6)$

(4) $(-4)+(-8.1)$

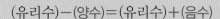

## 02-2 유리수의 뺄셈 방법

초 2학년: 덧셈과 뺄셈
중 1학년: 유리수의 뺄셈

뺄셈을 덧셈으로 고치고 빼는 수의 부호를 반대로(양수 → 음수, 음수 → 양수) 바꾼다.

$$\boxed{(유리수)-(양수)=(유리수)+(음수)}$$

뺄셈 ➡ 덧셈   양수 ➡ 음수

$$(-5)-(+3)$$

공통인 부호 $=(-5)+(-3)$

$=-(5+3)$

$=-8$ ← 절댓값의 합

$|-5|+|-3|=5+3=8$

$$\boxed{(유리수)-(음수)=(유리수)+(양수)}$$

뺄셈 ➡ 덧셈   음수 ➡ 양수

$$(-2)-(-6)$$

절댓값이 큰 수의 부호 $=(-2)+(+6)$

$|-2|<|+6|➡+$   $=+(6-2)$

$=+4$ ← 절댓값의 차

$|+6|-|-2|➡6-2=4$

잠깐만!

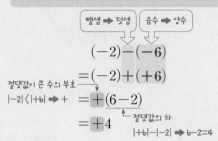

중등에서 뺄셈은 부호를 바꾸어 더하는 거야.

〈중등수학〉
$5-8=(+5)+(-8)$
➡ 괄호를 사용하여 생략된 +를 살려서 계산한다.

모든 빼기는 −1이 곱해지는 것으로 생각해. 더하기만 있다고 생각하는 거야.

---

**03** 다음 ○ 안에는 +, − 중 알맞은 부호를, □ 안에는 알맞은 수를 써넣으시오.

(1)  $(+7)-(+4)$

$=(+7)○(○□)$

$=○(□-□)=○□$

(2)  $(-5)-(-8)$

$=(-5)○(○□)$

$=○(□-□)=○□$

(3)  $(+2)-(-3)$

$=(+2)○(○□)$

$=○(□+□)=○□$

(4)  $(-14)-(+6)$

$=(-14)○(○□)$

$=○(□+□)=○□$

---

중학교 교과서

**04** 다음을 계산하시오.

(1) $(+13)-(-9)$

(2) $(-8)-(+6)$

(3) $(+2.6)-(+9.4)$

(4) $(-8.7)-(+1.5)$

(5) $\left(+\dfrac{1}{2}\right)-\left(-\dfrac{1}{8}\right)$

(6) $\left(-\dfrac{4}{3}\right)-\left(-\dfrac{5}{12}\right)$

뺄셈은 먼저 빼는 수의 부호를 바꿔.
$+ ➡ -, - ➡ +$

# 03 유리수의 곱셈과 나눗셈

## 중등 03-1 유리수의 곱셈 방법

초 2학년: 곱셈구구
중 1학년: 유리수의 곱셈

(1) 부호가 같은 경우: 절댓값의 곱에 **양의 부호 +**를 붙인다.

$$(양수) \times (양수) = +(절댓값의 곱)$$

양의 부호 +

$$(+3) \times (+4) = +(3 \times 4) = +12$$

+3의 절댓값: $|+3|=3$
+4의 절댓값: $|+4|=4$

$$(음수) \times (음수) = +(절댓값의 곱)$$

양의 부호 +

$$(-6) \times (-2) = +(6 \times 2) = +12$$

−6의 절댓값: $|-6|=6$
−2의 절댓값: $|-2|=2$

(2) 부호가 다른 경우: 절댓값의 곱에 **음의 부호 −**를 붙인다.

〈곱셈 결과의 부호〉
$(+) \times (+) \Rightarrow (+)$
$(-) \times (-) \Rightarrow (+)$
$(+) \times (-) \Rightarrow (-)$
$(-) \times (+) \Rightarrow (-)$

$$(양수) \times (음수) = -(절댓값의 곱)$$

음의 부호 −

$$(+5) \times (-3) = -(5 \times 3) = -15$$

+5의 절댓값: $|+5|=5$
−3의 절댓값: $|-3|=3$

$$(음수) \times (양수) = -(절댓값의 곱)$$

음의 부호 −

$$(-2) \times (+7) = -(2 \times 7) = -14$$

−2의 절댓값: $|-2|=2$
+7의 절댓값: $|+7|=7$

잠깐만

유리수의 곱셈은 어떻게 계산해?

〈유리수의 곱셈〉
$$\left(-\frac{5}{4}\right) \times \left(-\frac{7}{10}\right) = +\left(\frac{\overset{1}{5}}{4} \times \frac{7}{\underset{2}{10}}\right) = +\frac{7}{8}$$

분수의 곱셈과 같은 방법으로 계산해. 답은 약분하여 기약분수로 나타내면 돼.

**01** 다음 ○ 안에는 +, − 중 알맞은 부호를, □ 안에는 알맞은 수를 써넣으시오.

(1) $(+6) \times (+4) = \bigcirc (6 \times 4) = \bigcirc \square$

(2) $(-11) \times (-5) = \bigcirc (11 \times 5) = \bigcirc \square$

(3) $(+9) \times (-2) = \bigcirc (9 \times 2) = \bigcirc \square$

(4) $(-15) \times (+3) = \bigcirc (15 \times 3) = \bigcirc \square$

중학교 교과서

**02** 다음을 계산하시오. (단, 답은 약분하여 기약분수로 나타내시오.)

중등에서는 결과가 가분수라도 대분수로 고치지 않아.

(1) $(+10) \times \left(-\frac{7}{6}\right)$

(2) $(-7.2) \times 0$

(3) $\left(+\frac{5}{8}\right) \times \left(+\frac{4}{15}\right)$

(4) $(-2) \times (-1.6)$

중등 **03-2** 유리수의 나눗셈 방법

초 3학년: 나눗셈
중 1학년: 유리수의 나눗셈

(1) 역수: 두 수를 곱해서 1이 될 때, 한 수를 다른 수의 역수라고 한다.

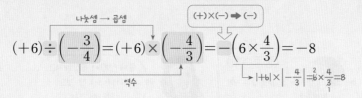

| | $3 = \dfrac{3}{1}$ | $\dfrac{2}{5}$ | $2.1 = \dfrac{21}{10}$ | $-1\dfrac{1}{2} = -\dfrac{3}{2}$ | |
|---|---|---|---|---|---|
| 역수 | $\dfrac{1}{3}$ | $\dfrac{5}{2}$ | $\dfrac{10}{21}$ | $-\dfrac{2}{3}$ | 역수 |

〈나눗셈 결과의 부호〉
$(+) \div (+) \Rightarrow (+)$
$(-) \div (-) \Rightarrow (+)$
$(+) \div (-) \Rightarrow (-)$
$(-) \div (+) \Rightarrow (-)$

(2) 역수를 이용한 나눗셈
나누는 수를 역수로 바꾸고 나눗셈을 곱셈으로 고쳐서 계산한다.

〈역수 구하는 방법〉
부호는 그대로,
┌ 정수$=\dfrac{정수}{1}$
├ 소수 → 분수
└ 대분수 → 가분수
로 고친 후 분모와
분자를 바꾼다.

나눗셈 → 곱셈
$(+) \times (-) \Rightarrow (-)$

$$(+6) \div \left(-\dfrac{3}{4}\right) = (+6) \times \left(-\dfrac{4}{3}\right) = -\left(6 \times \dfrac{4}{3}\right) = -8$$

역수

$|+6| \times \left|-\dfrac{4}{3}\right| = \overset{2}{6} \times \dfrac{4}{\underset{1}{3}} = 8$

**03** 다음 수의 역수를 구하시오.

(1) $-\dfrac{8}{5}$        (2) $2\dfrac{1}{4}$        (3) $0.7$

**04** 다음 ○ 안에는 $+$, $-$ 중 알맞은 부호를, □ 안에는 알맞은 수를 써넣으시오.

(1) $(+14) \div \left(-\dfrac{7}{3}\right) = (+14) \bigcirc \left(-\boxed{\phantom{x}}\right) = \bigcirc \left(\boxed{\phantom{x}} \bigcirc \boxed{\phantom{x}}\right) = \bigcirc \boxed{\phantom{x}}$

역수

(2) $\left(-\dfrac{11}{9}\right) \div \left(-\dfrac{33}{18}\right) = \left(-\dfrac{11}{9}\right) \bigcirc \left(-\boxed{\phantom{x}}\right) = \bigcirc \left(\boxed{\phantom{x}} \bigcirc \boxed{\phantom{x}}\right) = \bigcirc \boxed{\phantom{x}}$

역수

중학교 교과서

**05** 다음을 계산하시오. (단, 답은 약분하여 기약분수로 나타내시오.)

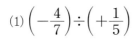

$(+4) \div (-2)$
$= -(4 \div 2)$
$= -2$

(1) $\left(-\dfrac{4}{7}\right) \div \left(+\dfrac{1}{5}\right)$        (2) $(-4) \div (-3)$

(3) $(+24) \div (-8)$        (4) $(+6) \div (+1.2)$

# 04 문자를 사용한 식

## 중등 04-1 $x$(엑스)를 사용한 식으로 나타내기

중등은 ❶미지수를 나타낼 때 기호 □, △, ○… 대신 $x$(엑스)로 나타낸다.

| 초등 | □+9 | 20−□ | □×8 | 15÷□ |
|---|---|---|---|---|
| 중등 | $x+9$ | $20-x$ | $x×8$ | $15÷x$ |

초등에서는 모르는 수를 □로 나타내.

중등에서는 미지수를 $x$로 나타내.

❶ 미지수: 모르는 수, 구하는 수, 어떤 수

잠깐만!

중등은 왜 미지수를 알파벳으로 쓸까?

〈중등수학〉
$a+x=b$
$y=x+5$

문제 상황이 복잡해지고, 나타내야 할 것도 많아서 그래.

**01** □ 대신에 $x$(엑스)를 사용한 식으로 나타내시오.

(1) 12+□=20
➡

(2) 36−□=15
➡

(3) $\dfrac{1}{3}$×□+5=8
➡

(4) 2.5×□÷3=12
➡

(5) (□−4)×7=14
➡

(6) $\dfrac{□}{4}+\dfrac{□}{6}=9$
➡

**02** 보기와 같이 어떤 수를 $x$(엑스)를 사용한 식으로 나타내시오.

┌ 보기 ┐
10에  어떤 수를  더한 값 ➡ $10+x$
$x$ ／ $+$

(1) 어떤 수에서 3을 빼고 2를 더한 값 ➡ □−3+□

(2) 어떤 수의 7배에서 15를 뺀 값 ➡ □×7−□

(3) 81을 어떤 수로 나눈 값에 4를 더한 값 ➡ 81÷□+□

(4) 200에서 어떤 수의 9배를 뺀 값 ➡ 200−□×□

## 04-2 문장을 $x$(엑스)를 사용한 식으로 나타내기

중등

⊕1학년: 문자를 사용한 식

남학생 수 대신 $x$를 사용해.

| 〈문장〉 | | 〈식〉 |
|---|---|---|
| 학생 100명 중에서 남학생이 $x$명일 때 여학생 수 | ➡ | (여학생 수)$=100-$(남학생 수) $=100-x$(명) |

**03** 다음을 $x$를 사용한 식으로 나타내시오.

(거리) $=$(속력)$\times$(시간)

(1) 공연장에 있는 관람객 300명 중에서 여자 관람객이 $x$명일 때 남자 관람객 수

➡ ☐ 명

(2) 남학생은 $x$명이고, 여학생은 남학생의 2배일 때 여학생 수 ➡ ☐ 명

(3) 1시간에 60 km를 가는 빠르기로 $x$시간 동안 달린 거리

➡ ☐ km

**04** 다음을 $x$를 사용한 식으로 나타내시오.

(1)   500원짜리 볼펜을 $x$자루 사고 3000원을 냈을 때의 거스름돈

① 500원짜리 볼펜 $x$자루의 값 ➡ ☐ 원

② 3000원을 냈을 때의 거스름돈 ➡ ☐ 원

(2)   현재 아버지의 나이는 $x$세인 아들의 나이의 2배일 때, 5년 후 아버지의 나이

① 현재 아버지의 나이 ➡ ☐ 세

② 5년 후 아버지의 나이 ➡ ☐ 세

중학교 교과서

**05** 다음 문장을 $x$를 사용하여 식으로 나타낸 것 중 옳지 <u>않은</u> 것은?

문자를 사용한 식으로 나타낼 때 단위를 꼭 써야 돼.

① 현재 7세인 하리의 $x$년 전의 나이 ➡ $(7-x)$세

② 낮의 길이가 $x$시간일 때 밤의 길이 ➡ $(24-x)$시간

③ 한 변의 길이가 $x$ cm인 정삼각형의 둘레의 길이 ➡ $(x+3)$ cm

④ 남학생이 $x$명이고 여학생이 40명일 때, 전체 학생 수 ➡ $(x+40)$명

⑤ 사탕 20개를 $x$봉지에 똑같이 나누어 담을 때 한 봉지에 담는 사탕 수 ➡ $(20\div x)$개

# 05 곱셈 기호의 생략

## 중등 — 05-1  곱셈 기호를 생략하는 방법 – $x \times$ (0이 아닌 정수)

중 1학년: 문자를 사용한 식

$x$와 0이 아닌 정수의 순서를 바꾸어 0이 아닌 정수를 $x$ 앞에 쓰고,
곱셈 기호 $\times$를 생략한다.

$x$와 곱셈 기호는
모양이 비슷하여 연속해서
쓸 경우 헷갈리기
때문에 생략해.

① $x$ 앞으로 이동

$$x \times 3 = 3x$$

② 기호 $\times$ 생략

잠깐만

1 또는 -1은
생략해!

$1 \times x = x$
$x \times (-1) = -x$

$x \times 0.1 = 0.1x \ (\ \bigcirc\ )$
$x \times 0.1 = 0.x \ (\ \times\ )$

0.1의 1은
생략하면 안 돼!

**01** 다음 식을 곱셈 기호 $\times$를 생략하여 간단히 나타내시오.

(1) $7 \times x = \boxed{\phantom{xx}}x$

(2) $(-18) \times x = \boxed{\phantom{xx}}x$

(3) $x \times 1.9$

(4) $(-0.5) \times x$

(5) $0.1 \times x$

(6) $x \times (-4)$

**02** 괄호가 있는 식을 곱셈 기호 $\times$를 생략하여 간단히 나타내시오.

괄호가 있는 식은
수를 괄호 앞에 쓰
고, 곱셈 기호 $\times$를
생략해.

(1) $(8+x) \times 4 = \boxed{\phantom{xx}}(8+x)$

(2) $(x-3) \times (-2) = \boxed{\phantom{xx}}(x-3)$

(3) $(x+1) \times 13$

(4) $(-2.5) \times (7+x)$

중학교 교과서

**03** 다음 문장을 곱셈 기호 $\times$를 생략하여 간단한 식으로 나타내시오.

(1) 　　한 권에 $x$원인 공책 3권의 가격

① 문장을 $x$를 사용한 식으로 나타낸다.

➡ $\boxed{\phantom{xxxxxxxxx}}$ 원

② 곱셈 기호 $\times$를 생략하여 나타낸다.

➡ $\boxed{\phantom{xxxxxxxxx}}$ 원

(2) 　　1개에 150 g인 공 $x$개의 무게

① 문장을 $x$를 사용한 식으로 나타낸다.

➡ $\boxed{\phantom{xxxxxxxxx}}$ g

② 곱셈 기호 $\times$를 생략하여 나타낸다.

➡ $\boxed{\phantom{xxxxxxxxx}}$ g

(3) 한 변의 길이가 $x$ cm인 정사각형의 둘레
의 길이 ➡ $\boxed{\phantom{xxxxxxx}}$ cm

(4) 1분에 $x$ m를 가는 빠르기로 6분 동안 간 거리
➡ $\boxed{\phantom{xxxxxxx}}$ m

**05-2** **곱셈 기호를 생략하는 방법 – $x \times$ (분수)**

**방법1** 분수를 $x$ 앞에 쓰고, 곱셈 기호 $\times$를 생략한다.

$$x \times \frac{2}{3} = \frac{2}{3}x$$

**방법2** $x$와 분자를 곱한 후 곱셈 기호 $\times$를 생략한다.

$$x \times \frac{2}{3} = \frac{x \times 2}{3} = \frac{2x}{3}$$

2를 $x$ 앞으로 옮기고, 곱셈 기호 $\times$를 생략한다.

답으로 나타낼 때
$$\frac{2}{3}x, \frac{2x}{3}$$
둘 다 써도 돼.

**잠깐만!**

분자가 1인 경우는 어떻게 나타낼까?

$$x \times \frac{1}{3} = \frac{x}{3} \ (\bigcirc) \quad x \times \frac{1}{3} = \frac{1}{3}x \ (\bigcirc)$$

$\frac{1x}{3}$로 쓰지 않아.

**04** 다음 식을 위의 **방법1** 과 같이 곱셈 기호 $\times$를 생략하여 간단히 나타내시오.

분수의 부호는 맨 앞에 써.
$$x \times \left(-\frac{3}{2}\right) = -\frac{3}{2}x$$

(1) $x \times \dfrac{1}{8} = \boxed{\phantom{x}} x$

(2) $\left(-\dfrac{1}{12}\right) \times x = \boxed{\phantom{x}} x$

(3) $x \times \dfrac{9}{5}$

(4) $x \times \left(-\dfrac{4}{7}\right)$

**05** 다음 식을 위의 **방법2** 와 같이 곱셈 기호 $\times$를 생략하여 간단히 나타내시오.

(1) $x \times \dfrac{1}{4} = \dfrac{x \times \boxed{\phantom{x}}}{4} = \dfrac{\boxed{\phantom{x}}}{4}$

(2) $\dfrac{1}{2} \times x$

(3) $x \times \dfrac{3}{11}$

(4) $\left(-\dfrac{17}{6}\right) \times x$

**중학교 교과서**

**06** 다음 식을 곱셈 기호 $\times$를 생략하여 간단히 나타내시오.

(1) $\dfrac{7}{3} \times x$

(2) $x \times \left(-\dfrac{16}{9}\right)$

(3) $x \times \left(-\dfrac{2}{5}\right)$

(4) $\dfrac{4}{9} \times x$

# 06 나눗셈 기호의 생략

## 중등 06-1 나눗셈 기호를 생략하는 방법

초6학년: 분수의 나눗셈
중1학년: 문자를 사용한 식

| $x \div$ (0이 아닌 정수) | $x \div$ (분수) |
|---|---|
| 나눗셈 기호 $\div$ 를 생략하고 분수 꼴로 나타낸다. | 나눗셈을 ❶역수의 곱셈으로 고치고 곱셈 기호 $\times$ 를 생략한다. |

초등쌤
$$9 \div \frac{2}{5} = 9 \times \frac{5}{2}$$

분자
$$x \div 5 = \frac{x}{5}$$
분모

1 또는 -1로 나누는 경우 1을 생략해.
$$x \div 1 = \frac{x}{①} \Rightarrow x, \quad x \div (-1) = \frac{x}{-①} \Rightarrow -x$$

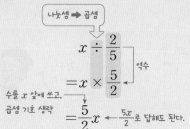

나눗셈 ➡ 곱셈
$$x \div \frac{2}{5}$$
역수
$$= x \times \frac{5}{2}$$
수를 $x$ 앞에 쓰고, 곱셈 기호 생략
$$= \frac{5}{2}x \quad \leftarrow \frac{5x}{2}$$ 로 답해도 된다.

❶ 역수: 두 수를 곱해서 1이 될 때, 한 수를 다른 수의 역수라고 한다.

잠깐만

나누는 수가 $x$ 인 경우는 어떻게 계산할까?

$$7 \div x = \frac{7}{x}, \quad (-2) \div x = -\frac{2}{x}$$
(단, $x$ 는 0이 아님.)

나눗셈 기호를 생략하고 분수 꼴로 나타내.

**01** 다음 식을 나눗셈 기호 $\div$ 를 생략하여 간단히 나타내시오. (단, $x$ 는 0이 아님.)

분수의 부호는 맨 앞에 써.

(1) $x \div 8 = \dfrac{\square}{8}$

(2) $x \div (-6)$

(3) $15 \div x$

(4) $(-3) \div x$

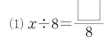 중학교 교과서

**02** 다음 식을 나눗셈 기호 $\div$ 를 생략하여 간단히 나타내시오.

(1) $x \div \dfrac{4}{5} = x \times \boxed{\phantom{x}} = \boxed{\phantom{x}}$

(2) $x \div \dfrac{11}{6}$

(3) $(-x) \div \dfrac{3}{7}$

(4) $x \div \left(-\dfrac{1}{2}\right)$

**03** 괄호가 있는 식을 나눗셈 기호 $\div$ 를 생략하여 간단히 나타내시오.

괄호가 있는 식은 괄호 안을 하나로 생각해.

(1) $(x+3) \div 5 = \dfrac{\boxed{\phantom{x}}}{5}$

(2) $(6-x) \div 9$

(3) $15 \div (x-8)$

(4) $24 \div (4+x)$

(속력)= $\dfrac{(거리)}{(시간)}$

*속력: 일정한 시간 동안 이동한 빠르기

**04** 다음 문장을 나눗셈 기호 ÷를 생략하여 간단한 식으로 나타내시오.

(1)
> 배 10개의 가격이 $x$원일 때,
> 배 1개의 가격

① 문장을 $x$를 사용한 식으로 나타낸다.

➡ ☐ 원

② 나눗셈 기호 ÷를 생략하여 나타낸다.

➡ ☐ 원

(2)
> 길이가 15 cm인 끈을 $x$등분했을 때,
> 한 조각의 길이

① 문장을 $x$를 사용한 식으로 나타낸다.

➡ ☐ cm

② 나눗셈 기호 ÷를 생략하여 나타낸다.

➡ ☐ cm

(3)
> 우유 $x$ L를 4명이 똑같이 나누어 마셨을 때, 한 사람이 마신 우유의 양

➡ ☐ L

(4)
> 2시간 동안 $x$ km를 달렸을 때의 시간 당 속력

➡ ☐ km

• (물건의 가격)
  = (물건 1개의 가격)
  × (물건의 개수)
• (거스름돈)
  = (지불한 금액)
  − (물건의 금액)
• (시간) = $\dfrac{(거리)}{(속력)}$

*시속: 1시간 동안 이동한 거리

**05** 다음 문장을 기호 ×, ÷를 생략하여 $x$를 사용한 식으로 나타내시오.

(1) 한 송이에 1000원인 장미 $x$송이를 사고 10000원을 냈을 때의 거스름돈

➡ ☐ 원

(2) 60 km를 시속 $x$ km로 달렸을 때 걸린 시간 ➡ ☐ 시간

(3) 가로의 길이가 $x$ cm, 넓이가 56 cm²인 직사각형의 세로의 길이

➡ ☐ cm

중학교 교과서

**06** 다음을 $x$를 사용한 식으로 나타낸 것 중 옳지 <u>않은</u> 것은?

① 한 봉지에 700원인 과자 $x$봉지의 가격 ➡ $700x$원

② 한 시간에 $x$ km로 4시간 동안 간 거리 ➡ $\dfrac{4}{x}$ km

③ 한 변의 길이가 $x$ cm인 정육각형의 둘레의 길이 ➡ $6x$ cm

④ 5장에 $x$원인 영화 관람권 1장의 가격 ➡ $\dfrac{x}{5}$원

⑤ 900원짜리 사인펜을 $x$자루 사고 5000원을 냈을 때의 거스름돈 ➡ $(5000-900x)$원

# 07 식을 간단히 나타내기(1)

## 중등 07-1 곱셈식을 간단히 나타내기

🅒 1학년: 일차식과 수의 곱셈, 나눗셈

수끼리 곱한 후 $x$ 앞에 쓴다.

$2x = 2 \times x$

$$2x \times 3 = 2 \times x \times 3$$
$$= 2 \times 3 \times x \quad \text{곱셈의 교환법칙}$$
$$= (2 \times 3) \times x \quad \text{곱셈의 결합법칙}$$
$$= 6x$$

➡ $2x \times 3 = 6x$ 

$2 \times 3 = 6$

$2x \times 3$은 $2x$가 3번 있다는 거야.
$2x$
$2x$ ➡ $6x$
$2x$

잠깐만 !

⟨곱셈의 교환법칙⟩ 곱하는 두 수의 순서를 바꾸어도 결과는 같아.

세 유리수 $a$, $b$, $c$에 대하여
곱셈의 교환법칙: $a \times b = b \times a$
곱셈의 결합법칙: $(a \times b) \times c = a \times (b \times c)$

⟨곱셈의 결합법칙⟩ 앞의 두 수나 뒤의 두 수를 먼저 곱한 후에 나머지 수를 곱해도 결과는 같아.

**01** 다음 식을 곱셈 기호 $\times$를 생략하여 간단히 나타내시오.

약분이 되면 반드시 약분을 해.

(1) $5x \times 6 = \boxed{\phantom{00}} x$
$\quad$ $5 \times 6$

(2) $4x \times \dfrac{1}{5} = \boxed{\phantom{00}} x$

(3) $(-6x) \times 7$

(4) $0.2x \times 5$

(5) $\dfrac{3}{7} \times 8x$

(6) $(-9x) \times \dfrac{2}{3}$

중학교 교과서
**02** 다음 식을 계산하시오.

(1) $7x \times 4 = \boxed{\phantom{00}} \times x \times 4$
$\qquad = \boxed{\phantom{00}} \times 4 \times x$ ← 수끼리 모으기
$\qquad = \boxed{\phantom{00}} x$ ← 수끼리 곱하기

(2) $8 \times (-3x) = 8 \times (\boxed{\phantom{0}}) \times x$
$\qquad\qquad\qquad = \boxed{\phantom{00}} x$

(3) $(-5x) \times 5$

(4) $\dfrac{7}{2} x \times 6$

(5) $(-0.1x) \times 4$

(6) $2x \times \left( -\dfrac{2}{3} \right)$

## 07-2 나눗셈식을 간단히 나타내기

중1학년: 일차식과 수의 곱셈, 나눗셈

나눗셈을 역수의 곱셈으로 고쳐서 계산한 후 $x$ 앞에 쓴다.

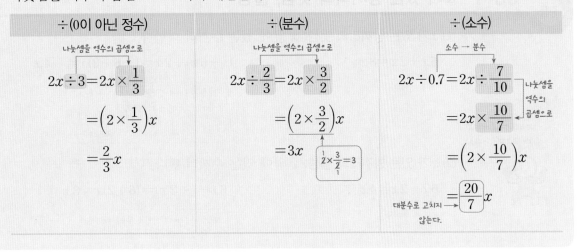

| ÷(0이 아닌 정수) | ÷(분수) | ÷(소수) |
|---|---|---|
| 나눗셈을 역수의 곱셈으로 $2x \div 3 = 2x \times \dfrac{1}{3}$ $= \left(2 \times \dfrac{1}{3}\right)x$ $= \dfrac{2}{3}x$ | 나눗셈을 역수의 곱셈으로 $2x \div \dfrac{2}{3} = 2x \times \dfrac{3}{2}$ $= \left(2 \times \dfrac{3}{2}\right)x$ $= 3x$ $\boxed{\overset{1}{2} \times \dfrac{3}{\underset{1}{2}} = 3}$ | 소수 → 분수 $2x \div 0.7 = 2x \div \dfrac{7}{10}$ 나눗셈을 역수의 곱셈으로 $= 2x \times \dfrac{10}{7}$ $= \left(2 \times \dfrac{10}{7}\right)x$ 대분수로 고치지 않는다. $= \dfrac{20}{7}x$ |

**03** 다음 식을 나눗셈 기호 ÷를 생략하여 간단히 나타내시오.

(1) $16x \div 8 = \boxed{\phantom{0}} x$
    $\underbrace{}_{16 \div 8}$

(2) $3x \div 15 = 3x \times \boxed{\phantom{0}} = \boxed{\phantom{0}} x$
    나눗셈을 역수의 곱셈으로

(3) $4x \div \dfrac{3}{8} = 4x \times \boxed{\phantom{0}} = \boxed{\phantom{0}}$

(4) 소수를 분수로
    $2x \div 0.4 = 2x \div \boxed{\phantom{0}} = 2x \times \boxed{\phantom{0}} = \boxed{\phantom{0}}$

(5) $(-20x) \div 5$

(6) $12x \div (-6)$

중학교 교과서

**04** 다음 식을 계산하시오.

유리수의 나눗셈에서 음수가 있는 경우 부호에 주의해!
$(+) \div (+) \rightarrow (+)$
$(-) \div (-) \rightarrow (+)$
$(-) \div (+) \rightarrow (-)$
$(+) \div (-) \rightarrow (-)$

(1) $5x \div (-7)$

(2) $2x \div \left(-\dfrac{8}{9}\right)$

(3) $4x \div (-3)$

(4) $(-3x) \div \dfrac{5}{4}$

(5) $(-6x) \div 0.8$

(6) $(-7x) \div (-0.3)$

# 08 식을 간단히 나타내기(2)

## 중등 08-1 $x$가 있는 항끼리의 덧셈, 뺄셈

🎓1학년: 일차식의 덧셈과 뺄셈

(1) $x$가 있는 항끼리의 덧셈: $x$ 앞에 있는 수끼리 더한다.

$$6x+2x=8x$$
$$\underbrace{}_{6+2=8}$$

$$(-6x)+2x=(-6+2)x=-4x$$

괄호를 사용하여 생략된 + 부호를 다시 쓴다.
$(-6x)+2x=(-6x)+(+2x)$
$+$
➡ $(-6)+(+2)=-(6-2)=-4$

○$x$+●$x$=(○+●)$x$
○$x$-●$x$=(○-●)$x$

(2) $x$가 있는 항끼리의 뺄셈: $x$ 앞에 있는 수끼리 뺀다.

$$6x-2x=4x$$
$$\underbrace{}_{6-2=4}$$

$$6x-(-2x)=(6+2)x=8x$$

괄호를 사용하여 생략된 + 부호를 다시 쓴다.
$6x-(-2x)=(+6x)+(+2x)$
$+$
➡ $(+6)+(+2)=+(6+2)=8$

**잠깐만!**

$6x$, $2x$, $8$을 각각 항이라고 해. $8$처럼 수만 있는 항은 상수항이야.

항
$$6x+2x+8$$
$x$의 계수  상수항

$x$ 앞에 있는 수를 $x$의 계수라고 불러. $6$, $2$ 모두 $x$의 계수야.

---

**01** $x$가 있는 항끼리 더하여 다음 식을 간단히 나타내시오.

(1) $5x+3x=\boxed{\phantom{0}}x$

(2) $12x+x=\boxed{\phantom{0}}x$

(3) $0.2x+1.5x$

(4) $(-0.8x)+0.2x$

(5) $\dfrac{7}{5}x+\dfrac{1}{5}x$

(6) $\dfrac{3}{5}x+\left(-\dfrac{6}{5}x\right)$

---

**02** $x$가 있는 항끼리 빼어 다음 식을 간단히 나타내시오.

분모가 다른 분수의 계산은 분모의 최소 공배수로 통분한 후 계산해.

(1) $11x-4x=\boxed{\phantom{0}}x$

(2) $10x-x=\boxed{\phantom{0}}x$

(3) $6x-0.1x$

(4) $1.9x-(-0.5x)$

(5) $\dfrac{4}{7}x-\dfrac{1}{7}x$

(6) $\dfrac{2}{3}x-\dfrac{5}{9}x$

## 08-2 식을 간단히 나타내기

중등

1학년: 일차식의 덧셈과 뺄셈

① $x$가 있는 항끼리, 상수항끼리 모은다.
② ①에서 모은 항끼리 각각 계산한다.
　　　동류항

$$4x+12-x-3$$
$$=4x-x+12-3$$
$$=(4-1)x+(12-3)$$
$$=3x+9$$

$x$가 있는 항끼리,
상수항끼리 모으기

동류항끼리 계산하기

잠깐만!

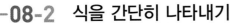

$6x$, $4x$와 같이 $x$가 있는 항끼리, 12, 6과 같이 상수항끼리 각각 동류항이라고 해.

동류항
$6x + 12 + 4x + 6$
동류항

동류항끼리 계산할 수 있어!

중학교 교과서

**03** 다음 중 동류항끼리 짝 지어진 것을 모두 고르면? (정답 2개)

동류항을 찾을 때에는 문자가 같은지 확인해.

① $4x$, $-20x$

② $\dfrac{2}{x}$, $\dfrac{x}{2}$

③ $-7$, $-7x$

④ $25$, $\dfrac{4}{9}$

⑤ $12x$, $12y$

**04** 다음 식을 간단히 나타내시오.

(1) $5x-8x+2x=(5-\boxed{\phantom{0}}+2)x$
　　　　　　　　　　$\underset{(+5)-(+8)}{\big\downarrow}$
　　　　　$=(\boxed{\phantom{0}}+2)x$
　　　　　$=\boxed{\phantom{0}}$

(2) $-4x+x-6x=(-4+1-\boxed{\phantom{0}})x$
　　　　　　　　　　　　$\underset{(-4)+(+1)}{\big\downarrow}$
　　　　　　$=(-3-\boxed{\phantom{0}})x$
　　　　　　$=\boxed{\phantom{0}}$

(3) $\dfrac{1}{4}x+x+\dfrac{1}{3}x$

(4) $-\dfrac{1}{2}x+\dfrac{1}{5}x-2x$

**05** 동류항끼리 계산하여 다음 식을 간단히 나타내시오.

각 항을 옮기거나 계산할 때 반드시 부호를 포함해서 생각해.

(1) $10x+5+7+4x$
　　$=10x+4x+5+7$
　　$=(\boxed{\phantom{0}}+\boxed{\phantom{0}})x+(\boxed{\phantom{0}}+\boxed{\phantom{0}})$
　　$=\boxed{\phantom{0}}x+\boxed{\phantom{0}}$

동류항끼리 모으기

동류항끼리 계산하기

(2) $-3x+13+x-9$
　　$=-3x+x+13-9$
　　$=(\boxed{\phantom{0}}+\boxed{\phantom{0}})x+(\boxed{\phantom{0}}-\boxed{\phantom{0}})$
　　$=\boxed{\phantom{0}}x+\boxed{\phantom{0}}$

동류항끼리 모으기

동류항끼리 계산하기

(3) $7.3x+0.8x-10-4$

(4) $15x-7x-1+4$

(5) $\dfrac{12}{7}x+20-\dfrac{3}{7}x+2$

(6) $-\dfrac{11}{5}x-11-\dfrac{6}{5}x-8$

## 09-1 괄호가 있는 식을 간단히 나타내기 – 곱셈

🔵 1학년: 일차식과 수의 곱셈

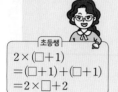

초등생

$2 \times (\square + 1)$
$= (\square + 1) + (\square + 1)$
$= 2 \times \square + 2$

(1) 양수를 곱하는 경우: 괄호 안의 부호를 그대로 쓴다.

$$3(x+1) = 3 \times (+x+1) = 3 \times x + 3 \times 1 = 3x + 3$$

→ 양의 부호 +가
생략된 것
➡ $(+3) \times (x+1)$

+ 부호 생략

부호 그대로

• 괄호 앞에 +가 있으면
괄호 안의 부호 그대로
$A+(B-C)=A+B-C$
• 괄호 앞에 −가 있으면
괄호 안의 부호 반대로
$A-(B-C)=A-B+C$

(2) 음수를 곱하는 경우: 괄호 안의 부호를 **반대로** 쓴다.

$$(x+1) \times (-3) = (+x+1) \times (-3) = x \times (-3) + 1 \times (-3) = -3x - 3$$

→ $(+x+1) \times (-3)$

부호 반대로

잠깐만!

괄호를
풀었어.

$(\bullet + \blacktriangle) \times 3 = \begin{pmatrix} \bullet + \blacktriangle \\ \bullet + \blacktriangle \\ \bullet + \blacktriangle \end{pmatrix} \Rightarrow (\bullet + \blacktriangle) \times 3 = 3\bullet + 3\blacktriangle$

괄호를 푸는 것을
곱셈의 분배법칙
이라고 해.

**01** 곱셈이 있는 식의 괄호를 풀어 다음 식을 간단히 나타내시오.

괄호 앞에 − 부호
가 있으면 각 항의
부호를 반대로 바꿔.

(1) 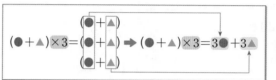 $2(x+7) = \square \times x + \square \times 7$
$= \square x + \square$

(2)  $-4(2x+3) = -4 \times \square - 4 \times \square$
$= \square x - \square$

(3) $-\dfrac{1}{3}(3x-9)$

(4) $(4x-2) \times \dfrac{3}{4}$

중학교 교과서

**02** 다음 식을 계산하시오.

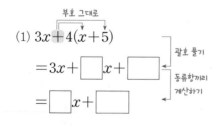

(1) $3x + 4(x+5)$
$= 3x + \square x + \square$
$= \square x + \square$

부호 그대로

→ 괄호 풀기
→ 동류항끼리
계산하기

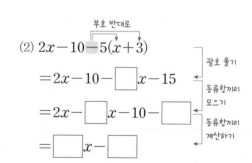

(2) $2x - 10 - 5(x+3)$
$= 2x - 10 - \square x - 15$
$= 2x - \square x - 10 - \square$
$= \square x - \square$

부호 반대로

→ 괄호 풀기
→ 동류항끼리
모으기
→ 동류항끼리
계산하기

(3) $13x - 2(2x+8)$

(4) $-2(x+3) + 7(4x+2)$

(5) $\dfrac{1}{4}(8x+12) + \dfrac{1}{2}(6+4x)$

(6) $\dfrac{2}{3}(5x-4) - \dfrac{1}{3}(x+3)$

## 09-2 괄호가 있는 식을 간단히 나타내기 – 나눗셈

중등

🔵 1학년: 일차식과 수의 곱셈, 나눗셈

나눗셈을 역수의 곱셈으로 고친 후, 괄호를 풀어 식을 정리한다.

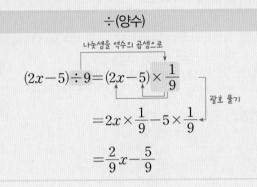

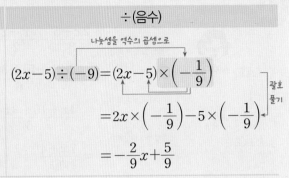

| ÷(양수) | ÷(음수) |
|---|---|

곱하는 수가 음수이면 곱하는 수의 부호도 각 항에 곱해야 돼.

**03** 나눗셈이 있는 식의 괄호를 풀어 다음 식을 간단히 나타내시오.

(1) $(x+7) \div 7$

$= (x+7) \times \boxed{\phantom{x}}$

$= x \times \boxed{\phantom{x}} + 7 \times \boxed{\phantom{x}}$

$= \boxed{\phantom{x}} x + \boxed{\phantom{x}}$

(2) $(2x+3) \div (-4)$

$= (2x+3) \times \left( \boxed{\phantom{x}} \right)$

$= 2x \times \left( \boxed{\phantom{x}} \right) + 3 \times \left( \boxed{\phantom{x}} \right)$

$= \boxed{\phantom{x}} x - \boxed{\phantom{x}}$

나눗셈을 역수의 곱셈으로

괄호 풀기

(3) $(12x-9) \div 3$

(4) $(-10x+6) \div (-2)$

중학교 교과서

**04** 다음 식을 계산하시오.

$-(6x-18)$은 괄호 앞에 $-1$이 곱해져 있는 거야.
$-(6x-18)$
$= -1 \times (6x-18)$

(1) $(2x+7) \times 3 \div 6$

(2) $-\dfrac{1}{2}(4x+10) \div 3$

(3) $(3x+9) \div \dfrac{3}{5} \times 2$

(4) $-(6x-18) \div \dfrac{1}{3}$

(5) $(2x+3) \div \dfrac{2}{3} \times 6$

(6) $(-9+6x) \times 4 \div 3$

# 10 분수 꼴인 식을 간단히 나타내기

## 중등 10-1 분수 꼴인 식을 간단히 나타내기 – 덧셈

초 5학년: 분모가 다른 분수의 덧셈
중 1학년: 일차식의 덧셈과 뺄셈

초등샘

$\dfrac{2}{3}+\dfrac{1}{2}$

$=\dfrac{2\times2}{3\times2}+\dfrac{1\times3}{2\times3}$

$=\dfrac{4}{6}+\dfrac{3}{6}$

$=\dfrac{7}{6}$

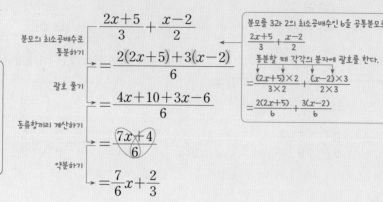

$$\dfrac{2x+5}{3}+\dfrac{x-2}{2}$$

분모의 최소공배수로 통분하기

$$=\dfrac{2(2x+5)+3(x-2)}{6}$$

괄호 풀기

$$=\dfrac{4x+10+3x-6}{6}$$

동류항끼리 계산하기

$$=\dfrac{7x+4}{6}$$

약분하기

$$=\dfrac{7}{6}x+\dfrac{2}{3}$$

분모를 3과 2의 최소공배수인 6을 공통분모로 하여 통분한다.

$\dfrac{2x+5}{3}+\dfrac{x-2}{2}$

통분할 때 각각의 분자에 괄호를 한다.

$=\dfrac{(2x+5)\times2}{3\times2}+\dfrac{(x-2)\times3}{2\times3}$

$=\dfrac{2(2x+5)}{6}+\dfrac{3(x-2)}{6}$

---

**01** 다음 식을 간단히 나타내시오.

분모의 최소공배수로 통분해야 계산이 간단해.

(1) $\dfrac{3x+1}{4}+\dfrac{x+1}{2}$

$=\dfrac{(3x+1)+\boxed{\phantom{0}}(x+1)}{4}$

$=\dfrac{\boxed{\phantom{0}}x+1+2x+\boxed{\phantom{0}}}{4}$

$=\dfrac{\boxed{\phantom{0}}x+\boxed{\phantom{0}}}{4}$

(2) $\dfrac{2x-1}{4}+\dfrac{5-2x}{3}$

$=\dfrac{\boxed{\phantom{0}}(2x-1)+\boxed{\phantom{0}}(5-2x)}{12}$

$=\dfrac{6x-\boxed{\phantom{0}}+20-\boxed{\phantom{0}}x}{12}$

$=\dfrac{\boxed{\phantom{0}}x+\boxed{\phantom{0}}}{12}$

$=\boxed{\phantom{0}}x+\boxed{\phantom{0}}$ ← 약분하기

---

**02** 다음 식을 계산하시오.

(1) $\dfrac{x+2}{4}+\dfrac{4x+2}{5}$

(2) $\dfrac{x+2}{3}+x-1$

---

**03** $\dfrac{x+4}{2}+\dfrac{5x-1}{6}+\dfrac{2-2x}{3}$ 를 간단히 하면?

① $\dfrac{-4x+15}{6}$

② $\dfrac{2}{3}x-\dfrac{5}{2}$

③ $\dfrac{2}{3}x+\dfrac{5}{2}$

④ $-4x+15$

⑤ $2x+5$

## 중등 — 10-2 분수 꼴인 식을 간단히 나타내기 – 뺄셈

초 5학년: 분모가 다른 분수의 뺄셈
중 1학년: 일차식의 덧셈과 뺄셈

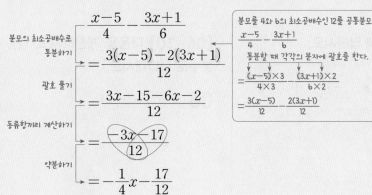

분모의 최소공배수로 통분하기

$$\frac{x-5}{4} - \frac{3x+1}{6}$$

$$= \frac{3(x-5) - 2(3x+1)}{12}$$

괄호 풀기

$$= \frac{3x-15-6x-2}{12}$$

동류항끼리 계산하기

$$= \frac{-3x-17}{12}$$

약분하기

$$= -\frac{1}{4}x - \frac{17}{12}$$

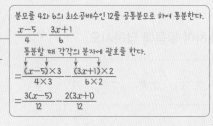

분모를 4와 6의 최소공배수인 12를 공통분모로 하여 통분한다.

$$\frac{x-5}{4} - \frac{3x+1}{6}$$

통분할 때 각각의 분자에 괄호를 한다.

$$= \frac{(x-5) \times 3}{4 \times 3} - \frac{(3x+1) \times 2}{6 \times 2}$$

$$= \frac{3(x-5)}{12} - \frac{2(3x+1)}{12}$$

통분할 때 분자에 괄호를 해야 부호를 헷갈리지 않아.

---

**04** 다음 식을 간단히 나타내시오.

(1) $\dfrac{x+1}{3} - \dfrac{6x+1}{5}$

$$= \frac{\boxed{\phantom{0}}(x+1) - \boxed{\phantom{0}}(6x+1)}{15}$$

$$= \frac{5x+5 - \boxed{\phantom{0}}x - \boxed{\phantom{0}}}{15}$$

$$= \frac{\boxed{\phantom{0}}x + \boxed{\phantom{0}}}{15}$$

(2) $\dfrac{7+6x}{5} - \dfrac{3x+5}{4}$

$$= \frac{\boxed{\phantom{0}}(7+6x) - \boxed{\phantom{0}}(3x+5)}{20}$$

$$= \frac{\boxed{\phantom{0}} + 24x - \boxed{\phantom{0}}x - 25}{20}$$

$$= \frac{\boxed{\phantom{0}}x + \boxed{\phantom{0}}}{20}$$

---

**05** 다음 식을 계산하시오.

(1) $\dfrac{2x+3}{2} - \dfrac{x-3}{3}$

(2) $\dfrac{-x+2}{3} - \dfrac{5x+3}{4}$

분모와 분자를 약분할 때 분자의 모든 항을 약분해야 돼.

$$\frac{4x+15}{6} = \frac{2}{3}x + \frac{5}{2} \ (\bigcirc)$$

$$\frac{4x+15}{6} = \frac{2x+15}{3} \ (\times)$$

---

중학교 교과서

**06** 다음을 계산하시오.

$$\frac{x+7}{6} + \frac{4x-1}{3} - \frac{x+5}{4}$$

# 11 실력 확인 TEST

**[01~02]** 다음 수에 대하여 물음에 답하시오.

$$-3.2, \quad 0, \quad 4, \quad +\frac{7}{2}, \quad -8, \quad -\frac{1}{5}, \quad 9$$

**01** 정수를 모두 고르시오.

**02** 음의 유리수를 모두 고르시오.

**[03~05]** 다음을 구하시오.

**03** $-7$의 절댓값

**04** $|-2|$

**05** $\left|+\frac{9}{5}\right|$

**[06~10]** 다음을 계산하시오. (단, 답은 약분하여 기약분수로 나타내시오.)

**06** $(-7)+(-8)$

**07** $\left(+\frac{2}{9}\right)-\left(-\frac{5}{3}\right)$

**08** $(+2.3)-(+1.6)$

**09** $(+6)\times(+4)$

**10** $(+18)\times\left(-\frac{11}{6}\right)$

어떤 수의 절댓값을 구해 봐.

**11** 다음 수의 역수를 구하시오.

$$-\frac{9}{7}$$

**[12~13]** 다음을 계산하시오. (단, 답은 약분하여 기약분수로 나타내시오.)

**12** $\left(+\frac{5}{8}\right)\div\left(-\frac{3}{4}\right)$

**13** $(+3)\div(+1.5)$

**[14~15]** 다음을 $x$를 사용한 식으로 나타내시오.

**14** 어떤 수 $x$의 6배보다 2만큼 큰 수

**15** 8개에 $x$원인 사탕 한 개의 가격

(사탕 한 개의 가격)
=(전체 가격)÷(사탕의 개수)

**[16~17]** 다음 식을 기호 $\times$, $\div$를 생략하여 간단히 나타내시오.

**16** $\frac{1}{5}\times x$

**17** $(-x)\div\frac{2}{5}$

**[18~20]** 다음 식을 간단히 나타내시오.

**18** $\frac{9}{4}x\times6$

**19** $(-2x)\div0.8$

**20** $5x\times\left(-\frac{7}{3}\right)$

[21~25] 동류항끼리 계산하여 다음 식을 간단히 나타
내시오.

**21** $8x+15-2x$

**22** $\dfrac{2}{7}x+\left(-\dfrac{5}{7}x\right)$

**23** $\dfrac{5}{6}x-\dfrac{7}{9}x+x$

**24** $5.4x-9+0.8x+3$

**25** $-\dfrac{9}{2}x+1+\dfrac{4}{5}x-7$

[26~30] 다음 식을 계산하시오.

**26** $8x-3(x-2)$

**27** $4(x-5)-(7+2x)$

**28** $-\dfrac{1}{3}(6x+12)\div 2$

**29** $(2x+8)\div\dfrac{2}{3}\times 4$

**30** $\dfrac{x-1}{4}-\dfrac{2x-5}{3}$

동류항끼리
모으면 돼.

# 2단계

# 등식과 방정식

개념 동영상 강의

| 학습 내용 | 공부 계획 |
|---|---|

# 12 등식

## 중등 — 12-1 등식

중1학년: 방정식과 그 해

• 등식: 등호 '='를 사용하여 왼쪽과 오른쪽의 수 또는 식이 서로 같음을 나타낸 식

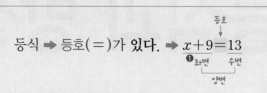

등식 ➡ 등호(=)가 있다. ➡ $x+9=13$

등호

좌변    우변

양변

식의 맞고 틀림과
관계없이
등호 '='만 있으면
등식이야.

❶ 좌변: 등식에서 등호의 왼쪽 부분, 우변: 등식에서 등호의 오른쪽 부분,
양변: 좌변과 우변을 통틀어 양변이라 한다.

중학교 교과서

**01** 다음에서 등식인 것은 ○표, 아닌 것은 ×표 하시오.

등호 '='가 있다?
있다. ↙  ↘ 없다.
등식      등식 아님.

(1) $2+3=5$ (          )

(2) $9 \times x+2$ (          )

(3) $30-\dfrac{x}{2}=10$ (          )

(4) $x+8>15$ (          )

**02** 다음 등식에서 좌변과 우변을 각각 쓰시오.

(1) $12+5x=8+2x$

좌변 ➡

우변 ➡

(2) $9=36-x$

좌변 ➡

우변 ➡

**03** 다음에서 등식인 것을 찾고, 등식인 것은 좌변과 우변을 각각 쓰시오.

(1) $9+4=25$

(2) $-3x+7<5x-2$

(3) $x+2=0$

(4) $20-9x=5+\dfrac{x}{3}$

**04** 등식 $-7+4x=-3x+21$의 좌변과 우변을 바르게 짝 지은 것은?

① 좌변: $-7$, 우변: $21$

② 좌변: $4x$, 우변: $-3x$

③ 좌변: $-7+4x$, 우변: $-3x$

④ 좌변: $-7$, 우변: $-3x+21$

⑤ 좌변: $-7+4x$, 우변: $-3x+21$

중등 **12-2 문장을 등식으로 나타내기** 중1학년: 방정식과 그 해

> 어떤 수 $x$와 15의 합은 어떤 수 $x$의 2배보다 10만큼 큰 수와 같다.
> 좌변        우변     =

> 문장의 순서에 따라 식으로 나타내면 돼.

| 좌변 | 등호 | 우변 |
|------|------|------|
| $x+15$ | $=$ | $2x+10$ |

→ $x+15=2x+10$

└ ($x$의 2배)=$x \times 2 = 2x$

**05** 다음 문장을 등식으로 나타내시오.

(1)  어떤 수 $x$의 2배인 수는 어떤 수 $x$보다 10만큼 큰 수와 같다.

| 좌변 | 등호 | 우변 |
|------|------|------|
|      |      |      |

→ _____

(2)  가로의 길이가 12 cm, 세로의 길이가 $x$ cm인 직사각형의 넓이는 96 cm²이다.

| 좌변 | 등호 | 우변 |
|------|------|------|
|      |      |      |

→ _____

(3)  $x$원짜리 볼펜 15자루를 사고 5000원을 내었더니 거스름돈이 500원이었다.

| 좌변 | 등호 | 우변 |
|------|------|------|
|      |      |      |

→ _____

**06** 다음 문장을 등식으로 나타내시오.

문장을 끊어 읽으면서 좌변과 우변으로 놓을 식을 찾아봐.

> 연필 36자루를 $x$명에게 5자루씩 나누어 주었더니 6자루가 남았다.

[중학교 교과서]

**07** 다음 중 문장을 식으로 나타냈을 때 등식인 것은?

① 10보다 4만큼 작다.      ② 어떤 수 $x$는 12이다.

③ 어떤 수 $x$에 8을 더한 수      ④ 어떤 수 $x$의 4배인 수를 9로 나눈 수

⑤ 어떤 수 $x$를 5로 나누면 15보다 크다.

# 13 방정식

## 중등 13-1 방정식

(1) 방정식: $x$의 값에 따라 참이 되기도 하고 거짓이 되기도 하는 등식

└▸ 방정식은 참인지 거짓인지 알 수 없는 등식이다.

예 $3x+1=5$, $x+5=9-2x$, $\dfrac{x}{5}=7$

(2) 미지수: 방정식에 있는 문자 $x$

초등에서는
□가 있는 식
➡ □+1=3

중등에서는
$x$가 있는 식
➡ $x+1=3$

잠깐만!

참이 된다는 것과
거짓이 된다는 것이
무슨 뜻일까?

$1+2=3$ (참인 등식)
$2-1=0$ (거짓인 등식)

• 좌변과 우변이 같다. ➡ 참
• 좌변과 우변이 다르다. ➡ 거짓

**01** 다음에서 방정식인 것은 ○표, 아닌 것은 ×표 하시오.

(1) $x+2=4$ (          )

(2) $8-5=3$ (          )

(3) $3x-1<7$ (          )

(4) $x-5=10-x$ (          )

(5) $4x-8$ (          )

(6) $9x-6=3x$ (          )

## 중등 13-2 방정식의 해

• 방정식의 해: 방정식을 참이 되게 하는 $x$의 값

└▸ '$x=$(수)'의 꼴

| $x$의 값 | 좌변 | 우변 | 참/거짓 |
|---|---|---|---|
| 1 | $4\times1+1=5$ | 9 | 거짓 |
| 2 | $4\times2+1=9$ | 9 | 참 |
| 3 | $4\times3+1=13$ | 9 | 거짓 |

$4x+1=9$ ➡

방정식의 해 ➡ '$x=2$'

**02** $x$의 값이 $-1$, 0, 1일 때, 방정식 $3x-1=2$의 해를 구하시오.

$x$ 대신에 수를 넣어서 계산하고, 넣는 수가 음수이면 괄호를 사용해.

| $x$의 값 | 좌변 | 우변 | 참/거짓 |
|---|---|---|---|
| $-1$ | $3\times(-1)-1=-4$ | 2 | 거짓 |
| 0 | $3\times\boxed{\phantom{x}}-1=\boxed{\phantom{x}}$ |  |  |
| 1 | $3\times\boxed{\phantom{x}}-1=\boxed{\phantom{x}}$ | 2 |  |

방정식의 해 ➡ $x=\boxed{\phantom{x}}$

**03** $x$의 값이 1, 2, 3일 때, 다음 방정식의 해를 구하시오.

(1) $12x=36$

➡ $x=($        $)$

(2) $3x+1=7$

➡ $x=($        $)$

(3) $-3x+5=-1$

➡ $x=($        $)$

(4) $5-2x=3$

➡ $x=($        $)$

(5) $-x+3=x+1$

➡ $x=($        $)$

(6) $-2x+6=x-3$

➡ $x=($        $)$

**04** 다음 [ ] 안의 수가 주어진 방정식의 해인 것에는 ○표, 아닌 것에는 ×표 하시오.

$x$의 값에 [ ] 안의 수를 넣어 계산했을 때 (좌변)=(우변)이면 방정식의 해야.

(1) $x+3=-1$ [ $-4$ ] (       )

(2) $7-3x=2$ [ $3$ ] (       )

(3) $2x-4=6$ [ $4$ ] (       )

(4) $-5=4x-3$ $\left[ -\dfrac{1}{2} \right]$ (       )

**05** 다음 중 [ ] 안의 수가 주어진 방정식의 해인 것은?

① $4x+5=8x$ [ $2$ ]

② $9x-7=2x$ [ $1$ ]

③ $12=-4x$ [ $3$ ]

④ $5x+10=25$ [ $4$ ]

⑤ $-6x+8=4x+2$ [ $5$ ]

중학교 교과서

**06** 다음 방정식 중 해가 $x=2$인 것은?

① $x+8=6$

② $-3x+5=8$

③ $5x-8=2$

④ $\dfrac{9}{5}x+3=12$

⑤ $12x+4=-8x+12$

# 14 등식의 성질(1), 방정식 $x-a=b$

## 중등 14-1 등식의 성질(1)

⊙ 1학년: 등식의 성질

등식의 **양변에 같은 수를 더하여도** 등식은 성립한다.
등호(=)의 양쪽 값이 같다.

예 $a+1=b+1$

$a+17=b+17$

$a=b \Rightarrow a+c=b+c$

$a+0.8=b+0.8$

$a+\dfrac{4}{5}=b+\dfrac{4}{5}$

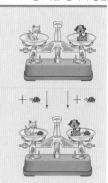

**01** 다음 등식이 성립하도록 □ 안에 알맞은 수를 써넣으시오.

(1) $a=b$일 때, $a+6=b+\boxed{\phantom{0}}$

(2) $a=b$일 때, $a+11=b+\boxed{\phantom{0}}$

(3) $a=b$일 때, $a+0.3=b+\boxed{\phantom{0}}$

(4) $a=b$일 때, $a+\dfrac{4}{5}=b+\boxed{\phantom{0}}$

## 중등 14-2 방정식 $x-a=b$

⊙ 2학년: 덧셈과 뺄셈
⊙ 1학년: 등식의 성질

$x-5=9$ $\Rightarrow$

$\begin{array}{c} x-5=9 \\ x-5+5=9+5 \end{array}$ $\Rightarrow$ $x=14$

등식의 성질(1)
이용하기

$x=(수)$의 꼴로
나타내기

방정식을 푸는 것이니까 $x=(수)$의 꼴로 나타내기 위해서 좌변에 $x$만 남겨.

초등생
덧셈과 뺄셈의 관계
□$-5=9$
$\Rightarrow$□$=9+5=14$

**02** 등식의 성질을 이용하여 방정식을 푸는 과정입니다. □ 안에 알맞은 수를 써넣으시오.

(1) $x-12=20$

양변에 $\boxed{\phantom{0}}$를 더하면

$x-12+\boxed{\phantom{0}}=20+\boxed{\phantom{0}}$

$\Rightarrow x=\boxed{\phantom{0}}$

(2) $x-7=-3$

양변에 $\boxed{\phantom{0}}$을 더하면

$x-7+\boxed{\phantom{0}}=-3+\boxed{\phantom{0}}$

$\Rightarrow x=\boxed{\phantom{0}}$

(3) $x-1.9=-11$

양변에 $\boxed{\phantom{0}}$를 더하면

$x-1.9+\boxed{\phantom{0}}=-11+\boxed{\phantom{0}}$

$\Rightarrow x=\boxed{\phantom{0}}$

(4) $x-\dfrac{4}{3}=-\dfrac{2}{3}$

양변에 $\boxed{\phantom{0}}$를 더하면

$x-\dfrac{4}{3}+\boxed{\phantom{0}}=-\dfrac{2}{3}+\boxed{\phantom{0}}$

$\Rightarrow x=\boxed{\phantom{0}}$

**03** '$a=b$이면 $a+c=b+c$이다.'라는 등식의 성질을 한 번만 이용하여 다음 방정식을 풀 때, $c$에 해당하는 값을 구하시오.

좌변에 $x$만 남기려면 얼마를 더해야 하는지 생각해 봐.

(1) $\underset{a}{\underline{x-9}}=\underset{b}{\underline{10}}$ ➡ $c=\boxed{\phantom{00}}$

(2) $x-1=15$ ➡ $c=\boxed{\phantom{00}}$

(3) $x-7=-25$ ➡ $c=\boxed{\phantom{00}}$

(4) $x-1.6=8$ ➡ $c=\boxed{\phantom{00}}$

(5) $x-0.9=4.5$ ➡ $c=\boxed{\phantom{00}}$

(6) $x-\dfrac{7}{8}=-\dfrac{17}{8}$ ➡ $c=\boxed{\phantom{00}}$

중학교 교과서

**04** 오른쪽 방정식을 푸는 데 이용한 등식의 성질을 쓰시오.

등식의 양변에 $\boxed{\phantom{00000}}$ 를 $\boxed{\phantom{00000}}$ 등식은 성립한다.

$$x-3.4=1.6$$
$$x-3.4+\blacksquare=1.6+\blacksquare$$
$$x=5$$

**05** ☐ 안에 알맞은 수를 써넣으시오.

(1) $x-6=3$

$x=\boxed{\phantom{0}}$ ← 양변에 $\boxed{\phantom{0}}$ 을 더하면

(2) $x-\dfrac{4}{9}=1$

$x=\boxed{\phantom{0}}$ ← 양변에 $\boxed{\phantom{0}}$ 를 더하면

**06** 등식의 성질을 이용하여 다음 방정식을 풀어 보시오.

'방정식을 푸는 것'은 $x=$(수)의 꼴로 나타내는 거야.

(1) $x-15=15$

(2) $x-20=8$

(3) $x-9=-2$

(4) $x-3.5=4.2$

(5) $x-1.1=3.3$

(6) $x-\dfrac{1}{5}=-\dfrac{13}{5}$

## 중등 15-1 등식의 성질(2)

중 1학년: 등식의 성질

등식의 **양변에서** 같은 수를 **빼어도** 등식은 성립한다.

$a=b \Rightarrow a-c=b-c$

예 $a - 1 = b - 1$
$a - 10 = b - 10$
$a - 0.5 = b - 0.5$
$a - \dfrac{1}{3} = b - \dfrac{1}{3}$

**01** 다음 등식이 성립하도록 □ 안에 알맞은 수를 써넣으시오.

(1) $a=b$일 때, $a-3=b-\boxed{\phantom{0}}$

(2) $a=b$일 때, $a-15=b-\boxed{\phantom{0}}$

(3) $a=b$일 때, $a-1.8=b-\boxed{\phantom{0}}$

(4) $a=b$일 때, $a-\dfrac{7}{10}=b-\boxed{\phantom{0}}$

## 중등 15-2 방정식 $x+a=b$

초 2학년: 덧셈과 뺄셈
중 1학년: 등식의 성질

초등쌤
덧셈과 뺄셈의 관계
$\square+2=11$
$\Rightarrow \square=11-2=9$

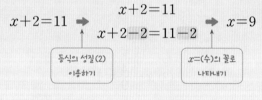

$x+2=11 \Rightarrow$ $\begin{array}{c} x+2=11 \\ x+2-2=11-2 \end{array}$ $\Rightarrow x=9$

등식의 성질(2)
이용하기

$x=$(수)의 꼴로
나타내기

좌변에 $x$만 남기려고
좌변에 있는 상수항과
똑같은 수를 빼는 거야.

**02** 등식의 성질을 이용하여 방정식을 푸는 과정입니다. □ 안에 알맞은 수를 써넣으시오.

계산 결과가 약분이
되면 약분해서 나타
내.

(1) $x+7=-11$

양변에서 $\boxed{\phantom{0}}$을 빼면

$x+7-\boxed{\phantom{0}}=-11-\boxed{\phantom{0}}$

$\Rightarrow x=\boxed{\phantom{0}}$

(2) $x+2=15$

양변에서 $\boxed{\phantom{0}}$를 빼면

$x+2-\boxed{\phantom{0}}=15-\boxed{\phantom{0}}$

$\Rightarrow x=\boxed{\phantom{0}}$

(3) $x+5.5=15.6$

양변에서 $\boxed{\phantom{0}}$를 빼면

$x+5.5-\boxed{\phantom{0}}=15.6-\boxed{\phantom{0}}$

$\Rightarrow x=\boxed{\phantom{0}}$

(4) $x+\dfrac{3}{4}=-\dfrac{5}{4}$

양변에서 $\boxed{\phantom{0}}$을 빼면

$x+\dfrac{3}{4}-\boxed{\phantom{0}}=-\dfrac{5}{4}-\boxed{\phantom{0}}$

$\Rightarrow x=\boxed{\phantom{0}}$

**03** '$a=b$이면 $a-c=b-c$이다.'라는 등식의 성질을 한 번만 이용하여 다음 방정식을 풀 때, $c$에 해당하는 값을 구하시오.

(1) $\underset{a}{\underline{x+2}}=\underset{b}{\underline{9}}$ ➡ $c=$ ☐

(2) $x+3=5$ ➡ $c=$ ☐

(3) $x+11=-4$ ➡ $c=$ ☐

(4) $x+2.3=6$ ➡ $c=$ ☐

(5) $x+1.2=-3.7$ ➡ $c=$ ☐

(6) $x+\dfrac{8}{5}=\dfrac{3}{5}$ ➡ $c=$ ☐

중학교 교과서

**04** 오른쪽 방정식에서 식 ①을 식 ②로 나타낼 때 이용한 등식의 성질을 쓰시오.

등식의 양변에서 ☐ 를 ☐ 등식은 성립한다.

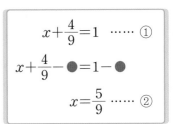

$x+\dfrac{4}{9}=1$ ······ ①

$x+\dfrac{4}{9}-\bullet=1-\bullet$

$x=\dfrac{5}{9}$ ······ ②

**05** ☐ 안에 알맞은 수를 써넣으시오.

(1) $x+5.4=8$

$x=$ ☐ ← 양변에서 ☐ 를 빼면

(2) $x+9=-7$

$x=$ ☐ ← 양변에서 ☐ 를 빼면

음수를 계산할 때에는 부호에 주의해.

**06** 등식의 성질을 이용하여 다음 방정식을 풀어 보시오.

(1) $x+6=17$

(2) $x+12=-5$

(3) $x+15=9$

(4) $x+2.3=5.2$

(5) $x+1.4=-0.7$

(6) $x+\dfrac{5}{7}=\dfrac{9}{7}$

# 16 등식의 성질(3), 방정식 $\dfrac{x}{a}=b$

## 중등 16-1 등식의 성질(3)

초1학년: 등식의 성질

등식의 **양변에 같은 수를 곱하여도** 등식은 성립한다.

a=b이면 ac=bc 이지만, ac=bc라고 해서 반드시 a=b는 아니야.

$$a=b \Rightarrow a\,c=b\,c$$
$$(a \times c = b \times c)$$

예
$$a \times \ 1 \ = b \times \ 1$$
$$a \times (-4) = b \times (-4)$$
$$a \times \ 0.2 \ = b \times \ 0.2$$
$$a \times \frac{7}{6} = b \times \frac{7}{6}$$

×2 ↓  ↓×2

**01** 다음 등식이 성립하도록 □ 안에 알맞은 수를 써넣으시오.

(1) $a=b$일 때, $a \times 12 = b \times \boxed{\phantom{0}}$

(2) $a=b$일 때, $a \times (-5) = b \times (\boxed{\phantom{0}})$

(3) $a=b$일 때, $a \times 0.4 = b \times \boxed{\phantom{0}}$

(4) $a=b$일 때, $a \times \dfrac{4}{3} = b \times \boxed{\phantom{0}}$

## 중등 16-2 방정식 $\dfrac{x}{a}=b$

초3학년: 여러 가지 나눗셈
중1학년: 등식의 성질

초등쌤
곱셈과 나눗셈의 관계
□÷4=9
➡ □=9×4=36

$$\frac{x}{4}=9 \Rightarrow \begin{array}{c} \dfrac{x}{4}=9 \\[4pt] \dfrac{x}{4} \times 4 = 9 \times 4 \end{array} \Rightarrow x=36$$

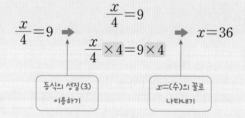

등식의 성질 (3)
이용하기

x=(수)의 꼴로
나타내기

$x$의 계수가 음수이면 좌변에 $x$만 남겨야 하니까 양변에 음수를 곱해.

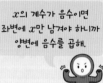

**02** 등식의 성질을 이용하여 방정식을 푸는 과정입니다. □ 안에 알맞은 수를 써넣으시오.

음수를 계산할 때에는 괄호를 사용해.
➡ 2×(−7)=−14

(1) $\dfrac{x}{8}=4$

양변에 □을 곱하면

$$\frac{x}{8} \times \boxed{\phantom{0}} = 4 \times \boxed{\phantom{0}}$$

➡ $x = \boxed{\phantom{0}}$

(2) $\dfrac{x}{12}=3$

양변에 □를 곱하면

$$\frac{x}{12} \times \boxed{\phantom{0}} = 3 \times \boxed{\phantom{0}}$$

➡ $x = \boxed{\phantom{0}}$

(3) $\dfrac{x}{5}=-3$

양변에 □를 곱하면

$$\frac{x}{5} \times \boxed{\phantom{0}} = -3 \times \boxed{\phantom{0}}$$

➡ $x = \boxed{\phantom{0}}$

(4) $-\dfrac{x}{7}=2$

양변에 □을 곱하면

$$-\frac{x}{7} \times (\boxed{\phantom{0}}) = 2 \times (\boxed{\phantom{0}})$$

➡ $x = \boxed{\phantom{0}}$

**03** '$a=b$이면 $ac=bc$이다.'라는 등식의 성질을 한 번만 이용하여 다음 방정식을 풀 때, $c$에 해당하는 값을 구하시오.

(1) $\dfrac{x}{4}=3$ ➡ $c=\boxed{\phantom{0}}$
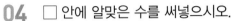

(2) $\dfrac{x}{2}=15$ ➡ $c=\boxed{\phantom{0}}$

(3) $\dfrac{x}{6}=-21$ ➡ $c=\boxed{\phantom{0}}$

(4) $\dfrac{x}{10}=4$ ➡ $c=\boxed{\phantom{0}}$

(5) $\dfrac{x}{7}=9$ ➡ $c=\boxed{\phantom{0}}$

(6) $-\dfrac{x}{4}=-\dfrac{17}{3}$ ➡ $c=\boxed{\phantom{0}}$

**04** ☐ 안에 알맞은 수를 써넣으시오.

유리수의 곱셈 방법
(음수)×(양수)
=−(절대값의 곱)

(1) $\dfrac{x}{8}=\dfrac{3}{4}$
$x=\boxed{\phantom{0}}$  ⟵ 양변에 $\boxed{\phantom{0}}$ 을 곱하면

(2) $-\dfrac{x}{5}=1.3$
$x=\boxed{\phantom{0}}$  ⟵ 양변에 $\boxed{\phantom{0}}$ 를 곱하면

**05** 등식의 성질을 이용하여 다음 방정식을 풀어 보시오.

(1) $\dfrac{x}{2}=9$

(2) $-\dfrac{x}{3}=5$

(3) $\dfrac{x}{5}=0.7$

(4) $\dfrac{x}{3}=-4.2$

(5) $-\dfrac{1}{4}x=\dfrac{9}{5}$

(6) $\dfrac{1}{6}x=\dfrac{5}{3}$

중학교 교과서

**06** 다음 중 등식의 성질 '$a=b$이면 $ac=bc$이다. (단, $c$는 자연수)'를 이용한 것을 모두 고르면? (정답 2개)

① $x+2=9$ ➡ $x=7$

② $x-\dfrac{2}{3}=\dfrac{7}{2}$ ➡ $x=\dfrac{25}{6}$

③ $\dfrac{x}{6}=2$ ➡ $x=12$

④ $x-1.7=2.6$ ➡ $x=4.3$

⑤ $\dfrac{1}{3}x=-5$ ➡ $x=-15$

# 17 등식의 성질(4), 방정식 $ax=b$

## 중등 17-1 등식의 성질(4)

초 1학년: 등식의 성질

어떤 수도 0으로 나눌 수 없으니까 0이 아니라는 조건은 반드시 필요해.

등식의 **양변을 0이 아닌 같은 수로 나누어도** 등식은 성립한다.

0이 아님을 나타내는 표현
→ (어떤 수)≠0

$a=b \Rightarrow \dfrac{a}{c}=\dfrac{b}{c}$ (단, $c\neq0$)

$(a\div c=b\div c)$

예  $a\div\ 2\ =b\div\ 2$

$a\div(-3)=b\div(-3)$

$a\div\ 0.5\ =b\div\ 0.5$

$a\div\dfrac{3}{4}=b\div\dfrac{3}{4}$

$\div2\downarrow\quad\downarrow\div2$

**01** 다음 등식이 성립하도록 □ 안에 알맞은 수를 써넣으시오.

(1) $a=b$일 때, $a\div9=b\div\square$

(2) $a=b$일 때, $a\div(-4)=b\div(\square)$

(3) $a=b$일 때, $a\div0.7=b\div\square$

(4) $a=b$일 때, $a\div\dfrac{5}{6}=b\div\square$

## 중등 17-2 방정식 $ax=b$

초 3학년: 여러 가지 나눗셈
중 1학년: 등식의 성질

[초등쌤]
곱셈과 나눗셈의 관계
□×3=6
➡ □=6÷3=2

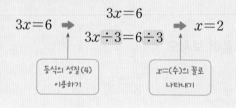

$3x=6 \Rightarrow$

$3x=6$
$3x\div3=6\div3$

$\Rightarrow x=2$

등식의 성질(4)
이용하기

$x=$(수)의 꼴로
나타내기

좌변에 $x$만 남기려고 $x$의 계수로 나누는 거야.

**02** 등식의 성질을 이용하여 방정식을 푸는 과정입니다. □ 안에 알맞은 수를 써넣으시오.

유리수의 나눗셈 방법
나눗셈을 역수의 곱셈으로 고쳐서 계산한다.
$\dfrac{1}{2}\div\dfrac{3}{4}=\dfrac{1}{2}\times\dfrac{4}{3}=\dfrac{2}{3}$

(1) $5x=4$

양변을 □로 나누면

$5x\div\square=4\div\square$

➡ $x=\square$

(2) $0.4x=-1.2$

양변을 □로 나누면

$0.4x\div\square=-1.2\div\square$

➡ $x=\square$

(3) $-7x=21$

양변을 □로 나누면

$-7x\div(\square)=21\div(\square)$

➡ $x=\square$

(4) $\dfrac{2}{3}x=\dfrac{4}{5}$

양변을 □로 나누면

$\dfrac{2}{3}x\div\square=\dfrac{4}{5}\div\square$

➡ $x=\square$

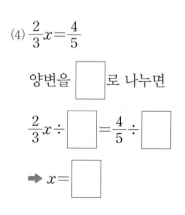

**03** '$a=b$이면 $\dfrac{a}{c}=\dfrac{b}{c}$ (단, $c \neq 0$)이다.'라는 등식의 성질을 한 번만 이용하여 다음 방정식을 풀 때, $c$에 해당하는 값을 구하시오.

(1) $\underset{a}{2x}=\underset{b}{10}$ ➡ $c=\boxed{\phantom{00}}$

(2) $-3x=21$ ➡ $c=\boxed{\phantom{00}}$

(3) $-7x=-25$ ➡ $c=\boxed{\phantom{00}}$

(4) $1.6x=8$ ➡ $c=\boxed{\phantom{00}}$

(5) $0.4x=3.6$ ➡ $c=\boxed{\phantom{00}}$

(6) $9x=-\dfrac{3}{11}$ ➡ $c=\boxed{\phantom{00}}$

**04** □ 안에 알맞은 수를 써넣으시오.

(1) $1.2x=6$
$x=\boxed{\phantom{00}}$ ← 양변을 $\boxed{\phantom{00}}$ 로 나누면

(2) $-\dfrac{5}{3}x=\dfrac{15}{4}$
$x=\boxed{\phantom{00}}$ ← 양변을 $\boxed{\phantom{00}}$ 로 나누면

**05** 등식의 성질을 이용하여 다음 방정식을 풀어 보시오.

역수를 이용한 나눗셈
$\bigcirc \div \dfrac{\square}{\triangle}=\bigcirc \times \dfrac{\triangle}{\square}$

(1) $5x=45$

(2) $13x=-39$

(3) $0.2x=3.2$

(4) $-\dfrac{1}{2}x=\dfrac{13}{2}$

중학교 교과서

**06** 다음은 등식의 성질을 이용하여 방정식을 푸는 과정입니다. 이때 이용된 등식의 성질을 보기에서 골라 □ 안에 알맞은 기호를 써넣으시오. (단, $c$는 자연수)

• 보기 •
㉠ $a=b$이면 $a+c=b+c$이다.
㉡ $a=b$이면 $a-c=b-c$이다.
㉢ $a=b$이면 $ac=bc$이다.
㉣ $a=b$이면 $\dfrac{a}{c}=\dfrac{b}{c}$이다.

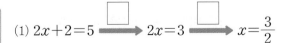

(1) $2x+2=5 \xrightarrow{\boxed{\phantom{0}}} 2x=3 \xrightarrow{\boxed{\phantom{0}}} x=\dfrac{3}{2}$

(2) $\dfrac{x}{4}-3=9 \xrightarrow{\boxed{\phantom{0}}} \dfrac{x}{4}=12 \xrightarrow{\boxed{\phantom{0}}} x=48$

• 이항: 등식의 성질을 이용하여 등식의 어느 한 변에 있는 항을 **부호를 바꾸어 다른 변으로 옮기는 것**

이항은 '등식의 양변에 같은 수를 더하거나 빼어도 등식은 성립한다.'는 등식의 성질 (1), (2)를 이용한 거야.

초등쌤

덧셈과 뺄셈의 관계

$6+9=15$

$6=15-9$

$15-9=6$

$15=6+9$

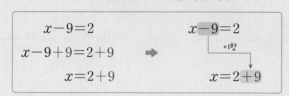

$x-9=2$

$x-9+9=2+9$

$x=2+9$

➡

$x-9=2$

$x=2+9$

$x+2=5$

$x+2-2=5-2$

$x=5-2$

➡

$x+2=5$

$x=5-2$

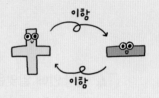

---

**01** 다음 방정식에서 밑줄 친 항을 이항하시오.

상수항뿐만 아니라 $x$가 있는 항을 이항할 수도 있어.

(1) $x+4=12$ ➡ $x=12-\boxed{\phantom{0}}$

(2) $3x-7=2x$ ➡ $-7=2x-\boxed{\phantom{0}}$

(3) $5-x=-8$ ➡

(4) $x-6=2$ ➡

(5) $2x-1=4$ ➡

(6) $x=-5x-8$ ➡

---

**02** 다음 방정식에서 밑줄 친 항을 이항하시오.

일반적으로 $x$가 있는 항은 좌변으로, 상수항은 우변으로 이항해.

(1) $x-8=6-6x$ ➡

(2) $-x+3=5-2x$ ➡

(3) $4+2x=-6-8x$ ➡

(4) $-5x-11=3x+5$ ➡

---

**03** 다음 방정식을 이항을 이용하여 $ax=\blacksquare$의 꼴로 나타내시오. (단, $a\neq0$)

(1) $7x+8=3$ ➡ $7x=\boxed{\phantom{0}}$

(2) $x=-2x+1$ ➡ $\boxed{\phantom{0}}=1$

(3) $4x-5=2x-9$ ➡

(4) $x-3=\dfrac{x}{5}-2$ ➡

**04** 이항을 이용하여 방정식을 푸는 과정입니다. ☐ 안에 알맞은 수를 써넣으시오.

(1) $x+12=20$

$x=20-\boxed{\phantom{00}}$ ← $+12$를 이항

$x=\boxed{\phantom{00}}$

(2) $x-5.5=6$

$x=6+\boxed{\phantom{00}}$ ← $-5.5$를 이항

$x=\boxed{\phantom{00}}$

**05** 이항을 이용하여 다음 방정식을 풀어 보시오.

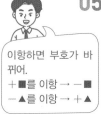

이항하면 부호가 바뀌어.
$+\blacksquare$를 이항 → $-\blacksquare$
$-\blacktriangle$를 이항 → $+\blacktriangle$

(1) $x-7=4$

(2) $5+x=15$

(3) $x+2=-3.1$

(4) $x-8=-4.5$

(5) $x+\dfrac{8}{5}=-\dfrac{1}{5}$

(6) $x-\dfrac{2}{7}=\dfrac{3}{7}$

중학교 교과서

**06** 다음 중 이항을 바르게 한 것은?

① $2x+15=25 \Rightarrow 2x=25+15$

② $5x-2=-8 \Rightarrow 5x=-8-2$

③ $7x+4=4x \Rightarrow 7x-4x=4$

④ $12=3x-4 \Rightarrow -3x=-4-12$

⑤ $4x=-5x \Rightarrow x=-5+4$

**07** 다음 중 등식 $4x-7=3$에서 좌변의 $-7$을 이항한 것과 결과가 같은 것을 모두 고르면? (정답 2개)

① 양변에 $-7$을 더한다.

② 양변에서 $-7$을 뺀다.

③ 양변에 $7$을 곱한다.

④ 양변에 $7$을 더한다.

⑤ 양변을 $-7$로 나눈다.

[01~02] 다음에서 등식인 것은 ○표, 아닌 것은 ×표 하시오.

**01** $x \times 2 - 5$ (          )

**02** $6 + \dfrac{x}{4} = -7$ (          )

[03~04] 다음에서 방정식인 것은 ○표, 아닌 것은 ×표 하시오.

**03** $2x = 10 - x$ (          )

**04** $9 - 5x < 1$ (          )

**05** 다음 등식에서 좌변과 우변을 각각 쓰시오.

$$8 = -3 + 5x$$

좌변 ➡                우변 ➡

[06~08] 등식이 성립하도록 □ 안에 알맞은 수를 써넣으시오.

**06** $a = b$일 때, $a + 7 = b + \boxed{\phantom{0}}$

**07** $a = b$일 때, $a \times (-2) = b \times (\boxed{\phantom{0}})$

**08** $a = b$일 때, $a \div 0.3 = b \div \boxed{\phantom{0}}$

[09~10] 등식의 성질을 이용하여 방정식의 해를 구하는 과정입니다. □ 안에 알맞은 수를 써넣으시오.

**09**
$$x - 6 = 9$$
$$x - 6 + \boxed{\phantom{0}} = 9 + \boxed{\phantom{0}}$$
$$x = \boxed{\phantom{0}}$$

**10**
$$\frac{x}{3} = -2$$
$$\frac{x}{3} \times \boxed{\phantom{0}} = -2 \times \boxed{\phantom{0}}$$
$$x = \boxed{\phantom{0}}$$

좌변과 우변을 찾아봐!

**[11~14]** 다음 등식의 성질을 한 번만 이용하여 방정식을 풀 때, $c$에 해당하는 값을 구하시오. (단, $c \neq 0$)

**11**
$$a = b\text{이면 } a+c = b+c\text{이다.}$$

$$x - \frac{3}{4} = -15 \Rightarrow c = \boxed{\phantom{00}}$$

**12**
$$a = b\text{이면 } a-c = b-c\text{이다.}$$

$$x + \frac{2}{9} = 30 \Rightarrow c = \boxed{\phantom{00}}$$

**13**
$$a = b\text{이면 } a \times c = b \times c\text{이다.}$$

$$-\frac{x}{4} = 7 \Rightarrow c = \boxed{\phantom{00}}$$

**14**
$$a = b\text{이면 } a \div c = b \div c\text{이다.}$$

$$0.5x = 30 \Rightarrow c = \boxed{\phantom{00}}$$

**15** $x$의 값이 $-1$, $0$, $1$일 때, 다음 방정식의 해를 구하시오.

$$-x + 4 = 3$$

**[16~18]** 다음 방정식에서 밑줄 친 항을 이항하시오.

**16** $8x = 21 \underline{-7x} \Rightarrow$

**17** $10x \underline{+3} = 9 \Rightarrow$

**18** $x = 40 \underline{+9x} \Rightarrow$

**[19~20]** 다음 [ ] 안의 수가 주어진 방정식의 해인 것은 ○표, 아닌 것은 ×표 하시오.

**19** $4x + 6 = 2$ [ $2$ ]  (          )

**20** $-2(x+3) = -4$ [ $-1$ ]  (          )

주어진 $x$의 값을
넣어서 참이 되는
것을 찾아.

**[21~25]** 등식의 성질과 이항을 이용하여 다음 방정식을 풀어 보시오.

**21** $x+9=8$

**22** $x-11=5$

**23** $\frac{x}{6}=-0.7$

등식의 양변에 같은 수를 곱하여도 등식은 성립해.

**24** $2.1x=10.5$

**25** $x+\frac{4}{9}=\frac{19}{45}$

**26** 다음 중 문장을 등식으로 나타낸 것으로 옳지 <u>않은</u> 것은?

① 300원짜리 사탕 $x$개의 값은 1800원이다.
➡ $300x=1800$

② 어떤 수 $x$의 2배인 수에서 1을 빼면 6이다.
➡ $2x-1=6$

③ 5개에 $x$원인 빵 한 개의 값은 700원이다.
➡ $\frac{x}{5}=700$

④ 한 변의 길이가 $x$ cm인 정사각형의 둘레의 길이는 20 cm이다. ➡ $4x=20$

⑤ 연필 35자루를 6명에게 $x$자루씩 나누어 주었더니 2자루가 남았다. ➡ $35=6x-2$

**27** 오른쪽은 등식의 성질을 이용하여 방정식을 푸는 과정입니다. 방정식을 푸는 데 이용한 등식의 성질을 보기에서 모두 고른 것은?

$$\frac{1}{3}x+2=1$$
$$\frac{1}{3}x=-1$$
$$x=-3$$

──• 보기 •──

$a=b$이고 $c$는 자연수일 때

ㄱ. $a+c=b+c$      ㄴ. $a-c=b-c$

ㄷ. $a\times c=b\times c$      ㄹ. $\dfrac{a}{c}=\dfrac{b}{c}$

① ㄱ        ② ㄱ, ㄴ        ③ ㄴ, ㄷ
④ ㄴ, ㄹ        ⑤ ㄹ

**28** 다음 방정식 중 해가 $x=2$인 것은?

① $x-4=6$        ② $2x+3=1$

③ $5x+2=x-6$        ④ $\frac{3}{2}x-2=1$

⑤ $-6x=-4x+20$

# 3 단계 방정식 풀기

개념 동영상 강의

# 20 방정식 $ax+b=c$, $ax-b=c$

## 20-1 $x$를 포함하는 항이 한 변에만 있는 방정식 풀기

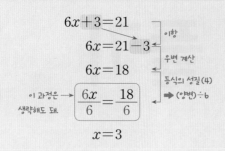

$$6x+3=21$$
$$6x=21-3 \quad \text{이항}$$
$$6x=18 \quad \text{우변 계산}$$
등식의 성질(4)
이 과정은 생략해도 돼. $\boxed{\dfrac{6x}{6}=\dfrac{18}{6}} \Rightarrow$ (양변)÷6
$$x=3$$

먼저 방정식의 해가 $x=$(수) 꼴이므로 이항하여 $ax=$■로 정리해.

$ax=$■에서 좌변에 $x$만 남게 양변을 $a(a\neq0)$로 나눠서 해를 구해!

---

**01** □ 안에 알맞은 수를 써넣고, 방정식을 순서대로 풀어 보시오.

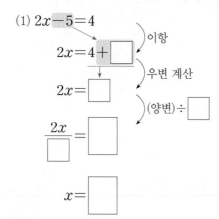

(1) $2x-5=4$

$2x=4+\boxed{\phantom{0}}$    이항

$2x=\boxed{\phantom{0}}$    우변 계산

$\dfrac{2x}{\boxed{\phantom{0}}}=\boxed{\phantom{0}}$    (양변)÷$\boxed{\phantom{0}}$

$x=\boxed{\phantom{0}}$

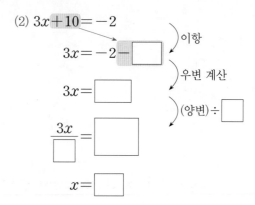

(2) $3x+10=-2$

$3x=-2-\boxed{\phantom{0}}$    이항

$3x=\boxed{\phantom{0}}$    우변 계산

$\dfrac{3x}{\boxed{\phantom{0}}}=\boxed{\phantom{0}}$    (양변)÷$\boxed{\phantom{0}}$

$x=\boxed{\phantom{0}}$

---

**02** 방정식을 푸는 과정입니다. □ 안에 알맞은 수를 써넣으시오.

방정식의 해를 구하려면 $x$의 계수로 나누어야 해.

(1) $2x+1.9=3.5$

$2x=3.5-\boxed{\phantom{0}}$

$2x=\boxed{\phantom{0}}$

$2x\div2=\boxed{\phantom{0}}\div\boxed{\phantom{0}}$

$x=\boxed{\phantom{0}}$

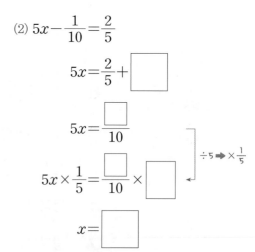

(2) $5x-\dfrac{1}{10}=\dfrac{2}{5}$

$5x=\dfrac{2}{5}+\boxed{\phantom{0}}$

$5x=\dfrac{\boxed{\phantom{0}}}{10}$

$5x\times\dfrac{1}{5}=\dfrac{\boxed{\phantom{0}}}{10}\times\boxed{\phantom{0}}$    ÷5 ➡ ×$\dfrac{1}{5}$

$x=\boxed{\phantom{0}}$

---

**03** 다음 방정식을 풀어 보시오.

(1) $6x-5=1 \Rightarrow x=\boxed{\phantom{0}}$

(2) $8x-7=-3 \Rightarrow x=\boxed{\phantom{0}}$

**04** 다음 방정식을 풀어 보시오.

(1) $8 = -4x + 5$

(2) $-7x - \dfrac{2}{3} = \dfrac{1}{3}$

- $x$를 포함하는 항은 좌변으로, 상수항은 우변으로 이항해.
- $x$의 계수가 음수이면 양변을 음수로 나눠.

(3) $4x + 0.5 = 2.9$

(4) $2x - \dfrac{5}{3} = \dfrac{7}{3}$

(5) $9 - 3x = -6$

(6) $-1.2 + 5x = 3.8$

중학교 교과서

**05** 다음은 방정식을 푸는 과정입니다. 잘못된 부분을 찾아 바르게 고치시오.

$$3x - 6 = 24$$
$$3x = 24 - 6$$
$$3x = 18$$
$$x = 6$$

[바르게 고치기]

**06** 다음 문장을 방정식으로 나타내고, 방정식의 해를 구하시오.

어떤 수의 4배에서 4를 빼었더니 16이 되었습니다.

# 21 방정식 $ax+b=cx+d$

## 중등 21-1 양변의 상수항이 양수인 방정식 풀기

초 5학년: 자연수의 혼합 계산
중 1학년: 일차방정식의 풀이

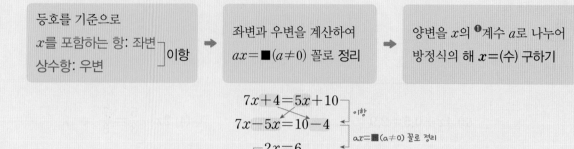

등호를 기준으로
$x$를 포함하는 항: 좌변
상수항: 우변 ┐이항
➡ 좌변과 우변을 계산하여 $ax=■\ (a≠0)$ 꼴로 정리
➡ 양변을 $x$의 ❶계수 $a$로 나누어 방정식의 해 $x=$(수) 구하기

$$7x+4=5x+10$$ ┐이항
$$7x-5x=10-4$$ ┐ $ax=■\ (a≠0)$ 꼴로 정리
$$\frac{2x}{2}=\frac{6}{2} \quad 2x=6$$
$$x=3$$ ┐(양변)÷($x$의 계수)

❶ 계수: $x$를 포함하는 항에서 $x$ 앞에 있는 수

**01** □ 안에 알맞은 것을 써넣고, 방정식을 순서대로 풀어 보시오.

(1) $5x+4=3x+20$
$5x-\boxed{\phantom{0}}=20-\boxed{\phantom{0}}$ ➜ $x$항, 상수항 이항
$\boxed{\phantom{0}}\,x=\boxed{\phantom{0}}$ ➜ $ax=■$ 꼴로 정리
$x=\boxed{\phantom{0}}$ ➜ (양변)÷$\boxed{\phantom{0}}$

(2) $4x+13=-6x+8$
$4x+\boxed{\phantom{0}}=8-\boxed{\phantom{0}}$ ➜ $x$항, 상수항 이항
$\boxed{\phantom{0}}\,x=\boxed{\phantom{0}}$ ➜ $ax=■$ 꼴로 정리
$x=\boxed{\phantom{0}}$ ➜ (양변)÷$\boxed{\phantom{0}}$

**02** 방정식을 푸는 과정입니다. □ 안에 알맞은 것을 써넣으시오.

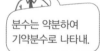

분수는 약분하여 기약분수로 나타내.

(1) $8x+1.2=3x+2.7$

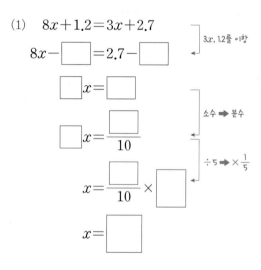

$8x-\boxed{\phantom{0}}=2.7-\boxed{\phantom{0}}$ ┐ $3x$, $1.2$를 이항
$\boxed{\phantom{0}}\,x=\boxed{\phantom{0}}$
$\boxed{\phantom{0}}\,x=\dfrac{\boxed{\phantom{0}}}{10}$ ┐ 소수 ➡ 분수
$x=\dfrac{\boxed{\phantom{0}}}{10}\times\boxed{\phantom{0}}$ ┐ ÷5 ➡ ×$\frac{1}{5}$
$x=\boxed{\phantom{0}}$

(2) $4x+\dfrac{2}{9}=-x+\dfrac{7}{9}$

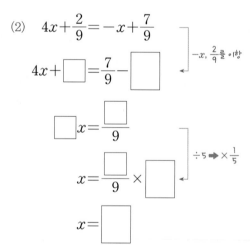

$4x+\boxed{\phantom{0}}=\dfrac{7}{9}-\boxed{\phantom{0}}$ ┐ $-x$, $\frac{2}{9}$를 이항
$\boxed{\phantom{0}}\,x=\dfrac{\boxed{\phantom{0}}}{9}$
$x=\dfrac{\boxed{\phantom{0}}}{9}\times\boxed{\phantom{0}}$ ┐ ÷5 ➡ ×$\frac{1}{5}$
$x=\boxed{\phantom{0}}$

**03** 다음 방정식을 풀어 보시오.

(1) $2x+1=x+3$ ➡ $x=\boxed{\phantom{0}}$

(2) $12x+5=5x+9$ ➡ $x=\boxed{\phantom{0}}$

**04** 다음 방정식을 풀어 보시오.

(4)는 $x$를 포함하는 항을 우변으로, 상수항을 좌변으로 이항하면 양수 계산이 되어 편리해.

(1) $x+2=-x+8$

(2) $2x=-x+\dfrac{9}{7}$

(3) $6x+2.1=-6x+3.3$

(4) $-5x+1.4=2x+0.7$

(5) $-6x+9=-3x$

(6) $4x+\dfrac{2}{9}=-2x+\dfrac{4}{9}$

중학교 교과서

**05** 다음 방정식 중 해가 나머지 넷과 <u>다른</u> 하나는?

① $x+3=2x+2$　　　② $4x+5=x+8$　　　③ $3x+1=2+2x$

④ $-4x+6=-2x+4$　　　⑤ $2-3x=7+2x$

**06** 다음 문장을 방정식으로 나타내고, 방정식의 해를 구하시오.

어떤 수의 9배에 2를 더한 수는 어떤 수의 7배에 5를 더한 것과 같습니다.

# 22 방정식 $ax-b=cx+d$

**중등** **22-1** **좌변의 상수항이 음수인 방정식 풀기**

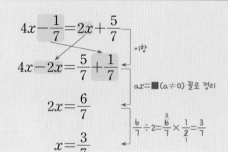

$$4x-\frac{1}{7}=2x+\frac{5}{7}$$

$$4x-2x=\frac{5}{7}+\frac{1}{7}$$ 이항

$ax=\blacksquare\,(a\ne0)$ 꼴로 정리

$$2x=\frac{6}{7}$$

$\frac{6}{7}\div2=\frac{\overset{3}{6}}{7}\times\frac{1}{\underset{1}{2}}=\frac{3}{7}$

$$x=\frac{3}{7}$$

동류항끼리 계산하는 것을 $ax=\blacksquare$ 꼴로 정리한다고 해.

이번 단계에서는 이항과 등식의 성질을 이용해서 방정식의 해를 구해. 쭈욱~!

---

**01** □ 안에 알맞은 것을 써넣고, 방정식을 순서대로 풀어 보시오.

⑵는 음수보다는 양수 계산이 익숙하므로 $x$를 포함하는 항이 양수가 되도록 우변으로 이항한 거야.

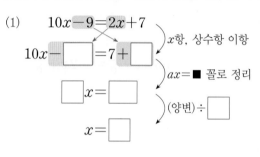

(1) $10x-9=2x+7$

$$10x-\boxed{\phantom{0}}=7+\boxed{\phantom{0}}$$ $x$항, 상수항 이항

$$\boxed{\phantom{0}}x=\boxed{\phantom{0}}$$ $ax=\blacksquare$ 꼴로 정리

$$x=\boxed{\phantom{0}}$$ (양변)÷$\boxed{\phantom{0}}$

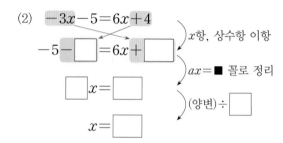

(2) $-3x-5=6x+4$

$$-5-\boxed{\phantom{0}}=6x+\boxed{\phantom{0}}$$ $x$항, 상수항 이항

$$\boxed{\phantom{0}}x=\boxed{\phantom{0}}$$ $ax=\blacksquare$ 꼴로 정리

$$x=\boxed{\phantom{0}}$$ (양변)÷$\boxed{\phantom{0}}$

---

**02** 방정식을 푸는 과정입니다. □ 안에 알맞은 것을 써넣으시오.

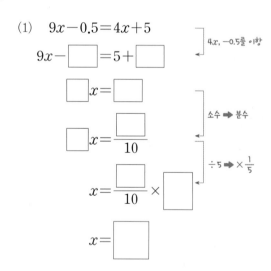

(1) $9x-0.5=4x+5$

$$9x-\boxed{\phantom{0}}=5+\boxed{\phantom{0}}$$ $4x$, $-0.5$를 이항

$$\boxed{\phantom{0}}x=\boxed{\phantom{0}}$$

$$\boxed{\phantom{0}}x=\frac{\boxed{\phantom{0}}}{10}$$ 소수 ➡ 분수

$$x=\frac{\boxed{\phantom{0}}}{10}\times\boxed{\phantom{0}}$$ ÷5 ➡ ×$\frac{1}{5}$

$$x=\boxed{\phantom{0}}$$

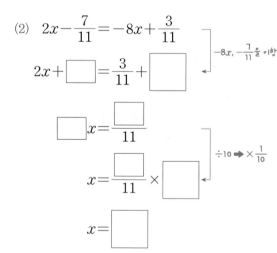

(2) $2x-\frac{7}{11}=-8x+\frac{3}{11}$

$$2x+\boxed{\phantom{0}}=\frac{3}{11}+\boxed{\phantom{0}}$$ $-8x$, $-\frac{7}{11}$을 이항

$$\boxed{\phantom{0}}x=\frac{\boxed{\phantom{0}}}{11}$$

$$x=\frac{\boxed{\phantom{0}}}{11}\times\boxed{\phantom{0}}$$ ÷10 ➡ ×$\frac{1}{10}$

$$x=\boxed{\phantom{0}}$$

---

**03** 다음 방정식을 풀어 보시오.

(1) $3x-12=x+6$ ➡ $x=\boxed{\phantom{0}}$

(2) $10x-24=-5x+6$ ➡ $x=\boxed{\phantom{0}}$

빠른 정답 03쪽, 풀이 18쪽

**04** 다음 방정식을 풀어 보시오.

(1) $-7+2x=9x+3$

(2) $-3x-8=5x+\dfrac{8}{5}$

(3) $8x-15.2=-7x+14.8$

(4) $11x-\dfrac{2}{3}=4x+\dfrac{8}{9}$

(5) $x-\dfrac{9}{4}=-3x+\dfrac{7}{4}$

(6) $-0.8+5x=2x+1.9$

중학교 교과서

**05** 다음 방정식 중 해가 가장 큰 것은?

① $4x-4=x+5$

② $-4+2x=3x+1$

③ $-x-3=5+3x$

④ $-2x-1=-5x+2$

⑤ $3x-2=8-2x$

- 양수는 음수보다 커.
- 양수끼리는 절댓값이 큰 수가 커.
  ➡ $+3<+5$
- 음수끼리는 절댓값이 큰 수가 작아.
  ➡ $-4<-1$

**06** 다음 문장을 방정식으로 나타내고, 방정식의 해를 구하시오.

어떤 수에 7을 곱한 후 2를 뺀 값은 어떤 수의 5배에 12를 더한 값과 같습니다.

# 23 방정식 $ax+b=cx-d$

## 23-1 우변의 상수항이 음수인 방정식 풀기

중등

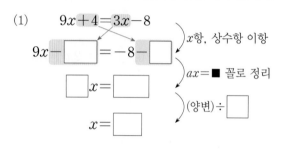

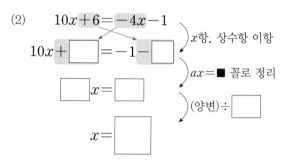

| $x$를 포함하는 항을 우변으로, 상수항을 좌변으로 이항하기 | $x$를 포함하는 항을 좌변으로, 상수항을 우변으로 이항하기 |
|---|---|
| $5x+3=8x-9$ | $-5x+3=8x-10$ |
| $3+9=8x-5x$ | $-5x-8x=-10-3$ |
| $ax=\blacksquare$ 꼴이 되도록 양변의 위치를 바꾼다. $12=3x$ → $3x=12$ | $-13x=-13$ |
| $x=4$ | $x=1$ |

$x$를 포함하는 항을 우변으로, 상수항을 좌변으로 이항하면 편리한 때도 있으므로 문제에 따라 선택해.

**01** □ 안에 알맞은 것을 써넣고, 방정식을 순서대로 풀어 보시오.

(1)
$$9x+4=3x-8$$
$$9x-\boxed{\ }=-8-\boxed{\ }$$
$x$항, 상수항 이항
$$\boxed{\ }x=\boxed{\ }$$
$ax=\blacksquare$ 꼴로 정리
$$x=\boxed{\ }$$
(양변)$\div\boxed{\ }$

(2)
$$10x+6=-4x-1$$
$$10x+\boxed{\ }=-1-\boxed{\ }$$
$x$항, 상수항 이항
$$\boxed{\ }x=\boxed{\ }$$
$ax=\blacksquare$ 꼴로 정리
$$x=\boxed{\ }$$
(양변)$\div\boxed{\ }$

**02** 방정식을 푸는 과정입니다. □ 안에 알맞은 것을 써넣으시오.

(2)는 $x$를 포함하는 항을 우변으로, 상수항을 좌변으로 이항한 거야.

(1)
$$7x+3.4=-x-3.6$$
$$7x+\boxed{\ }=-3.6-\boxed{\ }$$
$-x$, $3.4$를 이항
$$\boxed{\ }x=\boxed{\ }$$
$$x=\boxed{\ }$$
$\div 8 \Rightarrow \times\frac{1}{8}$

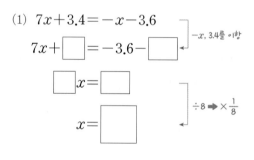

(2)
$$-6x+\frac{8}{5}=-2x-1$$
$$\frac{8}{5}+\boxed{\ }=-2x+\boxed{\ }$$
$-6x$, $-1$을 이항
$$\frac{\boxed{\ }}{5}=\boxed{\ }x$$
$\frac{8}{5}+1=\frac{8}{5}+\frac{5}{5}$
$$x=\frac{\boxed{\ }}{5}\times\boxed{\ }$$
$\div 4 \Rightarrow \times\frac{1}{4}$
$$x=\boxed{\ }$$

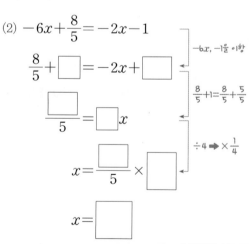

**03** 다음 방정식을 풀어 보시오.

(1) $4x+3=11x-18 \Rightarrow x=\boxed{\ }$

(2) $8x+2=3x-13 \Rightarrow x=\boxed{\ }$

**04** 다음 방정식을 풀어 보시오.

(1) $6 - 4x = -2.1 + 5x$

(2) $-x + 4 = 3x - \dfrac{9}{2}$

(3) $7x + 1.2 = -2x - 5.1$

(4) $3.8 + 4x = 2x - 1.2$

(5) $\dfrac{4}{5} + x = 5x - \dfrac{11}{5}$

(6) $5x + \dfrac{2}{3} = 6x - \dfrac{7}{6}$

중학교 교과서

**05** 다음 방정식 중 해가 가장 작은 것은?

① $2x + 4 = 3x - 1$

② $-x + 8 = 2x - 1$

③ $x + 2 = -4 + 3x$

④ $-2x + 4 = -8x - 2$

⑤ $x + 1 = -7 - 3x$

음수끼리는 절댓값이 큰 수가 작아.

**06** 다음 문장을 방정식으로 나타내고, 방정식의 해를 구하시오.

어떤 수의 2배에 0.4를 더한 값은 어떤 수와 4의 곱에서 2를 뺀 값과 같습니다.

# 24 방정식 $ax-b=cx-d$

## 중등 24-1 양변의 상수항이 음수인 방정식 풀기

초 5학년: 자연수의 혼합 계산
중 1학년: 일차방정식의 풀이

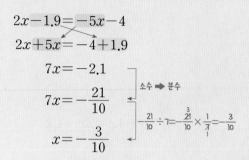

$$2x-1.9=-5x-4$$
$$2x+5x=-4+1.9$$
$$7x=-2.1$$

소수 ➡ 분수

$$7x=-\frac{21}{10}$$

$$x=-\frac{3}{10}$$

$-\frac{21}{10}\div 7=-\frac{\overset{3}{\cancel{21}}}{10}\times\frac{1}{\cancel{7}}=-\frac{3}{10}$

[방정식 풀기 3단계]
① ❶동류항끼리 같은 변으로 이항
② $ax=$■$(a\neq 0)$ 꼴로 정리
③ (양변)$\div a$ ➡ $x=$(수)

❶동류항: $x$를 포함하는 항끼리, 상수항끼리 각각 동류항이라고 한다.

**01** □ 안에 알맞은 것을 써넣고, 방정식을 순서대로 풀어 보시오.

$x$를 포함하는 항을 좌변으로 이항했는지, 우변으로 이항했는지 알아봐.

(1)
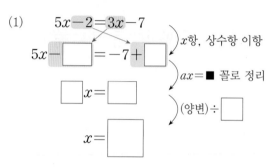
$$5x-2=3x-7$$
$$5x-\boxed{\phantom{0}}=-7+\boxed{\phantom{0}}$$ → $x$항, 상수항 이항
$$\boxed{\phantom{0}}x=\boxed{\phantom{0}}$$ → $ax=$■ 꼴로 정리
$$x=\boxed{\phantom{0}}$$ → (양변)$\div\boxed{\phantom{0}}$

(2)
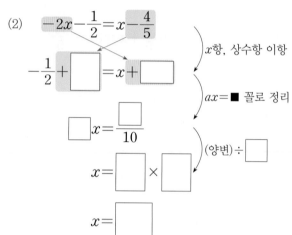
$$-2x-\frac{1}{2}=x-\frac{4}{5}$$
$$-\frac{1}{2}+\boxed{\phantom{0}}=x+\boxed{\phantom{0}}$$ → $x$항, 상수항 이항
$$\boxed{\phantom{0}}x=\frac{\boxed{\phantom{0}}}{10}$$ → $ax=$■ 꼴로 정리
$$x=\boxed{\phantom{0}}\times\boxed{\phantom{0}}$$ → (양변)$\div\boxed{\phantom{0}}$
$$x=\boxed{\phantom{0}}$$

**02** 방정식을 푸는 과정입니다. □ 안에 알맞은 것을 써넣으시오.

(1)
$$-3-7x=-8-6x$$
$$-3+\boxed{\phantom{0}}=-6x+\boxed{\phantom{0}}$$ ← $-7x, -8$을 이항
$$x=\boxed{\phantom{0}}$$

(2)
$$3x-11.9=-4x-2.9$$
$$3x+\boxed{\phantom{0}}=-2.9+\boxed{\phantom{0}}$$ ← $-4x, -11.9$를 이항
$$\boxed{\phantom{0}}x=\boxed{\phantom{0}}$$
$$x=\boxed{\phantom{0}}$$ ← $\div 7$ ➡ $\times\frac{1}{7}$

**03** 다음 방정식을 풀어 보시오.

(1) $9x-5=4x-9$ ➡ $x=\boxed{\phantom{0}}$

(2) $-3x-18=-8x-4$ ➡ $x=\boxed{\phantom{0}}$

빠른 정답 03쪽, 풀이 20쪽

**04** 다음 방정식을 풀어 보시오.

(1) $3x-5=-2x-15$

(2) $-13+12x=3x-4$

(3) $-x-9.2=4x-5.7$

(4) $9x-\dfrac{21}{10}=2x-\dfrac{7}{5}$

(5) $2x-6.4=3x-11$

(6) $-\dfrac{3}{4}+x=5x-\dfrac{1}{2}$

중학교 교과서

**05** 다음 중 방정식 $2x-1=5$와 해가 같은 것은?

주어진 방정식의 해를 먼저 구해.

① $2x-1=3x-5$

② $7x-1=5x-3$

③ $-4x-2=-8-2x$

④ $3x-2=-2x-4$

⑤ $-3+x=-4x-2$

**06** 다음 문장을 방정식으로 나타내고, 방정식의 해를 구하시오.

어떤 수의 4배에서 $\dfrac{2}{5}$를 뺀 값은 어떤 수와 5의 곱에서 $\dfrac{6}{5}$을 뺀 값과 같습니다.

# 25 방정식의 활용 (1)

## 중등 25-1 간단한 방정식의 활용 문제 풀기

중 1학년: 일차방정식의 풀이

**예** 승진이네 반 ❶여학생 수의 2배에서 남학생 수 15명을 빼면 / ❷모두 13명일 때, **여학생 수를** 구하시오.
(여학생 수)×2    −15    =13

① $x$로 놓을 값 정하기    여학생 수

② 방정식 세우기    (여학생 수)×2−(남학생 수)=13

| ❶좌변 | 등호 | ❷우변 |
|---|---|---|
| $2x-15$ | = | 13 |

➡ $2x-15=13$

③ 방정식 풀기

$$2x-15=13$$
$$2x=13+15$$
$$2x=28$$
$$x=14$$

이항과 등식의 성질을 이용해서 방정식을 풀어.

④ 답 구하기    여학생 수는 14명이다.
↳ 단위를 반드시 쓴다.

---

**01** 사탕을 ❶한 사람에게 4개씩 주었더니 5개가 남았습니다. ❷처음에 있던 사탕이 57개일 때, **사탕을 몇 명에게 주었는지** 구하시오.

(1) $x$로 놓을 값:

(2) 방정식 세우기: ❶한 사람에게 4개씩 주었더니 5개가 남았습니다. ➡ $4x+\boxed{\phantom{0}}$

❷처음에 있던 사탕이 57개일 때 ➡ $\boxed{\phantom{0}}$

| ❶좌변 | 등호 | ❷우변 |
|---|---|---|
|  |  |  |

➡ _____

(3) 방정식 풀기:

(4) 답 구하기: 사탕을 나누어 준 사람 수는 $\boxed{\phantom{0}}$명이다.

**02** 어떤 수의 3배에서 4를 뺀 값은 17과 같습니다. **어떤 수를 구하시오.**

(1) $x$로 놓을 값:

(2) 방정식 세우기:

| 좌변 | 등호 | 우변 |
|------|------|------|
|      |      |      |

➡ _____

(3) 방정식 풀기:

(4) 답 구하기: 어떤 수는 ☐ 이다.

**03** 한 자루에 500원인 연필 몇 자루와 한 개에 200원인 지우개 한 개를 샀더니 모두 4200원이었습니다. **연필을 몇 자루 샀는지 구하시오.**

> 문장을 끊어 읽으면서 좌변과 우변에 해당하는 식을 구해.

(1) $x$로 놓을 값:

(2) 방정식 세우기:

| 좌변 | 등호 | 우변 |
|------|------|------|
|      |      |      |

➡ _____

(3) 방정식 풀기:

(4) 답 구하기: 연필을 ☐ 자루 샀다.

**04** 현재 아버지의 나이는 아들의 나이의 3배보다 2살 더 적습니다. 현재 아버지의 나이가 40세일 때, **현재 아들의 나이는 몇 세인지 구하시오.**

(1) $x$로 놓을 값:

(2) 방정식 세우기:

| 좌변 | 등호 | 우변 |
|------|------|------|
|      |      |      |

➡ _____

(3) 방정식 풀기:

(4) 답 구하기: 현재 아들의 나이는 ☐ 세이다.

# 26 방정식의 활용 (2)

## 26-1 간단한 방정식의 활용 문제 풀기

중등

중1학년: 일차방정식의 풀이

(예) 영우가 친구들에게 연필을 나누어 주려고 하는데 한 사람에게 **①5개씩 나누어 주면 3개가 남**
**고, ②6개씩 나누어 주면 5개가 모자란다**고 합니다. **사람 수를 구하시오.**

5x+3
6x-5

① $x$로 놓을 값 정하기    사람 수

② 방정식 세우기    나누어 주는 방법에 관계없이 연필 수는 같다.

| **①**좌변 | 등호 | **②**우변 |
|---|---|---|
| $5x+3$ | $=$ | $6x-5$ |

➡ $5x+3=6x-5$

③ 방정식 풀기    $5x+3=6x-5$
$3+5=6x-5x$
$x=8$

④ 답 구하기    사람 수는 8명이다.
└ 단위를 반드시 쓴다.

**01**  누리가 이웃집에 옥수수를 나누어 주려고 하는데 한 집에 **①4개씩 나누어 주**
**면 7개가 남고, ②5개씩 나누어 주면 4개가 모자란다**고 합니다. **이웃집의 수**
**를 구하시오.**

남는 것은 +, 모자
라는 것은 −로 하
여 식을 세워.

(1) $x$로 놓을 값:

(2) 방정식 세우기: **①**4개씩 나누어 주면 7개가 남고 ➡ $4x+$ ▢

**②**5개씩 나누어 주면 4개가 모자란다. ➡ ▢$x-$▢

| **①**좌변 | 등호 | **②**우변 |
|---|---|---|
|  |  |  |

➡ _____

(3) 방정식 풀기:

(4) 답 구하기: 이웃집의 수는 ▢집이다.

**02** 어떤 수의 3배에 3.4를 더한 값은 어떤 수의 11배에서 1.4를 뺀 값과 같습니다. **어떤 수를 구하시오.**

(1) $x$로 놓을 값:

(2) 방정식 세우기:

| 좌변 | 등호 | 우변 |
|------|------|------|
|      |      |      |

➡ _____

(3) 방정식 풀기:

(4) 답 구하기: 어떤 수는 ☐ 이다.

**03** 은주는 3000원, 시우는 2000원을 가지고 있습니다. 은주가 같은 공책을 3권 사고, 시우는 은주와 같은 공책 1권과 400원짜리 지우개 한 개를 사면 남는 돈이 서로 같다고 합니다. **공책 한 권의 값을 구하시오.**

(1) $x$로 놓을 값:

(2) 방정식 세우기:

| 좌변 | 등호 | 우변 |
|------|------|------|
|      |      |      |

➡ _____

(3) 방정식 풀기:

(4) 답 구하기: 공책 한 권의 값은 ☐ 원이다.

**04** 현재 형의 저금통에는 3800원, 동생의 저금통에는 5000원이 들어 있습니다. 형은 매일 500원씩, 동생은 매일 300원씩 저금통에 넣는다면 형과 동생의 저금통에 들어 있는 금액이 같아지는 날은 **며칠 후인지 구하시오.**

($x$일 후 형이 모은 돈)
＝(현재 금액)
　＋(매일 모으는 돈)
　　×$x$

(1) $x$로 놓을 값:

(2) 방정식 세우기:

| 좌변 | 등호 | 우변 |
|------|------|------|
|      |      |      |

➡ _____

(3) 방정식 풀기:

(4) 답 구하기: 금액이 같아지는 날은 ☐ 일 후이다.

**[01~05]** 다음 방정식을 풀어 보시오.

**01**
$$2x+13=-3x+8$$
$$2x+\boxed{\phantom{0}}=8-\boxed{\phantom{0}}$$
$$\boxed{\phantom{0}}x=\boxed{\phantom{0}}$$
$$x=\boxed{\phantom{0}}$$

**02** $\quad -6x+21=3$

**03** $\quad 3x-\dfrac{1}{5}=\dfrac{4}{5}$

**04** $\quad -x+5=x+9$

**05** $\quad 2x+1.7=-3x+6.7$

**[06~10]** 다음 방정식을 풀어 보시오.

**06**
$$7x-0.2=3x+3.8$$
$$7x-\boxed{\phantom{0}}=3.8+\boxed{\phantom{0}}$$
$$\boxed{\phantom{0}}x=\boxed{\phantom{0}}$$
$$x=\boxed{\phantom{0}}$$

**07** $\quad -2x-8=x+1$

**08** $\quad 7x-19=-3x+11$

**09** $\quad 3x-6.3=-x+1.7$

**10** $\quad 2x-\dfrac{4}{5}=3x+\dfrac{6}{5}$

이항과 등식의 성질을
이용해서 방정식을 풀어.

**11**

$5x + 1.6 = x - 2.4$

$5x - \boxed{\phantom{x}} = -2.4 - \boxed{\phantom{x}}$

$\boxed{\phantom{x}}\,x = \boxed{\phantom{x}}$

$x = \boxed{\phantom{x}}$

**12** $6x + 1 = 4x - 13$

**13** $-x + \dfrac{1}{4} = 7x - \dfrac{7}{4}$

**14** $8x + 2.1 = -x - 1.5$

**15** $-x + 3 = 2x - \dfrac{8}{3}$

**16**

$-9x - \dfrac{1}{5} = 4x - \dfrac{3}{2}$

$-\dfrac{1}{5} + \boxed{\phantom{x}} = 4x + \boxed{\phantom{x}}$

$\dfrac{\boxed{\phantom{x}}}{10} = \boxed{\phantom{x}}\,x$

$x = \dfrac{\boxed{\phantom{x}}}{10} \times \boxed{\phantom{x}}$

$x = \boxed{\phantom{x}}$

**17** $-4 - 6x = -2 - 5x$

**18** $3x - 2.4 = 4x - 7$

**19** $-\dfrac{1}{3} + x = 3x - \dfrac{1}{2}$

**20** $-x - 5.2 = 2x - 3.1$

음수보다는 양수 계산이 익숙하므로 $x$를 포함하는 항이 양수가 되도록 이항해 봐.

**21** 한 개에 600원인 빵 몇 개와 한 병에 900원인 주스 한 병을 샀더니 모두 3300원이었습니다. 빵을 몇 개 샀는지 구하시오.

(1) $x$로 놓을 값:

(2) 방정식 세우기:

| 좌변 | 등호 | 우변 |
|------|------|------|
|      |      |      |

➡ _____

(3) 방정식 풀기:

(4) 답 구하기: 빵을 ▢개 샀다.

**22** 현재 주한이의 저금통에는 2700원, 서율이의 저금통에는 4300원이 들어 있습니다. 주한이는 매일 600원씩, 서율이는 매일 400원씩 저금통에 넣는다면 주한이와 서율이의 저금통에 들어 있는 금액이 같아지는 날은 며칠 후인지 구하시오.

(1) $x$로 놓을 값:

(2) 방정식 세우기:

| 좌변 | 등호 | 우변 |
|------|------|------|
|      |      |      |

➡ _____

(3) 방정식 풀기:

(4) 답 구하기: 금액이 같아지는 날은 ▢일 후이다.

**23** 현재 어머니의 나이는 딸의 나이의 3배보다 1세 더 적습니다. 현재 어머니의 나이가 38세일 때, 현재 딸의 나이는 몇 세인지 구하시오.

(1) $x$로 놓을 값:

(2) 방정식 세우고 풀기:

(3) 답 구하기: 현재 딸의 나이는 ▢세이다.

**24** 어떤 수의 3배에 4.6을 더한 값은 어떤 수의 7배에서 3.4를 뺀 값과 같습니다. 어떤 수를 구하시오.

(1) $x$로 놓을 값:

(2) 방정식 세우고 풀기:

(3) 답 구하기: 어떤 수는 ▢이다.

**25** 학생들에게 연필을 나누어 주려고 하는데 한 명에게 5자루씩 나누어 주면 1자루가 모자라고, 3자루씩 나누어 주면 9자루가 남는다고 합니다. 학생 수를 구하시오.

(1) $x$로 놓을 값:

(2) 방정식 세우고 풀기:

(3) 답 구하기: 학생 수는 ▢명이다.

# 4단계

# 여러 가지 방정식 풀기

개념 동영상 강의

# 28 괄호가 있는 방정식 (1)

**중등 28-1** 한 변에 괄호가 있는 방정식 풀기

🔵 5학년: 자연수의 혼합 계산
🔵 1학년: 일차방정식의 풀이

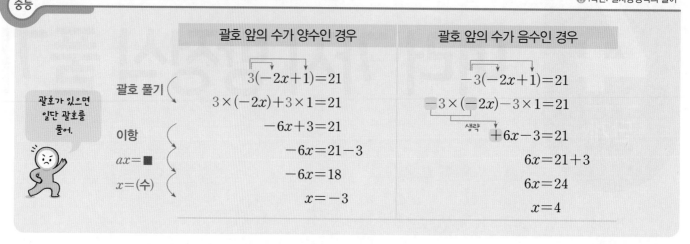

괄호가 있으면 일단 괄호를 풀어.

**괄호 앞의 수가 양수인 경우**

괄호 풀기
$$3(-2x+1)=21$$
$$3\times(-2x)+3\times1=21$$
이항
$$-6x+3=21$$
$ax=\blacksquare$
$$-6x=21-3$$
$$-6x=18$$
$x=(수)$
$$x=-3$$

**괄호 앞의 수가 음수인 경우**

$$-3(-2x+1)=21$$
$$-3\times(-2x)-3\times1=21$$
생략
$$+6x-3=21$$
$$6x=21+3$$
$$6x=24$$
$$x=4$$

**01** □ 안에 알맞은 수를 써넣고, 방정식을 순서대로 풀어 보시오.

괄호 앞에
+ ➡ 괄호 안의 부호 그대로
− ➡ 괄호 안의 부호 반대로

(1)
$$2(4x-3)=10$$
괄호 풀기
$$\boxed{\phantom{0}}\times4x-\boxed{\phantom{0}}\times3=10$$
$$\boxed{\phantom{0}}x-\boxed{\phantom{0}}=10$$
이항
$$\boxed{\phantom{0}}x=10+\boxed{\phantom{0}}$$
정리
$$\boxed{\phantom{0}}x=\boxed{\phantom{0}}$$
해 구하기
$$x=\boxed{\phantom{0}}$$

(2)
$$-3(3x+1)=6$$
괄호 풀기
$$\boxed{\phantom{0}}\times3x-\boxed{\phantom{0}}\times1=6$$
$$\boxed{\phantom{0}}x-\boxed{\phantom{0}}=6$$
이항
$$\boxed{\phantom{0}}x=6+\boxed{\phantom{0}}$$
정리
$$\boxed{\phantom{0}}x=\boxed{\phantom{0}}$$
해 구하기
$$x=\boxed{\phantom{0}}$$

**02** 다음 방정식을 풀어 보시오.

(1) $3(-x+5)=x$ ➡ $x=\boxed{\phantom{0}}$

(2) $5x=-2(2x-9)$ ➡ $x=\boxed{\phantom{0}}$

(3) $x-4=-(x+2)$ ➡ $x=\boxed{\phantom{0}}$

(4) $3(2x-3)=-3x+1$ ➡ $x=\boxed{\phantom{0}}$

**03** 다음 방정식을 풀어 보시오.

괄호 앞에 음수가 있을 때에는 부호에 주의해.

(1) $-4(x+2)=3x+6$

(2) $x+3=2(4-3x)$

(3) $-3x+12=-4(x+2)$

(4) $2(-3+2x)=4-5x$

(5) $8-(x+3)=-4x+1$

(6) $7x-8=-4(x+4)$

**04** 방정식 $2(x+1)-3x=5-2x$를 풀면?

① $x=5$

② $x=4$

③ $x=3$

④ $x=2$

⑤ $x=1$

중학교 교과서

**05** 다음 중 방정식 $4x-7=3(x-5)$와 해가 같은 것은?

① $7=2(-2x+3)$

② $-4(x-2)=5x$

③ $-(x+3)=5+4x$

④ $2(x-5)=3x-2$

⑤ $2x+1=-(5+x)$

**29** 괄호가 있는 방정식 (2)

중등 **29-1** 양변에 괄호가 있는 방정식 풀기

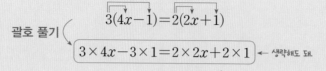

초등쌤

**혼합 계산식의 순서**
① ( )가 있는 식은 ( )
 안을 먼저 계산한다.
② 곱셈과 나눗셈을 먼저
 계산하고, 덧셈과 뺄셈
 을 계산한다.

괄호 풀기 $3(4x-1)=2(2x+1)$

$3 \times 4x - 3 \times 1 = 2 \times 2x + 2 \times 1$ ← 생략해도 돼.

이항
$ax = \blacksquare$

$12x - 3 = 4x + 2$
$12x - 4x = 2 + 3$
$8x = 5$

$x = (수)$

$$x = \frac{5}{8}$$

$x$를 포함하는 항은 좌변,
상수항은 우변으로 이항해!

**01** 방정식을 푸는 과정입니다. ☐ 안에 알맞은 수를 써넣으시오.

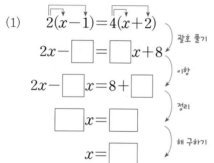

괄호를 풀 때 부호에
주의해.

(1) $2(x-1)=4(x+2)$
 $2x - \boxed{\phantom{0}} = \boxed{\phantom{0}}x + 8$ ⎫ 괄호 풀기
 $2x - \boxed{\phantom{0}}x = 8 + \boxed{\phantom{0}}$ ⎫ 이항
 $\boxed{\phantom{0}}x = \boxed{\phantom{0}}$ ⎫ 정리
 $x = \boxed{\phantom{0}}$ ⎫ 해 구하기

(2) $-(x+4)=3(x-6)$
 $-x - \boxed{\phantom{0}} = \boxed{\phantom{0}}x - 18$ ⎫ 괄호 풀기
 $\boxed{\phantom{0}} + 18 = \boxed{\phantom{0}}x + x$ ⎫ 이항
 $\boxed{\phantom{0}}x = \boxed{\phantom{0}}$ ⎫ 정리
 $x = \boxed{\phantom{0}} \times \boxed{\phantom{0}}$ ⎫ 해 구하기
 $x = \boxed{\phantom{0}}$

**02** 다음 방정식을 풀어 보시오.

(1) $5(x-1)=-(x-4)$ ➡ $x = \boxed{\phantom{0}}$

(2) $-3(4+2x)=2(x+2)$ ➡ $x = \boxed{\phantom{0}}$

(3) $-(6-x)=3(x+2)$ ➡ $x = \boxed{\phantom{0}}$

(4) $4(x+2)=-7(1+x)$ ➡ $x = \boxed{\phantom{0}}$

**03** 다음 방정식을 풀어 보시오.

괄호를 풀고 이항하여 동류항끼리 계산해.

(1) $-(4x+10)=2(2x+3)$

(2) $-(3x+3)=5(x+3)$

(3) $-(x+5)-4x=2(2x+1)$

(4) $7(x+2)-9=-2(x+1)$

(5) $3(1-x)-2x=3(3-2x)$

(6) $11-(5-2x)=4(x-2)$

**04** 방정식 $3(2x-1)=x-2(7-2x)$를 풀면?

① $x=-12$　　② $x=-11$　　③ $x=-10$

④ $x=10$　　⑤ $x=11$

중학교 교과서

**05** 다음 중 방정식 $8-(2x-1)+4x=-(x+4)+7$의 해는?

① $x=-4$　　② $x=-2$　　③ $x=-1$

④ $x=2$　　⑤ $x=4$

# 30 비례식으로 주어진 방정식

## 초등 30-1 비례식의 성질

🔵 6학년: 비와 비율/비례식

(1) 비례식: ❶비율이 같은 두 비를 기호 '='를 사용하여 나타낸 식

■/▲ = ●/♥ ➡ ■ : ▲ = ● : ♥

❶ 비율: 기준량에 대한 비교하는 양의 크기

(2) 비례식에서 외항의 곱과 내항의 곱은 같다.

$$3 : 2 = 6 : 4$$

외항 / 내항

➡ (외항의 곱)=3×4=12
(내항의 곱)=2×6=12 같다.

**01** 비례식에서 외항의 곱과 내항의 곱은 같음을 이용하여 □ 안에 알맞은 수를 써넣으시오.

(1) $15 : \boxed{\phantom{0}} = 3 : 7$

(2) $4 : 3 = 24 : \boxed{\phantom{0}}$

(3) $\boxed{\phantom{0}} : 18 = 2 : 9$

(4) $5 : 8 = \boxed{\phantom{0}} : 56$

## 중등 30-2 비례식으로 주어진 방정식 풀기

🔵 1학년: 일차방정식의 풀이

비례식의 성질을 이용해서 방정식을 풀어.

외항의 곱과 내항의 곱이 같음을 이용하여 방정식을 세운다.

$$a : b = c : d$$

(외항의 곱) = (내항의 곱)

$$a \times d = b \times c$$

$$x : 5 = (x+2) : 3$$
$$x \times 3 = 5 \times (x+2) \leftarrow (외항의 곱)=(내항의 곱)$$
$$3x = 5x+10 \leftarrow$$

5×(x+2)
=5×x+5×2
=5x+10

$$3x-5x=10$$
$$-2x=10 \leftarrow$$

$$\frac{-2x}{-2}=\frac{10}{-2}$$

$$x=-5$$

**02** 비례식을 만족시키는 $x$의 값을 구하는 과정입니다. □ 안에 알맞은 것을 써넣으시오.

외항끼리, 내항끼리 곱해.

(1)
$$4 : 3 = x : (x-1)$$

$$4 \times (\boxed{\phantom{0}} -1) = 3 \times x$$

$$\boxed{\phantom{0}}x - \boxed{\phantom{0}} = 3x$$

$$\boxed{\phantom{0}}x - 3x = \boxed{\phantom{0}}$$

$$x = \boxed{\phantom{0}}$$

(2) $(5x+3) : (4x-6) = 1 : 2$

$$2 \times (\boxed{\phantom{0}} +3) = 4x-6$$

$$\boxed{\phantom{0}}x + \boxed{\phantom{0}} = 4x-6$$

$$\boxed{\phantom{0}}x - \boxed{\phantom{0}}x = -6 - \boxed{\phantom{0}}$$

$$\boxed{\phantom{0}}x = \boxed{\phantom{0}}$$

$$x = \boxed{\phantom{0}}$$

**03** 다음을 방정식을 세워 풀어 보시오.

(1) $(x-1) : 3 = 2x : 5$ ➡ $x =$ ☐

(2) $(2x+1) : (3-x) = 3 : 2$ ➡ $x =$ ☐

**04** 다음을 방정식을 세워 풀어 보시오.

비례식의 성질을 이용하여 방정식을 세워.

(1) $4 : (x-1) = 3 : 2x$

(2) $7 : 4 = (2x+3) : (1-x)$

(3) $4 : 2 = (-x+8) : (2x-1)$

(4) $(2x+2) : (x-1) = 2 : -3$

(5) $(5x+2) : (-x+1) = -4 : 1$

(6) $4 : (2x-1) = 2 : (1-x)$

중학교 교과서

**05** 다음 비례식을 만족시키는 $x$의 값은?

$$(6x+3) : (-3+3x) = 1 : 2$$

① $-3$  　② $-2$  　③ $-1$  　④ $1$  　⑤ $2$

# 계수가 소수인 방정식

## 중등 31-1 계수가 소수인 방정식 풀기

초 5학년: 자연수의 혼합 계산
중 1학년: 일차방정식의 풀이

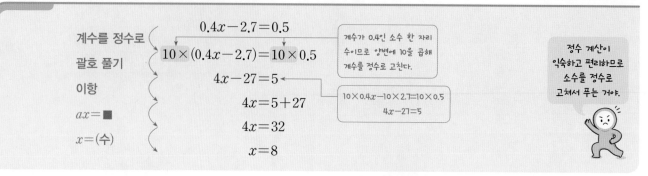

잠깐만 ! 계수가 ┌ 소수 한 자리 수인 경우 ─ ┐ ┌ ×10
       ├ 소수 두 자리 수인 경우 ─ → 양변에 ├ ×100
       └ 소수 세 자리 수인 경우 ─ ┘ └ ×1000

양변에 10, 100, 1000…을 곱하여 계수를 정수로 만들어.

---

**01** □ 안에 알맞은 수를 써넣고, 방정식을 순서대로 풀어 보시오.

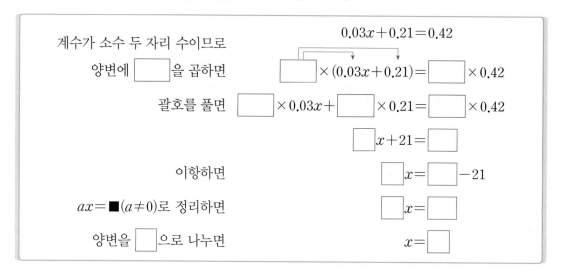

계수가 소수 두 자리 수이므로

$$0.03x + 0.21 = 0.42$$

양변에 □ 을 곱하면    □ × (0.03x + 0.21) = □ × 0.42

괄호를 풀면    □ × 0.03x + □ × 0.21 = □ × 0.42

□ x + 21 = □

이항하면    □ x = □ − 21

$ax = ■ (a \neq 0)$로 정리하면    □ x = □

양변을 □ 으로 나누면    x = □

---

**02** 방정식을 푸는 과정입니다. □ 안에 알맞은 수를 써넣으시오.

계수를 정수로 고치기 위해 양변에 수를 곱할 때에는 모든 항에 빠짐없이 곱해.

(1)
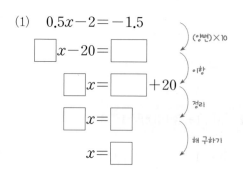
$$0.5x - 2 = -1.5$$
□ x − 20 = □    (양변)×10
□ x = □ + 20    이항
□ x = □    정리
x = □    해 구하기

(2)
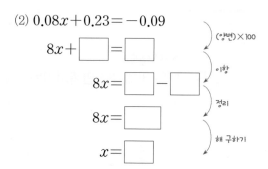
$$0.08x + 0.23 = -0.09$$
8x + □ = □    (양변)×100
8x = □ − □    이항
8x = □    정리
x = □    해 구하기

**03** 다음 방정식을 풀어 보시오.

(1) $0.4 - 0.1x = 1.4x - 2.6$ ➡ $x = \boxed{\phantom{00}}$

(2) $0.3x - 1.4 = 2.4x - 7.7$ ➡ $x = \boxed{\phantom{00}}$

**04** 다음 방정식을 풀어 보시오.

계수의 소수점 아래 자리의 수가 서로 다를 때에는 소수점 아래 자리의 수가 가장 많은 수를 기준으로 계산해.

(1) $0.02x + 0.19 = 0.06x + 0.43$

(2) $0.05x + 0.31 = 1.75 - 0.07x$

(3) $-0.02x + 0.3 = -0.5$

(4) $-0.3x + 1.35 = 0.15x$

(5) $0.01x - 0.49 = 0.5x$

(6) $1.2 + 0.05x = -0.35x$

중학교 교과서

**05** 다음 방정식의 해를 구하시오.

$$0.5x + 2 = 0.2(-1 + x) + 3$$

## 중등 32-1 계수가 분수인 방정식 풀기

초 5학년: 분수의 곱셈
중 1학년: 일차방정식의 풀이

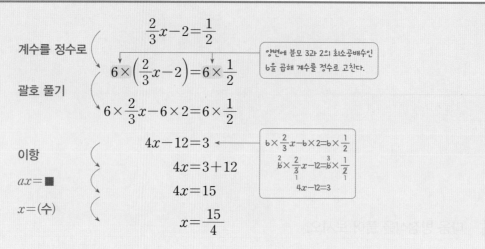

**01** □ 안에 알맞은 수를 써넣고, 방정식을 순서대로 풀어 보시오.

$$\frac{1}{2}x - 1 = \frac{5}{6}$$

양변에 분모 2와 6의 최소공배수인

□을 곱하면 $\boxed{\phantom{0}} \times \left(\frac{1}{2}x - 1\right) = \boxed{\phantom{0}} \times \frac{5}{6}$

괄호를 풀면 $\boxed{\phantom{0}} \times \frac{1}{2}x - \boxed{\phantom{0}} \times 1 = \boxed{\phantom{0}} \times \frac{5}{6}$

$3x - \boxed{\phantom{0}} = \boxed{\phantom{0}}$

이항하면 $3x = \boxed{\phantom{0}} + \boxed{\phantom{0}}$

$ax = ■(a \neq 0)$로 정리하면 $\boxed{\phantom{0}}x = \boxed{\phantom{0}}$

양변을 $\boxed{\phantom{0}}$으로 나누면 $x = \boxed{\phantom{0}}$

**02** 방정식을 푸는 과정입니다. □ 안에 알맞은 수를 써넣으시오.

양변에 분모의 최소 공배수를 곱해 계수를 정수로 고쳐.

(1)
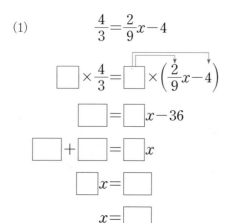

$$\frac{4}{3} = \frac{2}{9}x - 4$$

$\boxed{\phantom{0}} \times \frac{4}{3} = \boxed{\phantom{0}} \times \left(\frac{2}{9}x - 4\right)$

$\boxed{\phantom{0}} = \boxed{\phantom{0}}x - 36$

$\boxed{\phantom{0}} + \boxed{\phantom{0}} = \boxed{\phantom{0}}x$

$\boxed{\phantom{0}}x = \boxed{\phantom{0}}$

$x = \boxed{\phantom{0}}$

(2)
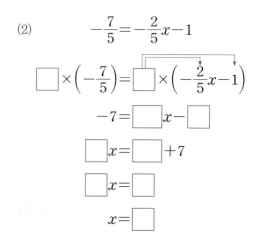

$$-\frac{7}{5} = -\frac{2}{5}x - 1$$

$\boxed{\phantom{0}} \times \left(-\frac{7}{5}\right) = \boxed{\phantom{0}} \times \left(-\frac{2}{5}x - 1\right)$

$-7 = \boxed{\phantom{0}}x - \boxed{\phantom{0}}$

$\boxed{\phantom{0}}x = \boxed{\phantom{0}} + 7$

$\boxed{\phantom{0}}x = \boxed{\phantom{0}}$

$x = \boxed{\phantom{0}}$

**03** 다음 방정식을 풀어 보시오.

(1) $\dfrac{2}{3}x = \dfrac{3}{2}x + 2$ ➡ $x = \boxed{\phantom{xxx}}$

(2) $-\dfrac{4}{5}x = -\dfrac{1}{3} + \dfrac{1}{5}x$ ➡ $x = \boxed{\phantom{xxx}}$

**04** 다음 방정식을 풀어 보시오.

양변에 수를 곱할 때에는 모든 항에 빠짐없이 똑같이 곱해야 돼.

(1) $-\dfrac{1}{6} = \dfrac{7}{3}x + 1$

(2) $\dfrac{3}{4}x = -\dfrac{5}{2}x - \dfrac{13}{2}$

(3) $\dfrac{1}{5}x - 2 = \dfrac{1}{4}x + \dfrac{1}{2}$

(4) $\dfrac{2}{3}x + \dfrac{1}{6} = \dfrac{3}{2}x + \dfrac{1}{2}$

(5) $\dfrac{4}{5}x - \dfrac{3}{2} = \dfrac{1}{10}x + \dfrac{3}{5}$

(6) $1 + \dfrac{5}{6}x = \dfrac{7}{4} + \dfrac{1}{2}x$

중학교 교과서

**05** 다음 방정식의 해를 구하시오.

$$\dfrac{1}{3} + \dfrac{7}{12}x = -\dfrac{7}{6}x + \dfrac{1}{4}$$

# 33 계수에 소수와 분수가 모두 있는 방정식

#계수가 소수인 방정식
#계수가 분수인 방정식

## 중등 33-1 계수에 소수와 분수가 모두 있는 방정식 풀기

1학년: 일차방정식의 풀이

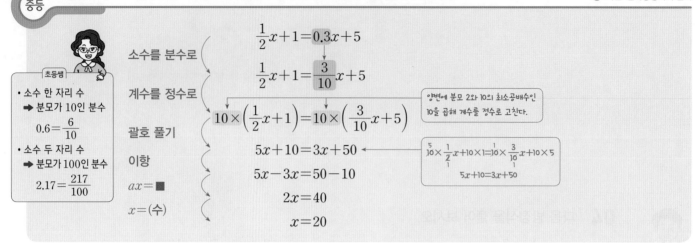

초등쌤

- 소수 한 자리 수
➡ 분모가 10인 분수
$0.6 = \dfrac{6}{10}$
- 소수 두 자리 수
➡ 분모가 100인 분수
$2.17 = \dfrac{217}{100}$

소수를 분수로

$\dfrac{1}{2}x + 1 = 0.3x + 5$

$\dfrac{1}{2}x + 1 = \dfrac{3}{10}x + 5$

계수를 정수로

양변에 분모 2와 10의 최소공배수인 10을 곱해 계수를 정수로 고친다.

$10 \times \left(\dfrac{1}{2}x + 1\right) = 10 \times \left(\dfrac{3}{10}x + 5\right)$

괄호 풀기

$5x + 10 = 3x + 50$

$\dfrac{5}{10} \times \dfrac{1}{2}x + 10 \times 1 = \dfrac{1}{10} \times \dfrac{3}{10}x + 10 \times 5$

$5x + 10 = 3x + 50$

이항

$5x - 3x = 50 - 10$

$ax = ■$

$2x = 40$

$x = (수)$

$x = 20$

---

**01** 방정식을 푸는 과정입니다. ☐ 안에 알맞은 수를 써넣으시오.

(1)
$$\boxed{-0.7}x + \boxed{1.5} = \dfrac{4}{5}x$$
$$\boxed{\phantom{x}}\,x + \dfrac{15}{10} = \dfrac{4}{5}x$$
$$\boxed{\phantom{x}} \times \left(-\dfrac{7}{10}x + \dfrac{15}{10}\right) = \boxed{\phantom{x}} \times \dfrac{4}{5}x$$
$$\boxed{\phantom{x}}\,x + 15 = \boxed{\phantom{x}}\,x$$
$$15 = \boxed{\phantom{x}}\,x + \boxed{\phantom{x}}\,x$$
$$\boxed{\phantom{x}}\,x = 15$$
$$x = \boxed{\phantom{x}}$$

(2)
$$\boxed{2.1} = -\dfrac{9}{10}x + \boxed{1.2}x$$
$$\dfrac{21}{10} = -\dfrac{9}{10}x + \boxed{\phantom{x}}\,x$$
$$\boxed{\phantom{x}} \times \dfrac{21}{10} = \boxed{\phantom{x}} \times \left(-\dfrac{9}{10}x + \dfrac{12}{10}x\right)$$
$$\boxed{\phantom{x}} = \boxed{\phantom{x}}\,x + 12x$$
$$\boxed{\phantom{x}}\,x = \boxed{\phantom{x}}$$
$$x = \boxed{\phantom{x}}$$

---

**02** 다음 방정식을 풀어 보시오.

소수를 분수로 고치고, 양변에 분모의 최소공배수를 곱해.

(1) $\dfrac{5}{2}x - \dfrac{7}{4}x = 4.5 \Rightarrow x = \boxed{\phantom{x}}$

(2) $1.3x = -\dfrac{5}{2} + 0.8x \Rightarrow x = \boxed{\phantom{x}}$

(3) $\dfrac{2}{5}x - \dfrac{1}{2} = 0.2x + 1 \Rightarrow x = \boxed{\phantom{x}}$

(4) $0.5x - \dfrac{5}{2} = \dfrac{3}{10}x + 0.7 \Rightarrow x = \boxed{\phantom{x}}$

**03** 다음 방정식을 풀어 보시오.

계수가 정수가 아닌 유리수이므로 계수가 정수가 되도록 양변에 같은 수를 곱해.

(1) $1 - \dfrac{2}{3}x = 0.2x$

(2) $0.8 - \dfrac{1}{5}x + 3 = 0$

(3) $\dfrac{1}{2}x - 2 = 0.4x - 1$

(4) $0.9 + \dfrac{3}{4}x = 0.6x - \dfrac{3}{5}$

(5) $-\dfrac{1}{4}x + 0.6 = \dfrac{1}{4} - 0.5x$

(6) $2 - 0.2x = \dfrac{1}{4}x + \dfrac{1}{2}$

**04** 다음 방정식의 해를 구하시오.

$$0.3x - 1.5 = \dfrac{3}{5}x + 0.6$$

**05** 다음 중 방정식 $\dfrac{1}{2}(2x - 1) = 0.5$의 해는?

① $x = -1$      ② $x = 0$      ③ $x = 1$

④ $x = 2$      ⑤ $x = 4$

# 34 분수 형태의 방정식 (1)

## 중등 34-1 $x$를 포함하는 항이 한 변에만 있는 분수 형태인 방정식 풀기

초5학년: 분수의 곱셈
중1학년: 일차방정식의 풀이

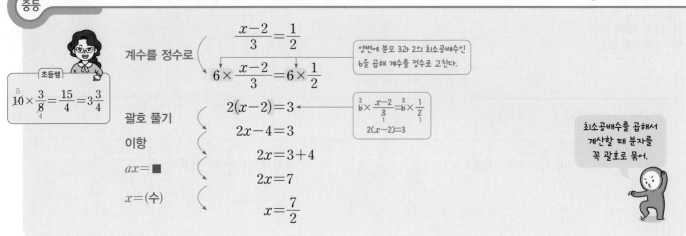

초등쌤

$\overset{5}{10} \times \dfrac{3}{\underset{4}{8}} = \dfrac{15}{4} = 3\dfrac{3}{4}$

계수를 정수로

$$\dfrac{x-2}{3} = \dfrac{1}{2}$$

양변에 분모 3과 2의 최소공배수인 6을 곱해 계수를 정수로 고친다.

$$6 \times \dfrac{x-2}{3} = 6 \times \dfrac{1}{2}$$

괄호 풀기

이항

$ax = \blacksquare$

$x = (수)$

$$2(x-2) = 3$$
$$2x - 4 = 3$$
$$2x = 3 + 4$$
$$2x = 7$$
$$x = \dfrac{7}{2}$$

$\overset{2}{6} \times \dfrac{x-2}{\underset{1}{3}} = \overset{3}{6} \times \dfrac{1}{\underset{1}{2}}$
$2(x-2) = 3$

최소공배수를 곱해서 계산할 때 분자를 꼭 괄호로 묶어.

---

**01** 방정식을 푸는 과정입니다. ☐ 안에 알맞은 수를 써넣으시오.

정수는 분모가 1인 분수로 생각해.
➡ $-3 = \dfrac{-3}{1}$

(1)
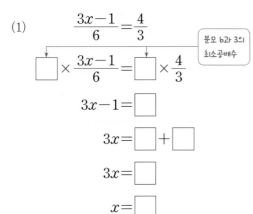

$$\dfrac{3x-1}{6} = \dfrac{4}{3}$$

$$\boxed{\phantom{0}} \times \dfrac{3x-1}{6} = \boxed{\phantom{0}} \times \dfrac{4}{3}$$

분모 6과 3의 최소공배수

$$3x - 1 = \boxed{\phantom{0}}$$
$$3x = \boxed{\phantom{0}} + \boxed{\phantom{0}}$$
$$3x = \boxed{\phantom{0}}$$
$$x = \boxed{\phantom{0}}$$

(2)
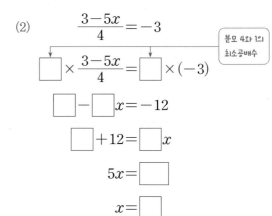

$$\dfrac{3-5x}{4} = -3$$

$$\boxed{\phantom{0}} \times \dfrac{3-5x}{4} = \boxed{\phantom{0}} \times (-3)$$

분모 4와 1의 최소공배수

$$\boxed{\phantom{0}} - \boxed{\phantom{0}}x = -12$$
$$\boxed{\phantom{0}} + 12 = \boxed{\phantom{0}}x$$
$$5x = \boxed{\phantom{0}}$$
$$x = \boxed{\phantom{0}}$$

---

**02** 다음 방정식을 풀어 보시오.

(1) $\dfrac{3x-1}{2} = 1$ ➡ $x = \boxed{\phantom{0}}$

(2) $\dfrac{4-5x}{9} = -\dfrac{2}{3}$ ➡ $x = \boxed{\phantom{0}}$

(3) $\dfrac{x-1}{3} = -1$ ➡ $x = \boxed{\phantom{0}}$

(4) $\dfrac{7}{10} = \dfrac{4-2x}{5}$ ➡ $x = \boxed{\phantom{0}}$

**03** 다음 방정식을 풀어 보시오.

양변에 수를 곱할 때에는 모든 항에 빠짐없이 곱해야 돼.

(1) $\dfrac{2x-7}{3}=-2$

(2) $\dfrac{7}{6}=\dfrac{9-4x}{2}$

(3) $\dfrac{x-6}{2}+1=-\dfrac{2}{3}$

(4) $-\dfrac{5}{7}+\dfrac{2x+1}{3}=\dfrac{2}{7}$

(5) $\dfrac{-7+x}{4}+2=\dfrac{5}{8}$

(6) $\dfrac{4}{5}+\dfrac{3x-4}{2}=-\dfrac{3}{10}$

**04** 방정식 $\dfrac{x-3}{4}+\dfrac{1}{3}=1$을 풀면?

① $x=\dfrac{17}{2}$

② $x=\dfrac{17}{3}$

③ $x=6$

④ $x=-\dfrac{17}{3}$

⑤ $x=-6$

중학교 교과서

**05** 다음 방정식의 해를 구하시오.

괄호 앞에 음수가 있을 때는 부호에 주의해.

$$3-\dfrac{x+6}{5}=\dfrac{5}{2}$$

# 35 분수 형태의 방정식 (2)

## 중등 35-1 $x$를 포함하는 항이 양변에 있는 분수 형태인 방정식 풀기

초 5학년: 분수의 곱셈
중 1학년: 일차방정식의 풀이

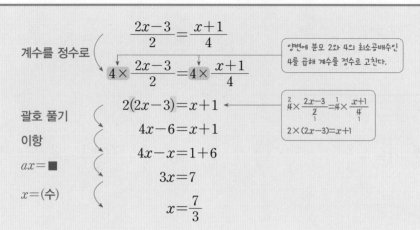

계수를 정수로

$$\frac{2x-3}{2}=\frac{x+1}{4}$$

$$4 \times \frac{2x-3}{2}=4 \times \frac{x+1}{4}$$

양변에 분모 2와 4의 최소공배수인 4를 곱해 계수를 정수로 고친다.

괄호 풀기  $2(2x-3)=x+1$

$$\overset{2}{4} \times \frac{2x-3}{\overset{2}{1}}=\overset{1}{4} \times \frac{x+1}{\overset{4}{1}}$$
$$2 \times (2x-3)=x+1$$

이항  $4x-6=x+1$

$ax=■$  $4x-x=1+6$

$3x=7$

$x=(수)$  $x=\dfrac{7}{3}$

양변이 분수 꼴인 방정식도 분모의 최소공배수를 곱해서 계수를 정수로 고쳐서 풀어.

---

**01** 방정식을 푸는 과정입니다. □ 안에 알맞은 수를 써넣으시오.

분모의 최소공배수를 곱해야 계산이 간단해.

(1)
$$\frac{x+1}{4}=\frac{2x+1}{6}$$

$$\boxed{\phantom{0}} \times \frac{x+1}{4}=\boxed{\phantom{0}} \times \frac{2x+1}{6}$$

$$\boxed{\phantom{0}} \times (x+1)=2 \times (2x+1)$$

$$\boxed{\phantom{0}}x+3=4x+\boxed{\phantom{0}}$$

$$3-\boxed{\phantom{0}}=4x-\boxed{\phantom{0}}x$$

$$x=\boxed{\phantom{0}}$$

(2)
$$\frac{4-x}{3}=\frac{x+1}{2}$$

$$\boxed{\phantom{0}} \times \frac{4-x}{3}=\boxed{\phantom{0}} \times \frac{x+1}{2}$$

$$2 \times (4-x)=\boxed{\phantom{0}} \times (x+1)$$

$$8-\boxed{\phantom{0}}x=\boxed{\phantom{0}}x+3$$

$$8-\boxed{\phantom{0}}=3x+\boxed{\phantom{0}}x$$

$$\boxed{\phantom{0}}=\boxed{\phantom{0}}$$

$$x=\boxed{\phantom{0}}$$

---

**02** 다음 방정식을 풀어 보시오.

(1) $\dfrac{x-1}{3}=\dfrac{5}{12}x$  ➡ $x=\boxed{\phantom{0}}$

(2) $\dfrac{2x+1}{2}=\dfrac{8-x}{5}$  ➡ $x=\boxed{\phantom{0}}$

(3) $\dfrac{x-5}{3}=\dfrac{x-4}{2}$  ➡ $x=\boxed{\phantom{0}}$

(4) $\dfrac{7-x}{2}=\dfrac{2x+4}{9}$  ➡ $x=\boxed{\phantom{0}}$

**03** 다음 방정식을 풀어 보시오.

괄호 앞에 음의 부호가 있을 때는 부호에 주의해.

(1) $-\dfrac{2x-4}{3}=\dfrac{3-x}{2}$

(2) $\dfrac{1+x}{2}=\dfrac{1}{5}x+\dfrac{7}{10}$

(3) $\dfrac{x}{7}-\dfrac{x+3}{2}=\dfrac{9}{14}$

(4) $-\dfrac{1}{3}(1-x)=\dfrac{x+7}{6}$

(5) $\dfrac{x-2}{3}-\dfrac{x-3}{5}=-1$

(6) $\dfrac{2x+1}{5}-\dfrac{x-7}{10}=3$

중학교 교과서

**04** 다음 방정식의 해를 구하시오.

$$\dfrac{x-6}{4}+\dfrac{2x+1}{6}=1$$

**05** 다음 중 방정식 $\dfrac{5x-1}{12}+\dfrac{2}{3}=\dfrac{-x+3}{6}$ 의 해는?

① $x=-\dfrac{2}{13}$   ② $x=-\dfrac{1}{7}$   ③ $x=\dfrac{1}{7}$

④ $x=1$   ⑤ $x=7$

**[01~05]** 다음 방정식을 풀어 보시오.

**01**  $4(x-3)=5x$

$\boxed{\phantom{0}}x-\boxed{\phantom{0}}=5x$

$\boxed{\phantom{0}}=5x-\boxed{\phantom{0}}x$

$x=\boxed{\phantom{0}}$

**02**  $-4x+20=-3(x-5)$

**03**  $2(x+5)=3(2x+3)$

**04**  $2(2x-3)=-(x-4)$

**05**  $2(1-x)+3x=2(-1+x)$

**[06~10]** 다음을 방정식을 세워 풀어 보시오.

**06**  $(x-2):(2x+1)=3:1$

$x-2=\boxed{\phantom{0}}\times(2x+1)$

$x-2=\boxed{\phantom{0}}x+\boxed{\phantom{0}}$

$-2-\boxed{\phantom{0}}=\boxed{\phantom{0}}x-x$

$\boxed{\phantom{0}}x=\boxed{\phantom{0}}$

$x=\boxed{\phantom{0}}$

**07**  $(x+2):(x-3)=-1:4$

**08**  $1:2=(x+3):(x+1)$

**09**  $(4x+1):6=(2x-3):2$

**10**  $7:2=(-x+8):(x+1)$

괄호를 풀 때는
부호에 주의해.

**11**
$$0.3x+1=2.8$$
$$\boxed{\phantom{0}} \times (0.3x+1) = \boxed{\phantom{0}} \times 2.8$$
$$\boxed{\phantom{0}}x+10 = \boxed{\phantom{0}}$$
$$\boxed{\phantom{0}}x = \boxed{\phantom{0}} - 10$$
$$\boxed{\phantom{0}}x = \boxed{\phantom{0}}$$
$$x = \boxed{\phantom{0}}$$

**12** $-0.02x+0.15=0.03$

**13** $0.2x-4.7=2.9x+3.4$

**14** $-0.01x+0.49=1.75-0.08x$

**15** $-0.4x+1.14=0.17x$

**16**
$$\frac{7}{2} = -\frac{1}{4}x+3$$
$$\boxed{\phantom{0}} \times \frac{7}{2} = \boxed{\phantom{0}} \times \left(-\frac{1}{4}x+3\right)$$
$$\boxed{\phantom{0}} = \boxed{\phantom{0}} \times \left(-\frac{1}{4}x\right) + \boxed{\phantom{0}} \times 3$$
$$\boxed{\phantom{0}} = -x+12$$
$$x = 12 - \boxed{\phantom{0}}$$
$$x = \boxed{\phantom{0}}$$

**17** $\dfrac{3x+2}{2}=5$

**18** $-\dfrac{3}{4}x=\dfrac{2}{3}x+\dfrac{1}{12}$

**19** $\dfrac{x+2}{6}=\dfrac{3-x}{4}$

**20** $\dfrac{x-2}{3}=\dfrac{3}{4}x+1$

계수를 정수로 고쳐서
방정식을 풀어.

# 36 실력 확인 TEST

**[21~30]** 다음 방정식을 풀어 보시오.

**21** $2x - 5(x+3) = 6$

**22** $\dfrac{x-2}{3} - \dfrac{2x-5}{4} = 1$

**23** $\dfrac{5}{3}x + \dfrac{1}{2} = \dfrac{5x-7}{6}$

**24** $4 : (x-1) = 3 : 2x$

**25** $0.2(3x+1) = -4$

**26** $4 - \dfrac{2x}{3} = -10 + \dfrac{x}{2}$

**27** $0.6x - 1.2 = x + 3.2$

**28** $\dfrac{3}{4}x + 1 = \dfrac{1}{2}(x+4)$

**29** $\dfrac{x+2}{6} - 1 = \dfrac{5-4x}{9}$

**30** $\dfrac{1}{5}(x+3) = 0.7 + 2x$

방정식의 풀이 단계를
생각해서 풀어 봐.

# 5 단계

# 방정식 활용

개념 동영상 강의

## 중등 37-1 어떤 수

⑧1학년: 일차방정식의 풀이

**예** 어떤 수에서 3을 뺀 후 2배 한 수는 어떤 수의 $\frac{2}{3}$배보다 2가 클 때, **어떤 수**를 구하시오.

문제를 끊어 읽으며 좌변과 우변에 놓을 식을 구한다.

① $x$로 놓을 값 정하기

어떤 수를 $x$라 하면

② 방정식 세우기

• 어떤 수에서 3을 뺀 후 2배 한 수: $(x-3) \times 2$

• 어떤 수의 $\frac{2}{3}$배보다 2가 클 때: $x \times \frac{2}{3} + 2$

➡ $2(x-3) = \frac{2}{3}x + 2$

③ 방정식 풀기

$$2(x-3) = \frac{2}{3}x + 2$$

$$6x - 18 = 2x + 6$$

$$6x - 2x = 6 + 18$$

$$4x = 24$$

$$x = 6$$

$$3 \times 2(x-3) = 3 \times \left(\frac{2}{3}x + 2\right)$$
$$6 \times (x-3) = 3 \times \left(\frac{2}{3}x + 2\right)$$
$$6 \times x - 6 \times 3 = 3 \times \frac{2}{3}x + 3 \times 2$$
$$6x - 18 = 2x + 6$$

④ 답 구하기

따라서 어떤 수는 6이다.

**01** 어떤 수에 3을 더한 후 2배 한 수는 어떤 수에 8을 더한 것과 같을 때, **어떤 수**를 구하시오.

좌변과 우변에 놓을 식을 먼저 찾아봐.

어떤 수를 $x$라 하면

• 어떤 수에 3을 더한 후 2배 한 수: ☐

• 어떤 수에 8을 더한 것과 같을 때: ☐

이므로 방정식을 세우면 ☐ 이다.

**방정식 풀기:**





따라서 어떤 수는 ☐ 이다.

**02** 어떤 수에 3을 더해야 할 것을 잘못하여 곱하였더니 처음 구하려고 했던 수보다 9만큼 커졌습니다. **어떤 수**를 구하시오.

## 37-2 연속하는 수

**예** 연속하는 세 짝수의 합이 48일 때, 세 짝수 중 **가장 큰 수**를 구하시오.

'연속하는 ~' 조건의 문제는 $x$를 어떻게 놓느냐에 따라 풀이가 달라진다.

연속하는 세 짝수
$$-2 \quad +2 \qquad +2$$
➡ 2, 4, 6 / 2, 4, 6
$$+4$$

연속하는 세 홀수
$$-2 \quad +2 \qquad +2$$
➡ 1, 3, 5 / 1, 3, 5
$$+4$$

① $x$로 놓을 값 정하기

가장 작은 짝수를 $x$라 하면

② 방정식 세우기

연속하는 세 짝수: $x$, $x+2$, $x+4$

➡ $x+(x+2)+(x+4)=48$

③ 방정식 풀기

$$x+(x+2)+(x+4)=48$$
$$3x+6=48$$
$$3x=48-6$$
$$3x=42$$
$$x=14$$

④ 답 구하기

따라서 연속하는 세 짝수는 14, 16, 18이므로 가장 큰 수는 18이다.

---

**03** 연속하는 두 홀수의 합이 108일 때, **두 홀수를 구하시오.**

연속하는 두 홀수(짝수)를 $x$로 놓는 방법
① $x-2$, $x$
② $x$, $x+2$

연속하는 두 홀수 중 작은 수를 $x$라 하면 큰 수는 [ ]이므로

방정식을 세우면 [ ]이다.

**방정식 풀기:**

따라서 작은 수는 [ ], 큰 수는 [ ]+2=[ ]이다.

---

**04** 연속하는 세 자연수의 합이 144일 때, 세 자연수 중 **가장 작은 수**를 구하시오.

연속하는 세 자연수를 $x$로 놓는 방법
① $x-1$, $x$, $x+1$
② $x$, $x+1$, $x+2$
③ $x-2$, $x-1$, $x$

# 38 방정식의 활용(1) – 수

## 중등 38-1 자릿수(각 자리 숫자가 나타내는 값)

중등 1학년: 일차방정식의 풀이

例 일의 자리 숫자가 5인 두 자리 자연수가 있습니다. 이 자연수의 십의 자리 숫자와 일의 자리 숫자를 바꾼 수는 처음 수보다 9만큼 작을 때, **처음 수**를 구하시오.

> 십의 자리 숫자가 $a$, 일의 자리 숫자가 $b$인 두 자리 자연수
> → $10 \times a + 1 \times b = 10a + b$

① $x$로 놓을 값 정하기

처음 두 자리 자연수의 십의 자리 숫자를 $x$라 하면

② 방정식 세우기

일의 자리 숫자가 5이므로

처음 자연수: $10 \times x + 5 = 10x + 5$

바꾼 자연수: $10 \times 5 + x = 50 + x$

→ $50 + x = 10x + 5 - 9$

③ 방정식 풀기

$50 + x = 10x + 5 - 9$

$50 + x = 10x - 4$

$50 + 4 = 10x - x$

$9x = 54$

$x = 6$

> 이항과 등식의 성질을 이용해서 방정식을 풀어.

④ 답 구하기

따라서 처음 수는 $10 \times 6 + 5 = 65$이다.

---

**01** 십의 자리 숫자가 3인 두 자리 자연수가 있습니다. 이 자연수의 십의 자리 숫자와 일의 자리 숫자를 바꾼 수는 처음 수보다 9만큼 클 때, **처음 수**를 구하시오.

> 십의 자리 숫자가 $a$, 일의 자리 숫자가 $b$인 두 자리 자연수를 $ab$로 나타내면 안 돼.

처음 두 자리 자연수의 일의 자리 숫자를 $x$라 하면 십의 자리 숫자가 3이므로

처음 자연수는 $10 \times 3 + x$, 바꾼 자연수는 ⬚이므로

방정식을 세우면 ⬚이다.

**방정식 풀기:**




따라서 처음 수는 $10 \times 3 + \boxed{\phantom{x}} = \boxed{\phantom{x}}$이다.

---

**02** 일의 자리 숫자가 7인 두 자리 자연수가 있습니다. 이 자연수는 각 자리 숫자의 합의 3배와 같을 때, 이 **자연수**를 구하시오.

## 38-2 나이

**예** 현재 서진이의 나이는 13세이고, 아버지의 나이는 49세입니다. 아버지의 나이가 서진이의 나이의 3배가 되는 것은 **몇 년 후**인지 구하시오.

• ($x$년 후의 나이)=(현재의 나이)+$x$
• ($x$년 전의 나이)=(현재의 나이)−$x$

① $x$로 놓을 값 정하기

몇 년 후를 $x$년 후라 하면

② 방정식 세우기

$x$년 후 아버지의 나이: $(49+x)$세

$x$년 후 서진이의 나이: $(13+x)$세

➡ $49+x=3(13+x)$

③ 방정식 풀기

$$49+x=3(13+x)$$
$$49+x=\underline{39+3x}$$
$$3\times13+3\times x$$
$$49-39=3x-x$$
$$2x=10,\ x=5$$

④ 답 구하기

따라서 아버지의 나이가 서진이의 나이의 3배가 되는 것은 5년 후이다.

---

**03** 형의 나이는 동생의 나이보다 4세가 많고, 형과 동생의 나이의 합은 32세입니다. **동생의 나이**를 구하시오.

방정식의 활용 문제는 단위가 있으면 반드시 단위를 쓰도록 해.

동생의 나이를 $x$세라 하면 형의 나이는 (　　　)세이고,

형과 동생의 나이의 합이 32세이므로

방정식을 세우면 ⬚⬚⬚⬚ 이다.

**방정식 풀기:**

따라서 동생의 나이는 ⬚세이다.

---

**04** 현재 아버지와 아들의 나이의 합은 70세이고, 10년 후에는 아버지의 나이가 아들의 나이의 2배가 된다고 합니다. **현재 아들의 나이**를 구하시오.

(현재 아버지의 나이)
+(현재 아들의 나이)
=70
➡ (현재 아버지의 나이)
=70−(현재 아들의 나이)

# 39 방정식의 활용 (1) - 수

## 중등 39-1 합이 일정한 경우

1학년: 일차방정식의 풀이

**예** 한 개에 800원인 빵과 한 개에 500원인 주스를 합하여 모두 10개를 샀더니 6200원이었습니다. 이때 **빵을 몇 개 샀는지** 구하시오.

합이 ▲개로 일정한 경우
구하는 것: $x$개, 다른 것: (▲$-x$)개

① $x$로 놓을 값 정하기

빵의 개수를 $x$개라 하면

② 방정식 세우기

빵과 주스의 개수의 합이 10개

주스의 개수: $(10-x)$개

➡ $800x+500(10-x)=6200$

③ 방정식 풀기

$$800x+500(10-x)=6200$$
$$800x+5000-500x=6200 \quad \text{괄호 풀기}$$
$$800x-500x=6200-5000$$
$$300x=1200$$
$$x=4$$

④ 답 구하기

따라서 빵을 4개 샀다.

---

**01** 어느 휴양림의 입장료가 성인은 1000원, 청소년은 300원이라고 합니다. 성인과 청소년을 합하여 15명이 입장을 하는데 10000원 내었더니 2700원을 거슬러 주었습니다. **입장한 청소년은 몇 명인지** 구하시오.

(거스름돈)
=(낸 돈)-(물건 값)

입장한 청소년을 $x$명이라 하면 입장한 성인은 ( ⬚ )명이므로

방정식을 세우면 ⬚ 이다.

**방정식 풀기:**




따라서 휴양림에 입장한 청소년은 ⬚ 명이다.

---

**02** 어느 농장에 돼지와 닭을 합하여 20마리가 있습니다. 다리 수의 합이 62개일 때, **돼지는 모두 몇 마리인지** 구하시오.

동물의 수가 아닌
다리 수를 이용하여
방정식을 세워.

## 중등 39-2 일정하게 늘어나거나 줄어드는 경우

🔵 1학년: 일차방정식의 풀이

**예** 현재 형의 저금통에는 4000원, 동생의 저금통에는 5200원이 들어 있습니다. 형은 매일 600원씩, 동생은 매일 200원씩 저금통에 넣는다면 형의 저금통에 들어 있는 금액이 동생의 저금통에 들어 있는 금액의 2배가 되는 것은 **며칠 후**인지 구하시오.

일정 금액을 $x$개월 동안 예금할 때
($x$개월 후의 예금액)=(현재 예금액)+(일정 예금액)×$x$

① $x$로 놓을 값 정하기

며칠 후를 $x$일 후라 하면

② 방정식 세우기

형이 저금한 금액: $(4000+600x)$원
동생이 저금한 금액: $(5200+200x)$원

➡ $4000+600x=2(5200+200x)$

③ 방정식 풀기

$4000+600x=2(5200+200x)$ ⟶ 괄호 풀기
$4000+600x=10400+400x$
$600x-400x=10400-4000$
$200x=6400$
$x=32$

④ 답 구하기

따라서 금액이 2배가 되는 것은 32일 후이다.

---

**03** 현재 예서는 통장에 20000원, 현서는 통장에 12000원이 예금되어 있습니다. 예서는 매달 500원씩 예금하고, 현서는 매달 2000원씩 예금할 때, 현서의 예금액이 예서의 예금액의 3배가 되는 것은 **몇 개월 후**인지 구하시오. (단, 이자는 생각하지 않습니다.)

$x$개월 후 예서의 예금액은 ( ⬚ )원, 현서의 예금액은 ( ⬚ )원
이므로 방정식을 세우면 ⬚ 이다.

**방정식 풀기:**


따라서 예금액이 3배가 되는 것은 ⬚ 개월 후이다.

---

**04** 길이가 20 cm인 양초 A와 15 cm인 양초 B가 있습니다. 양초 A는 10분에 0.1 cm씩, 양초 B는 10분에 0.3 cm씩 짧아진다고 합니다. 두 양초 A, B에 동시에 불을 붙인 다음, A의 길이가 B의 길이의 2배가 되는 것은 불을 붙이고 **몇 분 후**인지 구하시오.

• A가 줄어드는 길이
10분 ➡ 0.1 cm
1분 ➡ 0.01 cm
$x$분 ➡ 0.01$x$ cm
• B가 줄어드는 길이
10분 ➡ 0.3 cm
1분 ➡ 0.03 cm
$x$분 ➡ 0.03$x$ cm

# 40 방정식의 활용(2) – 둘레, 넓이

## 중등 40-1 둘레

🔵 1학년: 일차방정식의 풀이

**예** 가로의 길이가 7 cm이고, 둘레의 길이가 38 cm인 직사각형의 **세로의 길이**를 구하시오.

공식을 이용하여 방정식을 세운다.
➡ (직사각형의 둘레의 길이)=(가로의 길이+세로의 길이)×2

① $x$로 놓을 값 정하기

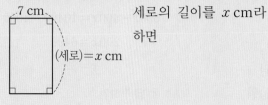

세로의 길이를 $x$ cm라 하면

(세로)$=x$ cm

② 방정식 세우기

가로의 길이: 7 cm, 둘레의 길이: 38 cm

➡ $2(7+x)=38$

③ 방정식 풀기

$2(7+x)=38$

$14+2x=38$

$2x=38-14$

$2x=24$

$x=12$

④ 답 구하기

따라서 세로의 길이는 12 cm이다.

---

**01** 둘레의 길이가 32 cm이고, 가로의 길이가 세로의 길이보다 4 cm만큼 더 긴 직사각형의 **가로의 길이**를 구하시오.

세로의 길이를 $x$ cm라 하면

(가로의 길이)=(세로의 길이)+4=(　　　) cm이다.

$(x+4)$ cm

$x$ cm

둘레의 길이가 32 cm이므로 방정식을 세우면

〔　　　　　　　　　〕이다.

**방정식 풀기:**

따라서 가로의 길이는 □+4=□ (cm)이다.

---

**02** 둘레의 길이가 44 m이고, 세로의 길이가 가로의 길이의 3배보다 2 m 짧은 직사각형 모양의 창고를 지으려고 합니다. 창고의 **세로의 길이**를 구하시오.

도형 문제는 조건에 맞게 그림을 그려 보면 이해하기가 쉬워.

## 중등 40-2 넓이

⊙1학년: 일차방정식의 풀이

예 높이가 8 cm인 삼각형의 넓이가 48 cm²일 때 이 삼각형의 **밑변의 길이**를 구하시오.

공식을 이용하여 방정식을 세운다.
➡ (삼각형의 넓이)=(밑변의 길이)×(높이)÷2

① $x$로 놓을 값 정하기

밑변의 길이를 $x$ cm라 하면

② 방정식 세우기

높이: 8 cm, 넓이: 48 cm²

➡ $x \times 8 \times \dfrac{1}{2} = 48$

③ 방정식 풀기

$$x \times 8 \times \dfrac{1}{2} = 48$$

$x \times \overset{4}{8} \times \dfrac{1}{\underset{1}{2}} = 4x$

$$4x = 48$$

$$x = 12$$

④ 답 구하기

따라서 밑변의 길이는 12 cm이다.

---

**03** 아랫변의 길이가 윗변의 길이보다 2 cm만큼 길고, 높이가 5 cm인 사다리꼴이 있습니다. 이 사다리꼴의 넓이가 35 cm²일 때, **윗변의 길이**를 구하시오.

(사다리꼴의 넓이)
$= \dfrac{1}{2} \times$ {(윗변의 길이)
+(아랫변의 길이)}
×(높이)

윗변의 길이를 $x$ cm라 하면 아랫변의 길이는 (⬚) cm이다.

높이가 5 cm, 넓이가 35 cm²이므로 방정식을 세우면

⬚ 이다.

방정식 풀기:




따라서 윗변의 길이는 ⬚ cm이다.

$x$ cm

5 cm

$(x+2)$ cm

---

**04** 한 변의 길이가 9 cm인 정사각형이 있습니다. 이 정사각형의 가로의 길이를 3 cm, 세로의 길이를 $x$ cm만큼 늘여 직사각형을 만들었더니 넓이가 처음 정사각형의 넓이의 4배가 되었습니다. $x$의 **값**을 구하시오.

(새로운 직사각형의
넓이)
=(처음 정사각형의
넓이)×4

# 41 방정식의 활용⑶ − 증가, 감소

## 중등 41-1 증가

중1학년: 일차방정식의 풀이

예 어느 책 읽기 모임의 회원 수는 작년보다 5❶%$증가하여 올해는 126명이 되었습니다. **작년 회원 수**를 구하시오.

$x$가 $a$% 증가한 후 전체의 양
➡ (원래 $x$)+(증가량) ➡ $x+\dfrac{a}{100}x=\left(1+\dfrac{a}{100}\right)x$

① $x$로 놓을 값 정하기

작년 회원 수를 $x$명이라 하면

② 방정식 세우기

증가한 회원 수: $\left(x\times\dfrac{5}{100}\right)$명

올해 회원 수: 126명

(올해 회원 수)

=(작년 회원 수)+(증가한 회원 수)

❶ 백분율(%): 기준량을 100으로 할 때의 비율 예 5 % ➡ $\dfrac{5}{100}$

➡ $x+\dfrac{5}{100}x=126$

③ 방정식 풀기

$$x+\frac{5}{100}x=126$$

계수를 정수로 고친다.

$$100\times\left(x+\frac{5}{100}x\right)=100\times126$$

$$100x+5x=12600$$

$$105x=12600$$

$$x=120$$

④ 답 구하기

따라서 작년 회원 수는 120명이다.

---

**01** 어느 태권도장의 회원 수는 작년보다 8 % 증가하여 올해는 351명이 되었습니다. **작년 회원 수**를 구하시오.

8 % ➡ $\dfrac{8}{100}$

(올해 회원 수)
=(작년 회원 수)
　+(증가한 회원 수)

작년 회원 수를 $x$명이라 하면 올해 증가한 회원 수는 (　　　　)명이다.

올해 회원 수가 351명이므로 방정식을 세우면 　　　　이다.

방정식 풀기:

따라서 작년 회원 수는 　명이다.

---

**02** 어느 중학교의 올해 남학생 수는 작년에 비하여 10 % 증가하고, 여학생 수는 그대로였습니다. 작년 전체 학생 수가 300명이고, 올해는 작년에 비하여 전체적으로 6 % 증가하였습니다. **작년 여학생 수**를 구하시오.

여학생 수는 변함이 없어.

## 중등 41-2 감소

중1학년: 일차방정식의 풀이

㉠ 어느 걷기 모임의 회원 수는 작년보다 7 % 감소하여 올해는 372명이 되었습니다. **작년 회원 수를 구하시오.**

$x$가 $a$% 감소한 후 전체의 양
⇒ (원래 $x$)−(감소량) ⇒ $x - \dfrac{a}{100}x = \left(1 - \dfrac{a}{100}\right)x$

① $x$로 놓을 값 정하기

작년 회원 수를 $x$명이라 하면

② 방정식 세우기

감소한 회원 수: $\left(x \times \dfrac{7}{100}\right)$명

올해 회원 수: 327명

(올해 회원 수)
=(작년 회원 수)−(감소한 회원 수)

⇒ $x - \dfrac{7}{100}x = 372$

③ 방정식 풀기

$$x - \frac{7}{100}x = 372$$

$$100 \times \left(x - \frac{7}{100}x\right) = 100 \times 372$$

계수를 정수로 고친다.

$$100x - 7x = 37200$$
$$93x = 37200$$
$$x = 400$$

④ 답 구하기

따라서 작년 회원 수는 400명이다.

---

**03**

올해 전체 회원 수가 감소하였으므로 음수 값으로 나타내.

어느 도서관의 작년 전체 회원은 1000명이었습니다. 올해는 작년에 비하여 남성 회원은 15명 증가하고, 여성 회원은 19 % 감소하여 전체 회원 수가 8 % 감소하였습니다. **작년 여성 회원 수를 구하시오.**

+15

19 % ⇒ $\dfrac{19}{100}$

작년 여성 회원 수를 $x$명이라 하고 올해 감소한 전체 회원 수를 나타내는 방정식을 세우면

(증가한 남성 회원 수 15명)−(여성 회원 수 19 % 감소)=(전체적으로 8 % 감소)이므로

[                    ]이다.

방정식 풀기:




따라서 작년 여성 회원 수는 [    ]명이다.

---

**04**

작년 사과 생산량을 기준으로 식을 세워.

어느 과수원의 작년 사과와 배의 전체 생산량은 1200 kg이었습니다. 올해는 작년에 비하여 배 생산량은 6 % 감소하고, 사과 생산량은 10 % 증가하여 전체 생산량이 20 kg 증가하였습니다. **올해 사과 생산량은 몇 kg인지 구하시오.**

중등 **42-1** **속력이 바뀌는 경우**

중 1학년: 일차방정식의 풀이

**예** 등산을 하는데 같은 길을 올라갈 때는 ❶시속 2 km로 걸어가고, 내려올 때는 시속 3 km로 걸어서 왕복 5시간이 걸렸습니다. **등산로의 거리**를 구하시오.

> 거리를 $x$로 놓고 시간에 대한 방정식을 세운다.
> ➡ (시속 A로 이동한 시간)+(시속 B로 이동한 시간)
>   =(전체 걸린 시간)

① $x$로 놓을 값 정하기

등산로의 거리를 $x$ km라 하면

② 방정식 세우기

|  | 올라갈 때 | 내려올 때 |
|---|---|---|
| 거리(km) | $x$ | $x$ |
| 속력(km/시) | 2 | 3 |
| 걸린 시간(시간) | $\dfrac{x}{2}$ | $\dfrac{x}{3}$ |

❶ 시속: 1시간 동안에 이동한 거리로 속력의 단위는 km/시이다.

➡ $\dfrac{x}{2}+\dfrac{x}{3}=5$

③ 방정식 풀기

$$\dfrac{x}{2}+\dfrac{x}{3}=5$$

> 분모 2와 3의 최소공배수인 6을 곱한다.

$$6\times\left(\dfrac{x}{2}+\dfrac{x}{3}\right)=6\times5$$

$$3x+2x=30$$

$$5x=30$$

$$x=6$$

> $6\times\left(\dfrac{x}{2}+\dfrac{x}{3}\right)=6\times5$
> $\overset{3}{6}\times\dfrac{x}{\underset{1}{2}}+\overset{2}{6}\times\dfrac{x}{\underset{1}{3}}=30$
> $3x+2x=30$

④ 답 구하기

따라서 등산로의 거리는 6 km이다.

잠깐만

 (거리)=(속력)×(시간)

 (속력)=$\dfrac{(거리)}{(시간)}$

 (시간)=$\dfrac{(거리)}{(속력)}$

---

**01** 집에서 수영장까지 가는데 시속 3 km로 걸어가면 시속 12 km로 자전거를 타고 가는 것보다 45분이 더 걸립니다. **집에서 수영장까지의 거리**를 구하시오.

> 시간, 거리, 속력 문제는 방정식을 세우기 전에 단위를 통일하는 게 중요해.

집에서 수영장까지의 거리를 $x$ km라 하면

걸어갈 때 걸리는 시간: ☐ 시간

자전거로 갈 때 걸리는 시간: ☐ 시간

속력이 시속이므로 걸린 시간의 단위를 시간으로 고치면 45분= ☐ 시간

방정식을 세우면 ☐ 이다.

**방정식 풀기:**

따라서 수영장까지의 거리는 ☐ km이다.

---

**02** 차를 타고 70 km 떨어진 미술관에 가는데 처음에는 시속 80 km로 가다가 중간에 시속 100 km로 가서 모두 45분이 걸렸습니다. **시속 80 km로 달린 거리**를 구하시오.

출발 ---70 km--- 미술관

시속 80 km로 달린 거리
$x$ km

시속 100 km로 달린 거리
$(70-x)$ km

## 42-2 시간 차를 두고 출발하는 경우

중등 · 중1학년: 일차방정식의 풀이

㉘ 동호가 집을 출발한 지 10분 후에 형이 동호를 따라나섰습니다. 동호는 ❶분속 80 m로 걷고, 형은 분속 120 m로 따라간다면 형이 집을 출발한 지 **몇 분 후**에 동호를 만나게 되는지 구하시오.

두 사람이 만난다는 것은 두 사람이 이동한 거리가 같다는 것이므로 거리에 대한 방정식을 세운다.
➡ (A가 이동한 거리)=(B가 이동한 거리)

① $x$로 놓을 값 정하기

형이 집을 출발한 지 $x$분 후에 동호를 만난다면

② 방정식 세우기

동호는 형보다 10분을 더 걸었으므로

동호가 $(x+10)$분 동안 걸은 거리:

$$80 \times (x+10) \text{ m}$$

형이 $x$분 동안 걸은 거리: $(120 \times x)$ m

❶ 분속: 1분 동안에 이동한 거리로 속력의 단위는 m/분이다.

(동호가 걸은 거리)=(형이 걸은 거리)

➡ $80(x+10)=120x$

③ 방정식 풀기

$$80(x+10)=120x$$
$$80x+800=120x$$
$$800=120x-80x$$
$$40x=800$$
$$x=20$$

④ 답 구하기

따라서 20분 후에 동호를 만나게 된다.

---

**03** 아버지가 오토바이를 타고 집을 출발한 지 15분 후에 어머니가 차를 타고 출발하였습니다. 아버지는 시속 60 km로 가고, 어머니는 시속 80 km로 따라간다면 어머니는 아버지가 출발한 지 **몇 시간 후**에 만나게 되는지 구하시오.

아버지가 출발한 후 만나게 되는 시간이므로 어머니는 아버지보다 15분 적게 이동한 거야.

아버지가 출발한 지 $x$시간 후에 어머니가 아버지를 만난다고 하면

$x$시간 동안 아버지가 간 거리: ☐ km

$\left(x-\dfrac{15}{60}\right)$시간 동안 어머니가 간 거리:

$\left(\boxed{\phantom{xxxx}}\right)$ km

(아버지가 간 거리)=(어머니가 간 거리)

방정식을 세우면 ☐ 이다.

**방정식 풀기:**

따라서 ☐시간 후에 만나게 된다.

---

**04** 정수는 오전 9시 정각에 집에서 출발하여 분속 40 m로 공원을 향해 걷고 있습니다. 10분 후 누나도 집을 출발하여 분속 60 m로 정수를 뒤따라간다면 정수와 누나가 **만나게 되는 시각**을 구하시오.

몇 분 후에 만나는 것이 아니라 만나는 시각을 구해야 돼.

# 43 방정식의 활용(4) – 거리, 속력, 시간

#방정식의 활용
#거리 #속력 #시간

## 중등 43-1 마주 보고 가거나 둘레를 도는 경우

중1학년: 일차방정식의 풀이

예 누리네 집과 민호네 집 사이의 거리는 1120 m입니다. 누리는 분속 80 m로, 민호는 분속 60 m로 각자의 집에서 상대방 집을 향하여 동시에 출발했다면 두 사람은 출발한 지 **몇 분 후**에 만나게 되는지 구하시오.

(A가 이동한 거리)+(B가 이동한 거리)
=(두 지점 사이의 거리)

① $x$로 놓을 값 정하기

두 사람이 출발한 지 $x$분 후에 만난다고 하면

② 방정식 세우기

누리가 $x$분 동안 걸은 거리: $80x$ m

민호가 $x$분 동안 걸은 거리: $60x$ m

누리와 민호네 집 사이의 거리: 1120 m

$$80x+60x=1120$$

③ 방정식 풀기

$$80x+60x=1120$$
$$140x=1120, \ x=8$$

④ 답 구하기

따라서 8분 후에 만난다.

---

**01** 둘레의 길이가 4500 m인 호숫가를 승기와 나래가 같은 지점에서 서로 반대 방향으로 동시에 출발하여 걸었습니다. 승기는 분속 90 m로, 나래는 분속 60 m로 걸었다면 승기와 나래는 출발한 지 **몇 분 후**에 처음으로 다시 만나는지 구하시오.

승기
90 m/분
나래
60 m/분
4500 m
만남

(승기가 걸은 거리)
+(나래가 걸은 거리)
=(호수의 둘레의 길이)

두 사람이 출발한 지 $x$분 후에 처음으로 다시 만난다고 하면

승기가 $x$분 동안 걸은 거리: ☐ m

나래가 $x$분 동안 걸은 거리: ☐ m

(승기가 걸은 거리)+(나래가 걸은 거리)

= ☐ (m)

방정식을 세우면 ☐이다.

**방정식 풀기:**

따라서 ☐ 분 후에 처음으로 다시 만난다.

---

**02** 둘레의 길이가 1500 m인 호수의 같은 지점에서 언니는 분속 65 m로, 동생은 분속 50 m로 같은 방향으로 동시에 출발하였습니다. 언니와 동생은 출발한 지 **몇 분 후**에 처음으로 다시 만나는지 구하시오.

언니 65 m/분
동생 50 m/분
1500 m

두 사람이 다시 만나면 거리의 차이가 1바퀴이다.
(언니가 걸은 거리)
－(동생이 걸은 거리)
=(호수의 둘레의 길이)

**43-2** **기차가 터널이나 다리를 지나가는 경우**  중 1학년: 일차방정식의 풀이

예 ●초속 45 m로 달리는 기차가 길이가 1400 m인 터널을 완전히 통과하는 데 40초가 걸렸습니다. **기차의 길이**를 구하시오.

(기차가 터널을 완전히 통과하는 데 움직인 거리)
=(터널의 길이)+(기차의 길이)

① $x$로 놓을 값 정하기

기차의 길이를 $x$ m라 하면

② 방정식 세우기

기차가 길이가 1400 m인 터널을 완전히 통과하는 데 움직인 거리: $(1400+x)$ m

$$(\text{시간})=\frac{(\text{거리})}{(\text{속력})} \Rightarrow \frac{1400+x}{45}$$

③ 방정식 풀기

$$\frac{1400+x}{45}=40$$

$$45\times\frac{1400+x}{45}=45\times40$$  계수를 정수로 고친다.

$$1400+x=1800$$

$$x=400$$

④ 답 구하기

따라서 기차의 길이는 400 m이다.

● 초속: 1초 동안에 이동한 거리로 속력의 단위는 m/초이다.

---

**03** 길이가 1000 m인 다리가 있습니다. 시속 360 km로 달리는 기차가 이 다리를 완전히 통과하는 데 12초가 걸렸습니다. **기차의 길이**는 몇 m인지 구하시오.

$1초=\frac{1}{60}분=\frac{1}{3600}시간$

| 속력 | 시간 | 거리 |
|------|------|------|
| 시속(km/시) | 시간 | km |
| 분속(m/분) | 분 | m |
| 초속(m/초) | 초 | m |

기차의 길이를 $x$ km라 하면

길이가 1000 m＝1 km인 다리를 완전히 통과하는 데 움직인 거리: ($\boxed{\phantom{xx}}$) km

속력이 시속이므로 걸린 시간의 단위를 시간으로 고치면 12초＝$\boxed{\phantom{xx}}$시간

방정식을 세우면 $\boxed{\phantom{xxxxxxxx}}$이다.

방정식 풀기:

따라서 $\boxed{\phantom{xx}}$ km＝$\boxed{\phantom{xx}}$ m이므로

기차의 길이는 $\boxed{\phantom{xx}}$ m이다.

---

 **04** 일정한 속력으로 달리는 기차가 길이가 600 m인 터널을 완전히 통과하는 데 30초가 걸리고, 길이가 750 m인 터널을 완전히 통과하는 데 35초가 걸립니다. **기차의 길이**는 몇 m인지 구하시오.

기차의 속력이 일정함을 이용해서 방정식을 세워.

➡ $(\text{속력})=\frac{(\text{거리})}{(\text{시간})}$

# 44 방정식의 활용(5) – 농도

#방정식의 활용 #농도
#소금물 #설탕물

## 중등 44-1 물을 넣거나 증발시키는 경우

중1학년: 일차방정식의 풀이

예 7 %의 소금물 300 g에 물 몇 g을 더 넣으면 6 %의 소금물이 됩니다. **더 넣어야 하는 물의 양을 구하시오.**

물을 넣거나 증발시켜도 소금의 양은 변하지 않음을 이용하여 방정식을 세운다.

① $x$로 놓을 값 정하기

더 넣어야 하는 물의 양을 $x$ g이라 하면

② 방정식 세우기

|  | 물을 넣기 전 | 물을 넣은 후 |
|---|---|---|
| 농도 | 7 % | 6 % |
| 소금물의 양(g) | 300 | $300+x$ |
| 소금의 양(g) | $\frac{7}{100} \times 300 = 21$ | $\frac{6}{100} \times (300+x)$ |

→ $21 = \frac{6}{100} \times (300+x)$

③ 방정식 풀기

$$21 = \frac{6}{100} \times (300+x)$$

$$100 \times 21 = 100 \times \frac{6}{100} \times (300+x)$$

$$2100 = 6(300+x)$$

$$2100 = 1800 + 6x$$

$$2100 - 1800 = 6x, \quad 6x = 300, \quad x = 50$$

④ 답 구하기

따라서 물 50 g을 더 넣어야 한다.

잠깐만 ! 농도: 물질이 물에 녹아 있는 양의 정도를 백분율(%)로 나타낸 것으로 용액의 진하고 묽은 정도

$$(소금물의 농도) = \frac{(소금의 양)}{(소금물의 양)} \times 100 \, (\%)$$

→ (소금물의 양) = (소금의 양) + (물의 양)

$$(소금의 양) = \frac{(소금물의 농도)}{100} \times (소금물의 양)$$

---

**01** 5 %의 설탕물 400 g에서 물 몇 g을 증발시켜 8 %의 설탕물을 만들려고 합니다. **증발시켜야 하는 물의 양을 구하시오.**

물을 증발시키기 전이나 물을 증발시킨 후에도 설탕의 양은 변하지 않아.

증발시켜야 하는 물의 양을 $x$ g이라 하면

증발시키기 전의 설탕의 양: ☐ (g)

증발시킨 후의 설탕의 양: ☐ (g)

설탕의 양은 변하지 않으므로 방정식을 세우면 ☐ 이다.

방정식 풀기:

따라서 물 ☐ g을 증발시켜야 한다.

---

**02** 소금물 360 g에 물 60 g을 더 넣었더니 농도가 12 %인 소금물이 되었습니다. **처음 소금물의 농도를 구하시오.**

## 44-2 농도가 다른 두 소금물을 섞거나 소금을 넣는 경우

중등

1학년: 일차방정식의 풀이

예 4 %의 소금물 200 g과 10 %의 소금물을 섞어서 6 %의 소금물을 만들려고 합니다. **섞어야 할 10 %의 소금물의 양을 구하시오.**

(소금물 A의 소금의 양)+(소금물 B의 소금의 양)
=(섞은 소금물의 소금의 양)

① $x$로 놓을 값 정하기

10 %의 소금물을 $x$ g 섞는다고 하면

② 방정식 세우기

소금물 200 g   +   소금물 $x$ g   →   소금물 $(200+x)$ g

농도 4 %          농도 10 %          농도 6 %

소금의 양에 대한 방정식을 세우면

➡ $\dfrac{4}{100} \times 200 + \dfrac{10}{100} \times x = \dfrac{6}{100} \times (200+x)$

③ 방정식 풀기

$$\dfrac{4}{100} \times 200 + \dfrac{10}{100} \times x = \dfrac{6}{100} \times (200+x)$$

양변에 100을 곱하면

$$4 \times 200 + 10 \times x = 6 \times (200+x)$$
$$800 + 10x = 1200 + 6x$$
$$10x - 6x = 1200 - 800$$
$$4x = 400$$
$$x = 100$$

④ 답 구하기

따라서 10 %의 소금물 100 g을 섞어야 한다.

---

**03** 15 %의 설탕물과 30 %의 설탕물 300 g을 섞었더니 24 %의 설탕물이 되었습니다. **섞은 15 %의 설탕물의 양을 구하시오.**

(섞기 전 두 설탕물의 설탕의 양의 합)
=(섞은 설탕물의 설탕의 양)

15 %의 설탕물의 양을 $x$ g이라 하면 24 %의 설탕물의 양: ( _____ ) g

| 농도 | 15 % | 30 % | 24 % |
|---|---|---|---|
| 설탕의 양(g) | | $\dfrac{30}{100} \times 300$ | |

방정식을 세우면

➡

**방정식 풀기:**

따라서 섞은 15 %의 설탕물의 양은 ☐ g이다.

---

**04** 10 %의 소금물 200 g에 소금을 더 넣었더니 40 %의 소금물이 되었습니다. **더 넣은 소금의 양은 몇 g인지 구하시오.**

(처음 소금물의 소금의 양)+(더 넣은 소금의 양)
=(나중 소금물의 소금의 양)

소금        소금물

# 45 방정식의 활용(6) – 일의 양 / 원가, 정가

## 중등 45-1 일의 양

⊜1학년: 일차방정식의 풀이

예 어떤 일을 완성하는 데 연주가 혼자 하면 6시간이 걸리고, 강호가 혼자 하면 4시간이 걸린다고 합니다. 이 일을 연주와 강호가 함께 하면 일을 완성하는 데 **몇 시간**이 걸리는지 구하시오.

어떤 일을 혼자 하는 데 $x$일이 걸릴 때
전체 일의 양을 1이라 하면 하루에 하는 일의 양은 $\frac{1}{x}$이다.

① $x$로 놓을 값 정하기

두 사람이 함께 일한 시간을 $x$시간이라 하면

② 방정식 세우기

전체 일의 양을 1이라 하면

연주가 1시간 동안 할 수 있는 일의 양: $\frac{1}{6}$

강호가 1시간 동안 할 수 있는 일의 양: $\frac{1}{4}$

연주와 강호가 함께 $x$시간 동안 일을 하면 일을
완성하므로 $\frac{x}{6}+\frac{x}{4}=1$

③ 방정식 풀기

$$\frac{x}{6}+\frac{x}{4}=1$$

$$12\times\left(\frac{x}{6}+\frac{x}{4}\right)=12\times1$$

분모 6과 4의 최소공배수인 12를 곱한다.

$$12\times\frac{x}{6}+12\times\frac{x}{4}=12$$

$$2x+3x=12$$

$$5x=12$$

$$x=\frac{12}{5}$$

④ 답 구하기

따라서 함께 하면 일을 완성하는 데 $\frac{12}{5}$시간이
걸린다.

---

**01**

일의 양 구하기
① 전체 일의 양을 1로 놓기
② 단위 시간(1일, 1시간, 1분) 동안 할 수 있는 일의 양 구하기
③ 각각의 일의 양의 합이 1임을 이용하여 방정식 세우기

어떤 일을 완성하는 데 경수가 혼자 하면 20일이 걸리고, 수호가 혼자 하면 30일이 걸린다고 합니다. 이 일을 경수와 수호가 함께 하면 일을 완성하는 데 **며칠**이 걸리는지 구하시오.

전체 일의 양을 1이라 하면

경수가 하루 동안 하는 일의 양: ☐

수호가 하루 동안 하는 일의 양: ☐

두 사람이 함께 일한 시간을 $x$일이라 하고

방정식을 세우면 ☐ 이다.

**방정식 풀기:**

따라서 ☐ 일 동안 함께 일하면 된다.

---

**02**

물통에 가득 찬 물의 양을 1로 놓고 방정식을 세워.

어떤 물통에 물을 가득 채우려면 A 호스로는 20분, B 호스로는 10분이 걸립니다. A, B 두 호스로 5분 동안 물을 받다가 A 호스로만 물을 받으려고 합니다. 이 물통에 물을 가득 채우려면 A 호스로 물을 **몇 분** 더 받아야 하는지 구하시오.

**45-2** 원가, 정가

중1학년: 일차방정식의 풀이

**예** 원가에 20 %의 이익을 붙여서 정가를 정한 상품이 팔리지 않아 정가에서 1000원을 할인하여 팔았더니 3000원의 이익을 얻었습니다. 이 **상품의 원가**를 구하시오.

• (정가)=(원가)+(이익)
원가가 $x$원인 물건에 $a$ % 이익을 붙인 정가
➡ $x+\dfrac{a}{100}x=\left(1+\dfrac{a}{100}\right)x$(원)

• (판매한 가격)=(정가)−(할인 금액)

• (이익)=(판매한 가격)−(원가)

**① $x$로 놓을 값 정하기**

상품의 원가를 $x$원이라 하면

**② 방정식 세우기**

(정가)=$\left(1+\dfrac{20}{100}\right)x$(원)

(판매한 가격)=$\left(1+\dfrac{20}{100}\right)x-1000$(원)

(이익)=(판매한 가격)−(원가)=3000(원)

➡ $\left(1+\dfrac{20}{100}\right)x-1000-x=3000$

**③ 방정식 풀기**

$$\left(1+\dfrac{20}{100}\right)x-1000-x=3000$$

$1+\dfrac{20}{100}=\dfrac{5}{5}+\dfrac{1}{5}=\dfrac{6}{5}$

$$\dfrac{6}{5}x-1000-x=3000$$

$$5\times\left(\dfrac{6}{5}x-1000-x\right)=5\times3000$$

$$5\times\dfrac{6}{5}x-5\times1000-5\times x=15000$$

$$6x-5000-5x=15000$$

$$x=15000+5000$$

$$x=20000$$

**④ 답 구하기**

따라서 원가는 20000원이다.

---

**03** 원가가 15000원인 바지가 있습니다. 이 바지를 정가의 25 %를 할인하여 팔았더니 원가의 10 %의 이익을 얻었습니다. 이 **바지의 정가**를 구하시오.

→ (원가)×$\dfrac{10}{100}$

정가가 $x$원인 물건을 $a$ % 할인하여 판매한 가격
➡ $x-\dfrac{a}{100}x$
$=\left(1-\dfrac{a}{100}\right)x$(원)

바지의 정가를 $x$원이라 하면

(정가의 25 %를 할인하여 판매한 가격)

= ☐ (원)

(이익)=$15000\times\dfrac{10}{100}=$ ☐ (원)

이므로 방정식을 세우면

☐ 이다.

**방정식 풀기:**

따라서 바지의 정가는 ☐ 원이다.

---

(판매한 가격)
=(정가)−(할인 금액)

**04** 어느 치킨 가게에서 포장할 경우 15 % 할인된 가격으로 치킨을 팔고 있습니다. 정신이는 이 치킨 가게에서 포장하여 15300원을 주고 치킨을 사 왔습니다. 이 **치킨의 할인 전 가격**을 구하시오.

**[01~02]** 다음을 방정식으로 나타내고, 방정식을 풀어 보시오.

**01** 어떤 수에 5를 더하고 3배 한 것은 27과 같습니다.

**02** 가로의 길이가 $x$ cm, 세로의 길이가 7 cm, 높이가 5 cm인 직육면체의 부피는 280 cm³입니다.

➡ (직육면체의 부피)=(가로의 길이)×(세로의 길이)×(높이)

**[03~04]** □ 안에 알맞은 수를 써넣으시오.

**03** 어느 온라인 모임의 회원 수는 작년보다 15 % 증가하여 올해 529명일 때 작년 회원 수

➡ 작년 회원 수를 $x$명이라 하면

$$x + \frac{\boxed{\phantom{00}}}{100}x = 529, \ x = \boxed{\phantom{0000}}$$

**04** 정가에서 30 % 할인한 금액이 17500원인 물건의 정가

➡ 물건의 정가를 $x$원이라 하면

$$x - \frac{\boxed{\phantom{00}}}{100}x = 17500, \ x = \boxed{\phantom{0000}}$$

**[05~06]** 현재 찬호의 나이는 13세이고, 현재 이모의 나이는 38세입니다. 이모의 나이가 찬호의 나이의 2배가 되는 것은 몇 년 후인지 구하려고 합니다. 물음에 답하시오.

**05** 몇 년 후를 $x$로 놓고 방정식을 세워 보시오.

**06** 이모의 나이가 찬호의 나이의 2배가 되는 것은 몇 년 후인지 구하시오.

**[07~08]** 거리가 $x$ km인 집과 할머니 댁 사이를 자동차로 왕복하는 데 갈 때는 시속 70 km로 가고, 올 때는 시속 80 km로 왔더니 총 3시간이 걸렸습니다. 물음에 답하시오.

**07** 표를 완성하고,
(갈 때 걸린 시간)+(올 때 걸린 시간)=(전체 걸린 시간)
임을 이용하여 방정식을 세워 보시오.

|  | 갈 때 | 올 때 |
|---|---|---|
| 거리(km) | $x$ | |
| 속력(km/시) | 70 | |
| 걸린 시간(시간) | | |

**08** 집과 할머니 댁 사이의 거리를 구하시오.

**[09~10]** 높이가 8 cm이고 넓이가 56 cm²인 사다리꼴이 있습니다. 이 사다리꼴의 윗변의 길이가 아랫변의 길이보다 4 cm 길 때, 윗변의 길이는 몇 cm인지 구하려고 합니다. 물음에 답하시오.

**09** 윗변의 길이를 $x$ cm로 놓고 사다리꼴의 넓이 구하는 공식을 이용하여 방정식을 세워 보시오.

**10** 윗변의 길이는 몇 cm인지 구하시오.

**[11~12]** 8 %인 소금물 200 g에 물 $x$ g을 더 넣으면 5 %의 소금물이 됩니다. 물음에 답하시오.

**11** 표를 완성하고, 소금의 양은 일정함을 이용하여 방정식을 세워 보시오.

|  | 물을 넣기 전 | 물을 넣은 후 |
|---|---|---|
| 농도 (%) | 8 |  |
| 소금물의 양 (g) | 200 |  |
| 소금의 양 (g) |  |  |

**12** 더 넣어야 하는 물의 양을 구하시오.

**13** 연속하는 세 홀수의 합이 135일 때, 세 홀수 중 가장 큰 수를 구하시오.

**14** 현재 은행에 예금되어 있는 도연이의 예금액은 20000원이고, 준연이의 예금액은 18000원입니다. 도연이는 매달 800원씩 예금하고, 준연이는 매달 1800원씩 예금할 때, 준연이의 예금액이 도연이의 예금액의 2배가 되는 것은 몇 개월 후인지 구하시오. (단, 이자는 생각하지 않습니다.)

작년 여학생 수를 $x$로 놓은 다음 올해 여학생 수를 구해 봐.

**15** 어느 중학교의 작년 전체 학생 수는 1600명이었습니다. 올해는 작년에 비하여 남학생은 3 % 감소하고, 여학생은 5 % 증가하여 전체 학생 수가 16명 증가하였습니다. 올해 여학생 수를 구하시오.

**16** 어떤 일을 완성하는 데 소현이가 혼자 하면 10일이 걸리고, 동윤이가 혼자 하면 15일이 걸린다고 합니다. 이 일을 동윤이가 혼자 5일 동안 한 후 나머지는 소현이와 동윤이가 함께 하여 완성했습니다. 소현이와 동윤이가 함께 일한 기간은 며칠인지 구하시오.

**[17~18]** 둘레의 길이가 **2400 m**인 호숫가를 따라 종석이는 분속 **50 m**로, 효주는 분속 **30 m**로 각각 걸어갔습니다. 두 사람이 같은 지점에서 동시에 출발할 때, 물음에 답하시오.

**17** 서로 반대 방향으로 걸었다면 두 사람이 처음으로 다시 만나는 것은 몇 분 후인지 구하시오.

**18** 서로 같은 방향으로 걸었다면 두 사람이 처음으로 다시 만나는 것은 몇 분 후인지 구하시오.

**19** 10 %의 설탕물 300 g과 40 %의 설탕물을 섞었더니 16 %의 설탕물이 되었습니다. 섞은 40 %의 설탕물은 몇 g인지 □ 안에 알맞게 써넣고, 답을 구하시오.

**20** 어떤 장식품의 원가에 20 %의 이익을 붙여서 정가를 정했다가 상품이 팔리지 않아 정가에서 4000원을 할인하여 팔았더니 2000원의 이익이 생겼습니다. 이 장식품의 원가를 구하시오.

# 6 단계

# 성취도 확인 평가

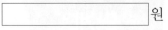
**01** 다음에서 정수가 <u>아닌</u> 유리수는 모두 몇 개인가?

$$\frac{16}{8}, \quad +1.7, \quad 0, \quad -\frac{1}{2}, \quad 9, \quad -6.5$$

① 2개     ② 3개     ③ 4개

④ 5개     ⑤ 6개

**[02~04]** 다음을 계산하시오.

**02** $(-6)+(+1)$

**03** $(+1.9)-(-8.4)$

**04** $(+12)\div\left(-\frac{3}{5}\right)$

**05** 다음을 문자를 사용한 식으로 나타내시오.

1200원짜리 사인펜을 $x$자루 사고 10000원을 냈을 때의 거스름돈

□ 원

**06** 다음 곱셈 기호 ×와 나눗셈 기호 ÷를 생략하여 나타낸 것 중 옳지 <u>않은</u> 것은?

① $x\times 8=8x$     ② $(-3)\div x=-\frac{3}{x}$

③ $0.1\times x=0.x$     ④ $(-2x)\div\frac{4}{5}=-\frac{5}{2}x$

⑤ $(x+5)\times\frac{1}{3}=\frac{1}{3}(x+5)$

**[07~08]** 다음 식을 간단히 나타내시오.

**07** $10x-4-7x$

**08** $(3x+15)\div\frac{3}{4}$

역수를 이용하여
나눗셈을 계산해.

**09** 다음 중 방정식을 모두 고르면? (정답 2개)

① $6+4=10$      ② $x+3<14$

③ $x-7=-1$      ④ $-2+x$

⑤ $5x-1=8-6x$

**10** $a=b$일 때, 등식이 성립하도록 □ 안에 알맞은 수를 써넣으시오.

$$a \times \frac{6}{7} = b \times \boxed{\phantom{xx}}$$

등식의 양변에 같은 수를 곱하여도 등식은 성립해.

**[11~12]** 등식의 성질을 이용하여 다음 방정식을 풀어 보시오.

**11** $x+16=-2$

**12** $-\dfrac{x}{4}=\dfrac{1}{3}$

**[13~15]** 다음 방정식을 풀어 보시오.

**13** $x-1=3x+4$

**14** $4x+3.6=-x-1.4$

**15** $-2x+3=x-\dfrac{3}{2}$

**16** 다음 중 방정식 $6x+5=-7+2x$의 해는?

① $x=-4$    ② $x=-3$    ③ $x=-1$

④ $x=+3$    ⑤ $x=+12$

**17** 다음 방정식을 풀어 보시오.

$$5(x-1)=7(1+x)$$

[18~20] 다음 방정식을 풀어 보시오.

**18** $0.03x + 0.36 = 0.42$

**19** $\dfrac{5-4x}{12} = -\dfrac{1}{4}$

**20** $-\dfrac{1}{5}x = \dfrac{1}{2}x + \dfrac{7}{10}$

**21** 비례식 $5:3 = (x+7):(2x+4)$를 만족시키는 $x$의 값은?

① $-\dfrac{1}{7}$ ② $-1$ ③ $\dfrac{1}{7}$

④ 3 ⑤ 9

**22** 어떤 수의 3배에서 1을 뺀 수는 어떤 수에 1을 더해서 5배 한 수와 같습니다. 어떤 수를 구하시오.

**23** 한 변의 길이가 8 cm인 정사각형이 있습니다. 가로의 길이를 $x$ cm 늘이고, 세로의 길이를 2 cm 줄였더니 넓이가 72 cm²인 직사각형이 되었습니다. 새로운 직사각형의 둘레의 길이를 구하시오.

**24** 어떤 일을 하는 데 형이 혼자 하면 10일, 동생이 혼자 하면 20일이 걸립니다. 이 일을 형이 혼자 4일 동안 한 후 나머지는 형과 동생이 함께 하여 일을 마쳤습니다. 형과 동생이 함께 일한 날은 며칠인지 구하시오.

**25** 어느 중학교의 작년 전체 학생 수는 800명이었습니다. 올해는 작년에 비하여 남학생은 8 % 감소하고, 여학생은 6 % 증가하여 전체 학생 수가 15명 감소하였습니다. 작년 남학생 수를 구하시오.

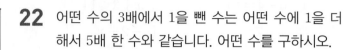

외항의 곱과 내항의 곱은 같아.

**01** 다음을 구하시오.

$|-16|$

−16의 절댓값을
구하면 돼.

**02** 다음 중 계산 결과가 옳지 <u>않은</u> 것은?

① $\left(+\dfrac{1}{2}\right)+\left(+\dfrac{3}{4}\right)=+\dfrac{5}{4}$

② $\left(+\dfrac{2}{5}\right)+\left(-\dfrac{7}{2}\right)=-\dfrac{31}{10}$

③ $\left(+\dfrac{5}{4}\right)-\left(+\dfrac{1}{6}\right)=+\dfrac{13}{12}$

④ $\left(-\dfrac{1}{3}\right)-\left(-\dfrac{5}{7}\right)=-\dfrac{8}{21}$

⑤ $\left(-\dfrac{2}{9}\right)-\left(+\dfrac{5}{3}\right)=-\dfrac{17}{9}$

**[03~04]** 다음을 계산하시오.

**03** $(+18)\times\left(-\dfrac{5}{4}\right)$

**04** $(-3)\div(+3.6)$

**05** 다음 식을 곱셈 기호 ×를 생략하여 간단히 나타 내시오.

$(-8x)\times 6$

**06** 다음 중 동류항끼리 짝 지어진 것은?

① $5x$, $5$

② $-7$, $x$

③ $x$, $\dfrac{1}{x}$

④ $-2x$, $4y$

⑤ $\dfrac{x}{6}$, $-\dfrac{3}{2}x$

**[07~08]** 다음 식을 간단히 나타내시오.

**07** $-(15x-3)\div\dfrac{5}{4}$

**08** $\dfrac{4-x}{6}+\dfrac{2x-9}{4}$

**09** 등식 $8x=3-5x$에서 좌변과 우변을 바르게 짝 지은 것은?

① 좌변: $8x$, 우변: $-5x$

② 좌변: $8x$, 우변: $3$

③ 좌변: $8x$, 우변: $3$, $-5x$

④ 좌변: $8x$, 우변: $3-5x$

⑤ 좌변: $8x$, 우변: $3+5x$

**10** 다음 중 [ ] 안의 수가 주어진 방정식의 해인 것을 모두 고르면? (정답 2개)

① $6x=18$ [ $2$ ]   ② $2+x=0$ [ $-2$ ]

③ $16=-4x$ [ $4$ ]   ④ $3x+1=10$ [ $-3$ ]

⑤ $-4x-5=15$ [ $-5$ ]

**[11~12]** 다음 등식의 성질을 한 번만 이용하여 방정식을 풀려고 합니다. $c$에 해당하는 값을 구하시오. (단, $c \neq 0$)

**11**

$a=b$이면 $a-c=b-c$이다.

$x+\dfrac{4}{7}=13 \Rightarrow c=\boxed{\phantom{00}}$

**12**

$a=b$이면 $a \div c=b \div c$이다.

$0.9x=4.5 \Rightarrow c=\boxed{\phantom{00}}$

**13** 다음 등식에서 밑줄 친 항을 이항하시오.

$x=15\underline{+4x} \Rightarrow$

**[14~16]** 다음 방정식을 풀어 보시오.

**14** $5x-\dfrac{7}{4}=\dfrac{3}{4}$

**15** $x+6=7x-12$

**16** $x-7.4=3x+0.6$

**17** 다음 방정식 중 해가 가장 큰 것은?

① $2x-\dfrac{5}{3}=\dfrac{7}{3}$   ② $3x=-x+\dfrac{9}{7}$

③ $2-3x=6+x$   ④ $-2x-1=-5x+2$

⑤ $7x+1.2=-2x-5.1$

**18** $3(x-1)=2x-8$

**19** $\dfrac{2-x}{3}+1=\dfrac{3x+1}{6}$

**20** $5:(7-2x)=3:(x+2)$

**21** 방정식 $0.5-\dfrac{1}{2}x+3=1$을 풀면?

① $x=-5$   ② $x=-3$   ③ $x=1$

④ $x=3$   ⑤ $x=5$

**22** 연속하는 세 짝수의 합이 198일 때, 세 자연수 중 가장 작은 수는?

① 60   ② 62   ③ 64

④ 66   ⑤ 68

**23** 학생들에게 초콜릿을 나누어 주는데 6개씩 나누어 주면 21개가 남고, 8개씩 나누어 주면 3개가 부족합니다. 초콜릿은 모두 몇 개인지 구하시오.

**24** 승호가 등산을 하는데 같은 길을 올라갈 때는 시속 3 km로 걸어가고, 내려올 때는 시속 4 km로 걸어서 왕복 7시간이 걸렸습니다. 등산로의 거리를 구하시오.

**25** 원가가 8000원인 물건을 정가의 20 %를 할인하여 팔았더니 원가의 13 %의 이익을 남겼습니다. 이 물건의 정가를 구하시오.

주어진 방정식을
$x=$(수)의 꼴로
나타내어 해를 구해.

**01** 다음을 계산하시오.

$$|-6|+|+2|$$

**02** 다음 중 계산 결과가 옳지 <u>않은</u> 것은?

① $(+5)+(-7)=-2$

② $(-10.4)+(-6.6)=-17$

③ $\left(+\dfrac{5}{9}\right)+\left(-\dfrac{5}{6}\right)=-\dfrac{5}{18}$

④ $(-8)-(+4)=-4$

⑤ $(+1.7)-(-8.3)=+10$

**03** □ 안에 알맞은 수를 써넣으시오.

$$-36\div\left(+\dfrac{9}{4}\right)=-36\times\left(\boxed{\phantom{xx}}\right)=\boxed{\phantom{xx}}$$

**04** 다음을 어떤 수 $x$를 사용한 식으로 나타내시오.

> 어떤 수의 6배에서 3을 뺀 값

**05** 다음 식을 간단히 나타내시오.

$$-3x\div0.9$$

**06** 5권에 $x$원인 공책 3권과 800원짜리 지우개 4개를 샀을 때의 물건 값을 문자를 사용한 식으로 나타내시오.

**07** 다음 중 기호 ×, ÷를 생략하여 나타낸 것으로 옳은 것은?

① $0.1\times x=0.x$

② $5\times x\div 7=35x$

③ $x\div\dfrac{1}{2}=2x$

④ $x\times(-8)=8x$

⑤ $(3+x)\div5=3+\dfrac{x}{5}$

**08** 다음 중 등식을 모두 고르면? (정답 2개)

① $1+8=9$　　　　② $x\times3-8$

③ $x-5=-3$　　　　④ $12-\dfrac{x}{6}$

⑤ $7<x+5$

**09** 다음 중 옳지 <u>않은</u> 것은?

① $a=b$이면 $a-3=b-3$이다.

② $a=b$이면 $4a=2b$이다.

③ $5a=b$이면 $a=\dfrac{1}{5}b$이다.

④ $a=b$이면 $a+7=b+7$이다.

⑤ $\dfrac{a}{3}=\dfrac{b}{2}$이면 $2a=3b$이다.

**10** 다음 중 밑줄 친 항을 바르게 이항한 것은?

① $3x\underline{+5}=4 \Rightarrow 3x=4+5$

② $-x\underline{+2}=\underline{4x} \Rightarrow x=4x-2$

③ $6x\underline{-3}=\underline{x}+2 \Rightarrow 6x-x=2+3$

④ $\underline{2}+10x=\underline{5x}-7 \Rightarrow 10x+5x=-7+2$

⑤ $4x\underline{+12}=9\underline{-3x} \Rightarrow 4x-9=12-3x$

---

**[11~12]** 등식의 성질을 이용하여 방정식을 풀어 보시오. (단, 0으로 나누는 것은 생각하지 않습니다.)

**11** $x+6=-4$

**12** $3.2x=12.8$

계수를 정수로 고쳐서 풀어.

**13** 다음 중 방정식의 해가 $x=-1$이 아닌 것은?

① $2x+3=1$  ② $x-8=-9$

③ $2x+4=3+x$  ④ $\dfrac{5}{2}x+\dfrac{3}{2}=-1$

⑤ $-4x+3=6x-7$

---

**[14~16]** 다음 방정식을 풀어 보시오.

**14** $3x-5=-2x+15$

**15** $-6.7+5x=-4x+2.3$

**16** $-\dfrac{2}{3}+2x=3x-\dfrac{3}{4}$

**17** 방정식 $0.02x+2.1=0.32x-0.9$를 풀면?

① $x=10$  ② $x=5$  ③ $x=1$

④ $x=-5$  ⑤ $x=-10$

**[18~20]** 다음 방정식을 풀어 보시오.

**18** $2(x-1)=-(x-2)$

**19** $(x+1):2=4x:3$

**20** $\dfrac{x-1}{3}+\dfrac{x+1}{4}=1$

**21** 방정식 $5-\dfrac{x+1}{4}=\dfrac{3}{2}$ 을 풀면?

① $x=10$　　② $x=11$　　③ $x=12$

④ $x=13$　　⑤ $x=14$

**22** 현재 준휘와 아버지의 나이의 합은 54세입니다. 15년 후에 아버지의 나이가 준휘의 나이의 2배가 될 때, 현재 준휘의 나이를 구하시오.

**23** 한 봉지에 900원인 젤리와 한 개에 1500원인 아이스크림을 합하여 모두 13개를 사고 20000원을 내었더니 4100원을 거슬러 주었습니다. 산 아이스크림의 개수는?

① 4개　　② 5개　　③ 6개

④ 7개　　⑤ 8개

**24** 동생이 집을 출발한 지 12분 후에 언니가 동생을 따라 출발하였습니다. 동생은 분속 60 m로 걷고, 언니는 분속 150 m로 뛰어서 따라간다면 언니가 출발한 지 몇 분 후에 동생을 만나게 되는지 구하시오.

**25** 6 %의 소금물 300 g이 있습니다. 농도를 4 %로 맞추려면 물을 몇 g 더 넣어야 하는지 구하시오.

**[01~02]** 다음 수에 대하여 물음에 답하시오.

$$-5, \quad 0.95, \quad +\frac{8}{2}, \quad +4, \quad -\frac{3}{5}, \quad +17$$

**01** 정수를 모두 고르시오.

**02** 양의 유리수를 모두 고르시오.

**[03~04]** 다음을 계산하시오.

**03** $(-9) \times (+3)$

**04** $\left(+\frac{1}{3}\right) - \left(-\frac{5}{7}\right)$

**05** 다음 식을 간단히 나타내시오.

$6x \times \frac{7}{9}$

약분이 될 때는
꼭 약분해야 해.

**06** 다음 중 문자를 사용하여 식으로 나타낸 것으로 옳은 것을 모두 고르면? (정답 2개)

① 정가가 $x$원인 물건을 20 % 할인한 가격
  ➡ $0.2x$원
② 시속 $x$ km로 2시간 동안 달린 거리
  ➡ $2x$ km
③ 한 변의 길이가 $x$ cm인 정사각형의 둘레의
  길이 ➡ $2x$ cm
④ $x$ g의 소금이 녹아 있는 소금물 200 g의 소
  금물의 농도 ➡ $\frac{1}{2}x$ %
⑤ 십의 자리 숫자가 $x$, 일의 자리 숫자가 4인
  두 자리 자연수 ➡ $4x$

**[07~08]** 다음 식을 계산하시오.

**07** $-4x + 5 + x$

**08** $(5x+3) \div \frac{10}{7} \times 2$

**09** $x$의 값이 0, 1, 2일 때, 방정식 $-x+3=1$의 해를 구하시오.

[10~11] 등식의 성질을 이용하여 $x$의 값을 구하려고 합니다. □ 안에 알맞은 수를 써넣으시오.

**10**

$$x-2=3$$
$$x-2+\boxed{\phantom{0}}=3+\boxed{\phantom{0}}$$
$$x=\boxed{\phantom{0}}$$

**11**

$$0.3x=3.6$$
$$0.3x\div\boxed{\phantom{0}}=3.6\div\boxed{\phantom{0}}$$
$$x=\boxed{\phantom{0}}$$

**12** 다음 중 등식의 성질 '$a=b$이면 $ac=bc$이다.'를 이용하여 방정식을 푼 것은?

① $x+5=8 \Rightarrow x=3$

② $x-\dfrac{1}{3}=4 \Rightarrow x=\dfrac{13}{3}$

③ $\dfrac{3}{2}x=-3 \Rightarrow x=-2$

④ $9+6x=5x-8 \Rightarrow x=-17$

⑤ $0.2+x=10 \Rightarrow x=9.8$

**13** 다음 등식에서 밑줄 친 항을 이항하시오.

$$-x=5\underline{-2x} \Rightarrow$$

[14~15] 다음 방정식을 풀어 보시오.

**14** $2x+1.7=-2.3$

**15** $6x-\dfrac{7}{11}=-2x+\dfrac{4}{11}$

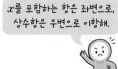

$x$를 포함하는 항은 좌변으로, 상수항은 우변으로 이항해.

**16** 다음 방정식 중 해가 가장 작은 것은?

① $6-2(5-x)=4x$    ② $-x+6=7$

③ $2-4x=-18$    ④ $5x=3-(-x+4)$

⑤ $2x-4=3(x+1)$

**17** 다음 방정식의 해를 구하시오.

$$\dfrac{4}{9}+\dfrac{3}{2}x=-\dfrac{1}{6}x+\dfrac{2}{3}$$

**18** $\dfrac{x+2}{2}=\dfrac{1}{6}x-3$

**19** $-0.4x+9=2(0.2x+5)$

**20** $\dfrac{2}{3}(1+x)=\dfrac{5}{6}x+1$

**21** 비례식 $2x:1=\left(\dfrac{1}{2}x+1\right):4$를 만족시키는 $x$의 값은?

① $\dfrac{2}{15}$      ② $\dfrac{3}{14}$      ③ $\dfrac{15}{2}$

④ 15      ⑤ 16

**22** 일의 자리 숫자가 7인 두 자리 자연수가 있습니다. 이 자연수의 십의 자리 숫자와 일의 자리 숫자를 바꾼 수는 처음 수의 2배보다 1만큼 작습니다. 이 자연수를 구하시오.

**23** 현재 은정이의 통장에는 60000원, 동국이의 통장에는 52000원이 예금되어 있습니다. 은정이는 매달 1500원씩, 동국이는 매달 2000원씩 예금할 때, 은정이의 예금액과 동국이의 예금액이 같아지는 것은 몇 개월 후인지 구하시오. (단, 이자는 생각하지 않습니다.)

**24** 3 %의 소금물과 7 %의 소금물을 섞어 5 %의 소금물 300 g을 만들려고 합니다. 이때 섞어야 하는 7 %의 소금물의 양은?

① 110 g      ② 120 g      ③ 130 g

④ 140 g      ⑤ 150 g

**25** 강당의 긴 의자에 학생들이 앉는데 한 의자에 7명씩 앉으면 5명이 못 앉고, 한 의자에 9명씩 앉으면 빈 의자는 없고 마지막 의자에 2명이 앉는다고 합니다. 전체 학생 수를 구하시오.

양변에 분모의 최소공배수를 곱할 때는 모든 항에 빠짐없이 곱해야 돼.

# MEMO

# 탄탄한 개념의 시작
# 큐브수학!

큐브
수학
개념

새 교과서
개념을
쉽게

반복
학습으로
탄탄하게

무료
강의로
빠짐없이

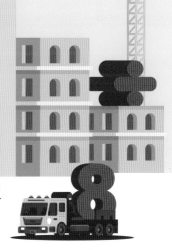

## 수학 1등 되는 **큐브수학**

**연산**
1~6학년 1, 2학기

**개념**
1~6학년 1, 2학기

**개념응용**
3~6학년 1, 2학기

**실력**
1~6학년 1, 2학기

**심화**
3~6학년 1, 2학기

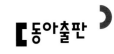

# 초고필
**초과표** 초등
고학년 필수

지금
# 방정식
을 해야 할 때

# 정답 및 풀이

동아출판

# 초고필

지금
# 방정식
을 해야 할 때

**1단계** 방정식 준비    풀이 06~11쪽

**006쪽**

**01** (1) $+5$   (2) $-3$   (3) $+1.2$

(4) $-2.7$   (5) $+\dfrac{3}{4}$   (6) $-\dfrac{1}{2}$

**02** (1) $-4,\ 0,\ +3,\ \dfrac{20}{5}$   (2) $-4$

(3) $+5.6,\ +3,\ \dfrac{20}{5}$

(4) $-4,\ -9.2,\ -\dfrac{11}{7}$

(5) $-9.2,\ +5.6,\ -\dfrac{11}{7}$

**03** (1) $|+11|$   (2) $|-5|$

(3) $|-9.2|$   (4) $\left|+\dfrac{2}{5}\right|$

**04** (1) $8$   (2) $4.2$   (3) $\dfrac{1}{3}$   (4) $9$

(5) $+6,\ -6$   (6) $+12,\ -12$

**05** (1) $11$   (2) $4$   (3) $4.4$   (4) $4.5$

(5) $\dfrac{4}{3}$   (6) $\dfrac{1}{5}$

**008쪽**

**01** (1) $+,\ +,\ 14$   (2) $-,\ -,\ 16$

(3) $+,\ +,\ 4$   (4) $+,\ +,\ 1$

**02** (1) $+\dfrac{20}{21}$   (2) $+\dfrac{3}{20}$   (3) $-2.6$

(4) $-12.1$

**03** (1) $+,\ -,\ 4,\ +,\ 7,\ 4,\ +,\ 3$

(2) $+,\ +,\ 8,\ +,\ 8,\ 5,\ +,\ 3$

(3) $+,\ +,\ 3,\ +,\ 2,\ 3,\ +,\ 5$

(4) $+,\ -,\ 6,\ -,\ 14,\ 6,\ -,\ 20$

**04** (1) $+22$   (2) $-14$   (3) $-6.8$

(4) $-10.2$   (5) $+\dfrac{5}{8}$   (6) $-\dfrac{11}{12}$

**010쪽**

**01** (1) $+,\ +,\ 24$   (2) $+,\ +,\ 55$

(3) $-,\ -,\ 18$   (4) $-,\ -,\ 45$

**02** (1) $-\dfrac{35}{3}$   (2) $0$   (3) $+\dfrac{1}{6}$

(4) $+3.2$

**03** (1) $-\dfrac{5}{8}$   (2) $\dfrac{4}{9}$   (3) $\dfrac{10}{7}$

**04** (1) $\times,\ \dfrac{3}{7},\ -,\ 14,\ \times,\ \dfrac{3}{7},\ -,\ 6$

(2) $\times,\ \dfrac{18}{33},\ +,\ \dfrac{11}{9},\ \times,\ \dfrac{18}{33},$

$+,\ \dfrac{2}{3}$

**05** (1) $-\dfrac{20}{7}$   (2) $+\dfrac{4}{3}$   (3) $-3$

(4) $+5$

**012쪽**

**01** (1) $12+x=20$   (2) $36-x=15$

(3) $\dfrac{1}{3}\times x+5=8$

(4) $2.5\times x\div 3=12$

(5) $(x-4)\times 7=14$

(6) $\dfrac{x}{4}+\dfrac{x}{6}=9$

**02** (1) $x,\ 2$   (2) $x,\ 15$   (3) $x,\ 4$

(4) $x,\ 9$

**03** (1) $300-x$   (2) $x\times 2$   (3) $60\times x$

**04** (1) ① $500\times x$   ② $3000-500\times x$

(2) ① $x\times 2$   ② $x\times 2+5$

**05** ③

**014쪽**

**01** (1) $7$   (2) $-18$   (3) $1.9x$

(4) $-0.5x$   (5) $0.1x$   (6) $-4x$

**02** (1) $4$   (2) $-2$   (3) $13(x+1)$

(4) $-2.5(7+x)$

**03** (1) ① $x\times 3$   ② $3x$

(2) ① $150\times x$   ② $150x$

(3) $4x$   (4) $6x$

**04** (1) $\dfrac{1}{8}$   (2) $-\dfrac{1}{12}$   (3) $\dfrac{9}{5}x$

(4) $-\dfrac{4}{7}x$

**05** (1) $1,\ x$   (2) $\dfrac{x}{2}$   (3) $\dfrac{3x}{11}$

(4) $-\dfrac{17x}{6}$

**06** (1) $\dfrac{7}{3}x$   (2) $-\dfrac{16}{9}x$   (3) $-\dfrac{2}{5}x$

(4) $\dfrac{4}{9}x$

**016쪽**

**01** (1) $x$   (2) $-\dfrac{x}{6}$   (3) $\dfrac{15}{x}$

(4) $-\dfrac{3}{x}$

**02** (1) $\dfrac{5}{4},\ \dfrac{5}{4}x$   (2) $\dfrac{6}{11}x$   (3) $-\dfrac{7}{3}x$

(4) $-2x$

**03** (1) $x+3$   (2) $\dfrac{6-x}{9}$   (3) $\dfrac{15}{x-8}$

(4) $\dfrac{24}{4+x}$

**04** (1) ① $x\div 10$   ② $\dfrac{x}{10}$

(2) ① $15\div x$   ② $\dfrac{15}{x}$

(3) $\dfrac{x}{4}$   (4) $\dfrac{x}{2}$

**05** (1) $10000-1000x$   (2) $\dfrac{60}{x}$

(3) $\dfrac{56}{x}$

**06** ②

**018쪽**

**01** (1) $30$   (2) $\dfrac{4}{5}$   (3) $-42x$   (4) $x$

(5) $\dfrac{24}{7}x$   (6) $-6x$

**02** (1) $7,\ 7,\ 28$   (2) $-3,\ -24$

(3) $-25x$   (4) $21x$   (5) $-0.4x$

(6) $-\dfrac{4}{3}x$

**03** (1) $2$   (2) $\dfrac{1}{15},\ \dfrac{1}{5}$   (3) $\dfrac{8}{3},\ \dfrac{32}{3}x$

(4) $\dfrac{4}{10},\ \dfrac{10}{4},\ 5x$

(5) $-4x$   (6) $-2x$

**04** (1) $-\dfrac{5}{7}x$   (2) $-\dfrac{9}{4}x$   (3) $-\dfrac{4}{3}x$

(4) $-\dfrac{12}{5}x$   (5) $-\dfrac{15}{2}x$   (6) $\dfrac{70}{3}x$

**020쪽**

**01** (1) $8$   (2) $13$   (3) $1.7x$   (4) $-0.6x$

(5) $\dfrac{8}{5}x$   (6) $-\dfrac{3}{5}x$

**02** (1) $7$   (2) $9$   (3) $5.9x$   (4) $2.4x$

(5) $\dfrac{3}{7}x$   (6) $\dfrac{1}{9}x$

**03** ①, ④

**04** (1) $8,\ -3,\ -x$   (2) $6,\ 6,\ -9x$

(3) $\dfrac{19}{12}x$   (4) $-\dfrac{23}{10}x$

**05** (1) $10,\ 4,\ 5,\ 7,\ 14,\ 12$

(2) $-3,\ 1,\ 13,\ 9,\ -2,\ 4$

(3) $8.1x-14$   (4) $8x+3$

(5) $\dfrac{9}{7}x+22$   (6) $-\dfrac{17}{5}x-19$

**022쪽**

**01** (1) $2,\ 2,\ 2,\ 14$   (2) $2x,\ 3,\ -8,\ 12$

(3) $-x+3$   (4) $3x-\dfrac{3}{2}$

**02** (1) $4,\ 20,\ 7,\ 20$

(2) $5,\ 5,\ 15,\ -3,\ 25$

(3) $9x-16$   (4) $26x+8$

(5) $4x+6$   (6) $3x-\dfrac{11}{3}$

**03** (1) $\dfrac{1}{7},\ \dfrac{1}{7},\ \dfrac{1}{7},\ \dfrac{1}{7},\ 1$

(2) $-\dfrac{1}{4},\ -\dfrac{1}{4},\ -\dfrac{1}{4},\ -\dfrac{1}{2},\ \dfrac{3}{4}$

(3) $4x-3$   (4) $5x-3$

**04** (1) $x+\dfrac{7}{2}$   (2) $-\dfrac{2}{3}x-\dfrac{5}{3}$

(3) $10x+30$   (4) $-18x+54$

(5) $18x+27$   (6) $8x-12$

**024쪽**

**01** (1) $2,\ 3,\ 2,\ 5,\ 3$

(2) $3,\ 4,\ 3,\ 8,\ -2,\ 17,\ -\dfrac{1}{6},\ \dfrac{17}{12}$

**02** (1) $\dfrac{21}{20}x+\dfrac{9}{10}$   (2) $\dfrac{4x-1}{3}$

**03** ③

**04** (1) $5,\ 3,\ 18,\ 3,\ -13,\ 2$

(2) $4,\ 5,\ 28,\ 15,\ 9,\ 3$

**05** (1) $\dfrac{2}{3}x+\dfrac{5}{2}$   (2) $\dfrac{-19x-1}{12}$

**06** $\dfrac{5}{4}x-\dfrac{5}{12}$

**026쪽**

**01** $0,\ 4,\ -8,\ 9$

**02** $-3.2,\ -8,\ -\dfrac{1}{5}$

**03** $7$  **04** $2$  **05** $\dfrac{9}{5}$

**06** $-15$  **07** $+\dfrac{17}{9}$  **08** $+0.7$

**09** $+24$  **10** $-33$  **11** $-\dfrac{7}{9}$

**12** $-\dfrac{5}{6}$  **13** $+2$

**14** $x\times6+2$  **15** $(x\div8)$원

**16** $\dfrac{1}{5}x$  **17** $-\dfrac{5}{2}x$  **18** $\dfrac{27}{2}x$

**19** $-\dfrac{5}{2}x$  **20** $-\dfrac{35}{3}x$

**21** $6x+15$  **22** $-\dfrac{3}{7}x$

**23** $\dfrac{19}{18}x$  **24** $6.2x-6$

**25** $-\dfrac{37}{10}x-6$  **26** $5x+6$

**27** $2x-27$  **28** $-x-2$

**29** $12x+48$  **30** $\dfrac{-5x+17}{12}$

**2단계 등식과 방정식** 풀이 12~16쪽

**030쪽**

**01** (1) ○  (2) ×  (3) ○  (4) ×

**02** (1) 좌변: $12+5x$, 우변: $8+2x$
(2) 좌변: $9$, 우변: $36-x$

**03** (1) 등식이다. / 좌변: $9+4$, 우변: $25$
(2) 등식이 아니다.
(3) 등식이다. / 좌변: $x+2$, 우변: $0$
(4) 등식이다.
　/ 좌변: $20-9x$, 우변: $5+\dfrac{x}{3}$

**04** ⑤

**05** (1) $2x,\ =,\ x+10$ / $2x=x+10$
(2) $12x,\ =,\ 96$ / $12x=96$
(3) $5000-15x,\ =,\ 500$
　/ $5000-15x=500$

**06** $36-5x=6$  **07** ②

**032쪽**

**01** (1) ○  (2) ×  (3) ×  (4) ○
(5) ×  (6) ○

**02** $0,\ -1,\ 2,$ 거짓 / $1,\ 2,$ 참 / $1$

**03** (1) $3$  (2) $2$  (3) $2$  (4) $1$
(5) $1$  (6) $3$

**04** (1) ○  (2) ×  (3) ×  (4) ○

**05** ②  **06** ③

**034쪽**

**01** (1) $6$  (2) $11$  (3) $0.3$  (4) $\dfrac{4}{5}$

**02** (1) $12,\ 12,\ 12,\ 32$  (2) $7,\ 7,\ 7,\ 4$
(3) $1.9,\ 1.9,\ 1.9,\ -9.1$
(4) $\dfrac{4}{3},\ \dfrac{4}{3},\ \dfrac{4}{3},\ \dfrac{2}{3}$

**03** (1) $9$  (2) $1$  (3) $7$  (4) $1.6$
(5) $0.9$  (6) $\dfrac{7}{8}$

**04** 같은 수, 더하여도

**05** (왼쪽에서부터)
(1) $9,\ 6$  (2) $\dfrac{13}{9},\ \dfrac{4}{9}$

**06** (1) $x=30$  (2) $x=28$  (3) $x=7$
(4) $x=7.7$  (5) $x=4.4$
(6) $x=-\dfrac{12}{5}$

**036쪽**

**01** (1) $3$  (2) $15$  (3) $1.8$  (4) $\dfrac{7}{10}$

**02** (1) $7,\ 7,\ 7,\ -18$  (2) $2,\ 2,\ 2,\ 13$
(3) $5.5,\ 5.5,\ 5.5,\ 10.1$
(4) $\dfrac{3}{4},\ \dfrac{3}{4},\ \dfrac{3}{4},\ -2$

**03** (1) $2$  (2) $3$  (3) $11$  (4) $2.3$
(5) $1.2$  (6) $\dfrac{8}{5}$

**04** 같은 수, 빼어도

**05** (왼쪽에서부터)
(1) $2.6,\ 5.4$  (2) $-16,\ 9$

**06** (1) $x=11$  (2) $x=-17$
(3) $x=-6$  (4) $x=2.9$
(5) $x=-2.1$  (6) $x=\dfrac{4}{7}$

**038쪽**

**01** (1) $12$  (2) $-5$  (3) $0.4$  (4) $\dfrac{4}{3}$

**02** (1) $8,\ 8,\ 8,\ 32$  (2) $12,\ 12,\ 12,\ 36$
(3) $5,\ 5,\ 5,\ -15$
(4) $-7,\ -7,\ -7,\ -14$

**03** (1) $4$  (2) $2$  (3) $6$  (4) $10$
(5) $7$  (6) $-4$

**04** (왼쪽에서부터)
(1) $6,\ 8$  (2) $-6.5,\ -5$

**05** (1) $x=18$  (2) $x=-15$
(3) $x=3.5$  (4) $x=-12.6$
(5) $x=-\dfrac{36}{5}$  (6) $x=10$

**06** ③, ⑤

**040쪽**

**01** (1) $9$  (2) $-4$  (3) $0.7$  (4) $\dfrac{5}{6}$

**02** (1) $5,\ 5,\ 5,\ \dfrac{4}{5}$
(2) $0.4,\ 0.4,\ 0.4,\ -3$
(3) $-7,\ -7,\ -7,\ -3$
(4) $\dfrac{2}{3},\ \dfrac{2}{3},\ \dfrac{2}{3},\ \dfrac{6}{5}$

**03** (1) $2$  (2) $-3$  (3) $-7$  (4) $1.6$
(5) $0.4$  (6) $9$

**04** (왼쪽에서부터)
(1) $5,\ 1.2$  (2) $-\dfrac{9}{4},\ -\dfrac{5}{3}$

**05** (1) $x=9$  (2) $x=-3$  (3) $x=16$
(4) $x=-13$

**06** (1) ㉡, ㉣  (2) ㉠, ㉢

**042쪽**

**01** (1) $4$  (2) $3x$  (3) $-x=-8-5$
(4) $x=2+6$  (5) $2x=4+1$
(6) $x+5x=-8$

**02** (1) $x+6x=6+8$
(2) $-x+2x=5-3$
(3) $2x+8x=-6-4$
(4) $-5x-3x=5+11$

**03** (1) $-5$  (2) $3x$  (3) $2x=-4$
(4) $\dfrac{4}{5}x=1$

**04** (1) $12,\ 8$  (2) $5.5,\ 11.5$

**05** (1) $x=11$  (2) $x=10$
(3) $x=-5.1$  (4) $x=3.5$
(5) $x=-\dfrac{9}{5}$  (6) $x=\dfrac{5}{7}$

**06** ④  **07** ②, ④

**044쪽**

**01** ×  **02** ○

**03** ○  **04** ×

**05** 좌변: $8$, 우변: $-3+5x$

**06** $7$  **07** $-2$

**08** $0.3$  **09** $6,\ 6,\ 15$

**10** $3,\ 3,\ -6$  **11** $\dfrac{3}{4}$

**12** $\dfrac{2}{9}$  **13** $-4$

**14** $0.5$  **15** $x=1$

**16** $8x+7x=21$  **17** $10x=9-3$

**18** $x-9x=40$  **19** ×

**20** ○  **21** $x=-1$

**22** $x=16$  **23** $x=-\dfrac{21}{5}$

**24** $x=5$  **25** $x=-\dfrac{1}{45}$

**26** ⑤  **27** ③

**28** ④

**3단계 방정식 풀기** 풀이 16~23쪽

**048쪽**

**01** (1) $5,\ 9,\ 2,\ \dfrac{9}{2},\ \dfrac{9}{2}$ / $2$
(2) $10,\ -12,\ 3,\ -\dfrac{12}{3},\ -4$ / $3$

**02** (1) $1.9,\ 1.6,\ 1.6,\ 2,\ 0.8$
(2) $\dfrac{1}{10},\ 5,\ 5,\ \dfrac{1}{5},\ \dfrac{1}{10}$

**03** (1) $1$  (2) $\dfrac{1}{2}$

**04** (1) $x=-\dfrac{3}{4}$  (2) $x=-\dfrac{1}{7}$

(3) $x=0.6$  (4) $x=2$

(5) $x=5$  (6) $x=1$

**05** $3x-6=24$

$3x=24+6$

$3x=30$

$x=10$

**06** $4x-4=16$, $x=5$

---

**050쪽**

**01** (1) $3x$, 4, 2, 16, 8 / 2

(2) $6x$, 13, 10, $-5$, $-\dfrac{1}{2}$ / 10

**02** (1) $3x$, 1.2, 5, 1.5, 5, 15, 15, $\dfrac{1}{5}$, $\dfrac{3}{10}$

(2) $x$, $\dfrac{2}{9}$, 5, 5, 5, $\dfrac{1}{5}$, $\dfrac{1}{9}$

**03** (1) 2  (2) $\dfrac{4}{7}$

**04** (1) $x=3$  (2) $x=\dfrac{3}{7}$

(3) $x=\dfrac{1}{10}$  (4) $x=\dfrac{1}{10}$

(5) $x=3$  (6) $x=\dfrac{1}{27}$

**05** ⑤

**06** $9x+2=7x+5$, $x=\dfrac{3}{2}$

---

**052쪽**

**01** (1) $2x$, 9, 8, 16, 2 / 8

(2) 4, $3x$, 9, $-9$, $-1$ / 9

**02** (1) $4x$, 0.5, 5, 5.5, 5, 55, 55, $\dfrac{1}{5}$, $\dfrac{11}{10}$

(2) $8x$, $\dfrac{7}{11}$, 10, 10, 10, $\dfrac{1}{10}$, $\dfrac{1}{11}$

**03** (1) 9  (2) 2

**04** (1) $x=-\dfrac{10}{7}$  (2) $x=-\dfrac{6}{5}$

(3) $x=2$  (4) $x=\dfrac{2}{9}$

(5) $x=1$  (6) $x=\dfrac{9}{10}$

**05** ①

**06** $7x-2=5x+12$, $x=7$

---

**054쪽**

**01** (1) $3x$, 4, 6, $-12$, $-2$ / 6

(2) $4x$, 6, 14, $-7$, $-\dfrac{1}{2}$ / 14

**02** (1) $x$, 3.4, 8, $-7$, $-\dfrac{7}{8}$

(2) 1, $6x$, 13, 4, 13, $\dfrac{1}{4}$, $\dfrac{13}{20}$

**03** (1) 3  (2) $-3$

**04** (1) $x=\dfrac{9}{10}$  (2) $x=\dfrac{17}{8}$

(3) $x=-\dfrac{7}{10}$  (4) $x=-\dfrac{5}{2}$

(5) $x=\dfrac{3}{4}$  (6) $x=\dfrac{11}{6}$

---

**05** ⑤

**06** $2x+0.4=4x-2$, $x=1.2$

---

**056쪽**

**01** (1) $3x$, 2, 2, $-5$, $-\dfrac{5}{2}$ / 2

(2) $\dfrac{4}{5}$, $2x$, 3, 3, $\dfrac{3}{10}$, $\dfrac{1}{3}$, $\dfrac{1}{10}$ / 3

**02** (1) 8, $7x$, 5

(2) $4x$, 11.9, 7, 9, $\dfrac{9}{7}$

**03** (1) $-\dfrac{4}{5}$  (2) $\dfrac{14}{5}$

**04** (1) $x=-2$  (2) $x=1$

(3) $x=-\dfrac{7}{10}$  (4) $x=\dfrac{1}{10}$

(5) $x=4.6$  (6) $x=-\dfrac{1}{16}$

**05** ③

**06** $4x-\dfrac{2}{5}=5x-\dfrac{6}{5}$, $x=\dfrac{4}{5}$

---

**058쪽**

**01** (1) 사탕을 나누어 준 사람 수

(2) 5, 57 / $4x+5$, =, 57 / $4x+5=57$

(3) $4x+5=57$

$4x=57-5$

$4x=52$

$x=13$

(4) 13

**02** (1) 어떤 수

(2) $3x-4$, =, 17 / $3x-4=17$

(3) $3x-4=17$

$3x=17+4$

$3x=21$

$x=7$

(4) 7

**03** (1) 산 연필의 개수

(2) $500x+200$, =, 4200 / $500x+200=4200$

(3) $500x+200=4200$

$500x=4200-200$

$500x=4000$

$x=4000÷500$

$x=8$

(4) 8

**04** (1) 현재 아들의 나이

(2) $3x-2$, =, 40 / $3x-2=40$

(3) $3x-2=40$

$3x=40+2$

$3x=42$

$x=14$

(4) 14

---

**060쪽**

**01** (1) 이웃집의 수

(2) 7, 5, 4 / $4x+7$, =, $5x-4$ / $4x+7=5x-4$

(3) $4x+7=5x-4$

$7+4=5x-4x$

$x=11$

(4) 11

**02** (1) 어떤 수

(2) $3x+3.4$, =, $11x-1.4$ / $3x+3.4=11x-1.4$

(3) $3x+3.4=11x-1.4$

$3.4+1.4=11x-3x$

$4.8=8x$

$x=4.8÷8$

$x=0.6$

(4) 0.6

**03** (1) 공책 한 권의 값

(2) $3000-3x$, =, $2000-x-400$ / $3000-3x=2000-x-400$

(3) $3000-3x=2000-x-400$

$3000-3x=1600-x$

$3000-1600=-x+3x$

$1400=2x$

$x=700$

(4) 700

**04** (1) 저금하는 날수

(2) $3800+500x$, =, $5000+300x$ / $3800+500x=5000+300x$

(3) $3800+500x=5000+300x$

$500x-300x=5000-3800$

$200x=1200$

$x=6$

(4) 6

---

**062쪽**

**01** $3x$, 13, 5, $-5$, $-1$

**02** $x=3$  **03** $x=\dfrac{1}{3}$

**04** $x=-2$  **05** $x=1$

**06** $3x$, 0.2, 4, 4, 1

**07** $x=-3$  **08** $x=3$

**09** $x=2$  **10** $x=-2$

**11** $x$, 1.6, 4, $-4$, $-1$

**12** $x=-7$  **13** $x=\dfrac{1}{4}$

**14** $x=-\dfrac{2}{5}$  **15** $x=\dfrac{17}{9}$

**16** $\dfrac{3}{2}$, $9x$, 13, 13, 13, $\dfrac{1}{13}$, $\dfrac{1}{10}$

**17** $x=-2$  **18** $x=4.6$

**19** $x=\dfrac{1}{12}$  **20** $x=-\dfrac{7}{10}$

**21** (1) 산 빵의 개수

(2) $600x+900$, $=$, $3300$

/ $600x+900=3300$

(3) $600x+900=3300$

$600x=3300-900$

$600x=2400$

$x=4$

(4) 4

**22** (1) 저금하는 날수

(2) $2700+600x$, $=$, $4300+400x$

/ $2700+600x=4300+400x$

(3) $2700+600x=4300+400x$

$600x-400x=4300-2700$

$200x=1600$

$x=8$

(4) 8

**23** (1) 현재 딸의 나이

(2) $3x-1=38$

$3x=38+1$

$3x=39$

$x=13$

(3) 13

**24** (1) 어떤 수

(2) $3x+4.6=7x-3.4$

$4.6+3.4=7x-3x$

$8=4x$, $4x=8$

$x=2$

(3) 2

**25** (1) 학생 수

(2) $5x-1=3x+9$

$5x-3x=9+1$

$2x=10$

$x=5$

(3) 5

---

**4단계** 여러 가지 방정식 풀기 풀이 23~32쪽

066쪽 **01** (1) 2, 2, 8, 6, 8, 6, 8, 16, 2

(2) $-3$, 3, $-9$, 3, $-9$, 3, $-9$, 9, $-1$

**02** (1) $\dfrac{15}{4}$ (2) 2 (3) 1 (4) $\dfrac{10}{9}$

**03** (1) $x=-2$ (2) $x=\dfrac{5}{7}$

(3) $x=-20$ (4) $x=\dfrac{10}{9}$

(5) $x=-\dfrac{4}{3}$ (6) $x=-\dfrac{8}{11}$

**04** ③          **05** ④

---

068쪽 **01** (1) 2, 4, 4, 2, $-2$, 10, $-5$

(2) 4, 3, $-4$, 3, 4, 14, 14, $\dfrac{1}{4}$, $\dfrac{7}{2}$

**02** (1) $\dfrac{3}{2}$ (2) $-2$ (3) $-6$ (4) $-\dfrac{15}{11}$

**03** (1) $x=-2$ (2) $x=-\dfrac{9}{4}$

(3) $x=-\dfrac{7}{9}$ (4) $x=-\dfrac{7}{9}$

(5) $x=6$ (6) $x=7$

**04** ②          **05** ②

---

070쪽 **01** (1) 35 (2) 18 (3) 4 (4) 35

**02** (1) $x$, 4, 4, 4, 4, 4

(2) $5x$, 10, 6, 10, 4, 6, 6, $-12$, $-2$

**03** (1) $-5$ (2) 1

**04** (1) $x=-\dfrac{3}{5}$ (2) $x=-\dfrac{1}{3}$

(3) $x=2$ (4) $x=-\dfrac{1}{2}$

(5) $x=-6$ (6) $x=\dfrac{3}{4}$

**05** ③

---

072쪽 **01** (위에서부터) 100, 100, 100, 100, 100, 100, 3, 42, 3, 42, 3, 21, 3, 7

**02** (1) 5, $-15$, 5, $-15$, 5, 5, 1

(2) 23, $-9$, $-9$, 23, $-32$, $-4$

**03** (1) 2 (2) 3

**04** (1) $x=-6$ (2) $x=12$

(3) $x=40$ (4) $x=3$

(5) $x=-1$ (6) $x=-3$

**05** $x=\dfrac{8}{3}$

---

074쪽 **01** (위에서부터) 6, 6, 6, 6, 6, 6, 6, 5, 5, 6, 3, 11, 3, $\dfrac{11}{3}$

**02** (1) 9, 9, 12, 2, 12, 36, 2, 2, 48, 24

(2) 5, 5, $-2$, 5, 2, $-5$, 2, 2, 1

**03** (1) $-\dfrac{12}{5}$ (2) $\dfrac{1}{3}$

**04** (1) $x=-\dfrac{1}{2}$ (2) $x=-2$

(3) $x=-50$ (4) $x=-\dfrac{2}{5}$

(5) $x=3$ (6) $x=\dfrac{9}{4}$

**05** $x=-\dfrac{1}{21}$

---

076쪽 **01** (1) $-\dfrac{7}{10}$, 10, 10, $-7$, 8, 8, 7, 15, 1

(2) $\dfrac{12}{10}$, 10, 10, 21, $-9$, 3, 21, 7

**02** (1) 6 (2) $-5$ (3) $\dfrac{15}{2}$ (4) 16

**03** (1) $x=\dfrac{15}{13}$ (2) $x=19$

(3) $x=10$ (4) $x=-10$

---

(5) $x=-\dfrac{7}{5}$ (6) $x=\dfrac{10}{3}$

**04** $x=-7$          **05** ③

---

078쪽 **01** (1) 6, 6, 8, 8, 1, 9, 3

(2) 4, 4, 3, 5, 3, 5, 15, 3

**02** (1) 1 (2) 2 (3) $-2$ (4) $\dfrac{1}{4}$

**03** (1) $x=\dfrac{1}{2}$ (2) $x=\dfrac{5}{3}$ (3) $x=\dfrac{8}{3}$

(4) $x=1$ (5) $x=\dfrac{3}{2}$ (6) $x=\dfrac{3}{5}$

**04** ②          **05** $x=-\dfrac{7}{2}$

---

080쪽 **01** (1) 12, 12, 3, 3, 2, 2, 3, 1

(2) 6, 6, 3, 2, 3, 3, 2, 5, 5, 1

**02** (1) $-4$ (2) $\dfrac{11}{12}$ (3) 2 (4) $\dfrac{55}{13}$

**03** (1) $x=-1$ (2) $x=\dfrac{2}{3}$ (3) $x=-6$

(4) $x=9$ (5) $x=-7$ (6) $x=7$

**04** $x=4$          **05** ②

---

082쪽 **01** 4, 12, $-12$, 4, $-12$

**02** $x=5$          **03** $x=\dfrac{1}{4}$

**04** $x=2$          **05** $x=4$

**06** 3, 6, 3, 6, 5, $-5$, $-1$

**07** $x=-1$          **08** $x=-5$

**09** $x=5$          **10** $x=1$

**11** 10, 10, 3, 28, 3, 28, 3, 18, 6

**12** $x=6$          **13** $x=-3$

**14** $x=18$          **15** $x=2$

**16** 4, 4, 14, 4, 4, 14, 14, $-2$

**17** $x=\dfrac{8}{3}$          **18** $x=-\dfrac{1}{17}$

**19** $x=1$          **20** $x=-4$

**21** $x=-7$          **22** $x=-\dfrac{5}{2}$

**23** $x=-2$          **24** $x=-\dfrac{3}{5}$

**25** $x=-7$          **26** $x=12$

**27** $x=-11$          **28** $x=4$

**29** $x=2$          **30** $x=-\dfrac{1}{18}$

---

**5단계** 방정식 활용 풀이 32~37쪽

방정식의 풀이는 본문 풀이를 참고하세요.

086쪽 **01** $(x+3)\times2$, $x+8$, $2(x+3)=x+8$, 2

**02** 6

**03** $x+2$, $x+(x+2)=108$, 53, 53, 55

**04** 47

---

088쪽 **01** $10\times x+3$, $10x+3=30+x+9$, 4, 34

**02** 27

**03** $x+4$, $x+(x+4)=32$, 14

**04** 20세

---
**090쪽** **01** $15-x$,

　　$1000(15-x)+300x$

　　$=10000-2700$, 11

**02** 11마리

**03** $20000+500x$, $12000+2000x$,

　　$12000+2000x$

　　$=3(20000+500x)$, 96

**04** 200분 후

---
**092쪽** **01** $x+4$, $2(x+4+x)=32$, 6, 10

**02** 16 m

**03** $x+2$, $\frac{1}{2}\times(x+x+2)\times5=35$, 6

**04** 18

---
**094쪽** **01** $x\times\frac{8}{100}$, $x+\frac{8}{100}x=351$, 325

**02** 120명

**03** $15-\frac{19}{100}x=-\left(1000\times\frac{8}{100}\right)$,

　　500

**04** 632.5 kg

---
**096쪽** **01** $\frac{x}{3}$, $\frac{x}{12}$, $\frac{45}{60}$, $\frac{x}{3}-\frac{x}{12}=\frac{45}{60}$, 3

**02** 20 km

**03** $60x$, $80\times\left(x-\frac{15}{60}\right)$,

　　$60x=80\left(x-\frac{15}{60}\right)$, 1

**04** 오전 9시 30분

---
**098쪽** **01** $90x$, $60x$, 4500,

　　$90x+60x=4500$, 30

**02** 100분 후

**03** $1+x$, $\frac{12}{3600}$, $\frac{1+x}{360}=\frac{12}{3600}$,

　　$\frac{1}{5}$, 200, 200

**04** 300 m

---
**100쪽** **01** $\frac{5}{100}\times400=20$, $\frac{8}{100}\times(400-x)$,

　　$20=\frac{8}{100}\times(400-x)$, 150

**02** 14 %

**03** $300+x$, $\frac{15}{100}\times x$,

　　$\frac{24}{100}\times(300+x)$,

　　$\frac{15}{100}\times x+\frac{30}{100}\times300$

　　$=\frac{24}{100}\times(300+x)$, 200

**04** 100 g

---

**102쪽** **01** $\frac{1}{20}$, $\frac{1}{30}$, $\frac{x}{20}+\frac{x}{30}=1$, 12

**02** 5분

**03** $\left(1-\frac{25}{100}\right)x$, 1500,

　　$\left(1-\frac{25}{100}\right)x-15000=1500$,

　　22000

**04** 18000원

---
**104쪽** **01** $3(x+5)=27$, $x=4$

**02** $35x=280$, $x=8$

**03** 15, 460　　　**04** 30, 25000

**05** $38+x=2(13+x)$

**06** 12년 후

**07** $x$ / 80 / $\frac{x}{70}$, $\frac{x}{80}$ / $\frac{x}{70}+\frac{x}{80}=3$

**08** 112 km

**09** $\frac{1}{2}\times(x+x-4)\times8=56$

**10** 9 cm

**11** 5 / $200+x$ / 16, $\frac{5}{100}(200+x)$

　　/ $16=\frac{5}{100}(200+x)$

**12** 120 g　　　**13** 47

**14** 110개월 후　　**15** 840명

**16** 4일　　　**17** 30분 후

**18** 120분 후　　**19** $300+x$ / 75 g

**20** 30000원

---

**6단계** 성취도 확인 평가　풀이 38~41쪽

**108쪽** **01** ②　　　　**02** $-5$

**03** $+10.3$　　　**04** $-20$

**05** $10000-1200\times x$

**06** ③　　　　**07** $3x-4$

**08** $4x+20$　　　**09** ③, ⑤

**10** $\frac{6}{7}$　　　**11** $x=-18$

**12** $x=-\frac{4}{3}$　　**13** $x=-\frac{5}{2}$

**14** $x=-1$　　　**15** $x=\frac{3}{2}$

**16** ②　　　　**17** $x=-6$

**18** $x=2$　　　**19** $x=2$

**20** $x=-1$　　　**21** ③

**22** $-3$　　　**23** 36 cm

**24** 4일　　　　**25** 450명

---
**111쪽** **01** 16　　　　**02** ④

**03** $-\frac{45}{2}$　　　**04** $-\frac{5}{6}$

**05** $-48x$　　　**06** ⑤

---

**07** $-12x+\frac{12}{5}$　**08** $\frac{1}{3}x-\frac{19}{12}$

**09** ④　　　　**10** ②, ⑤

**11** $\frac{4}{7}$　　　**12** 0.9

**13** $x-4x=15$　　**14** $x=\frac{1}{2}$

**15** $x=3$　　　**16** $x=-4$

**17** ①　　　　**18** $x=-5$

**19** $x=\frac{9}{5}$　　**20** $x=1$

**21** ⑤　　　　**22** ③

**23** 93개　　　**24** 12 km

**25** 11300원

---
**114쪽** **01** 8　　　　**02** ④

**03** $+\frac{4}{9}$, $-16$　**04** $x\times6-3$

**05** $-\frac{10}{3}x$

**06** $\left(\frac{3}{5}x+800\times4\right)$원

**07** ③　　　　**08** ①, ③

**09** ②　　　　**10** ③

**11** $x=-10$　　**12** $x=4$

**13** ⑤　　　　**14** $x=4$

**15** $x=1$　　　**16** $x=\frac{1}{12}$

**17** ①　　　　**18** $x=\frac{4}{3}$

**19** $x=\frac{3}{5}$　　**20** $x=\frac{13}{7}$

**21** ④　　　　**22** 13세

**23** ④　　　　**24** 8분 후

**25** 150 g

---
**117쪽** **01** $-5$, $+\frac{8}{2}$, $+4$, $+17$

**02** 0.95, $+\frac{8}{2}$, $+4$, $+17$

**03** $-27$　　　**04** $+\frac{22}{21}$

**05** $\frac{14}{3}x$　　　**06** ②, ④

**07** $-3x+5$　　**08** $7x+\frac{21}{5}$

**09** $x=2$　　　**10** 2, 2, 5

**11** 0.3, 0.3, 12　**12** ③

**13** $-x+2x=5$　**14** $x=-2$

**15** $x=\frac{1}{8}$　　**16** ⑤

**17** $x=\frac{2}{15}$　　**18** $x=-12$

**19** $x=-\frac{5}{4}$　　**20** $x=-2$

**21** ①　　　　**22** 37

**23** 16개월 후　　**24** ⑤

**25** 47명

# 정답 및 풀이

## 01 정수와 유리수, 절댓값　006~007쪽

**01** (1) $+5$　(2) $-3$　(3) $+1.2$　(4) $-2.7$

　　(5) $+\dfrac{3}{4}$　(6) $-\dfrac{1}{2}$

**02** (1) $-4$, $0$, $+3$, $\dfrac{20}{5}$　(2) $-4$　(3) $+5.6$, $+3$, $\dfrac{20}{5}$

　　(4) $-4$, $-9.2$, $-\dfrac{11}{7}$　(5) $-9.2$, $+5.6$, $-\dfrac{11}{7}$

**03** (1) $|+11|$　(2) $|-5|$　(3) $|-9.2|$　(4) $\left|+\dfrac{2}{5}\right|$

**04** (1) $8$　(2) $4.2$　(3) $\dfrac{1}{3}$　(4) $9$　(5) $+6$, $-6$

　　(6) $+12$, $-12$

**05** (1) $11$　(2) $4$　(3) $4.4$　(4) $4.5$　(5) $\dfrac{4}{3}$　(6) $\dfrac{1}{5}$

---

**02** (1) 정수: 양의 정수, 0, 음의 정수

　　➡ $\dfrac{20}{5}=4$이므로 정수이다.

　　(2) 자연수에 음의 부호 $-$를 붙인 수

　　(3) 분모, 분자가 자연수인 분수에 양의 부호 $+$를 붙인 수

　　(4) 음의 부호 $-$를 붙인 수

**04** (1) $|+8|=8$

　　(2) $|-4.2|=4.2$

　　(3) $+\dfrac{1}{3}$의 절댓값 ➡ $\left|+\dfrac{1}{3}\right|=\dfrac{1}{3}$

　　(4) $-9$의 절댓값 ➡ $|-9|=9$

　　(5) 원점으로부터의 거리가 6인 수: $|+6|=6$, $|-6|=6$

　　(6) 원점으로부터의 거리가 12인 수:
　　　$|+12|=12$, $|-12|=12$

**05** (1) $|+4|=4$, $|+7|=7$ ➡ $4+7=11$

　　(2) $|-6|=6$, $|+2|=2$

　　　➡ 절댓값의 크기 비교: $6>2$

　　　➡ 절댓값의 차: $6-2=4$

　　(3) $|-2.5|=2.5$, $|+1.9|=1.9$ ➡ $2.5+1.9=4.4$

　　(4) $|+4.1|=4.1$, $|-8.6|=8.6$

　　　➡ 절댓값의 크기 비교: $4.1<8.6$

　　　➡ 절댓값의 차: $8.6-4.1=4.5$

　　(5) $\left|-\dfrac{2}{3}\right|=\dfrac{2}{3}$, $\left|+\dfrac{2}{3}\right|=\dfrac{2}{3}$ ➡ $\dfrac{2}{3}+\dfrac{2}{3}=\dfrac{4}{3}$

　　(6) $\left|-\dfrac{3}{5}\right|=\dfrac{3}{5}$, $\left|-\dfrac{4}{5}\right|=\dfrac{4}{5}$

　　　➡ 절댓값의 크기 비교: $\dfrac{3}{5}<\dfrac{4}{5}$

　　　➡ 절댓값의 차: $\dfrac{4}{5}-\dfrac{3}{5}=\dfrac{1}{5}$

## 02 유리수의 덧셈과 뺄셈　008~009쪽

**01** (1) $+$, $+$, $14$　(2) $-$, $-$, $16$

　　(3) $+$, $+$, $4$　(4) $+$, $+$, $1$

**02** (1) $+\dfrac{20}{21}$　(2) $+\dfrac{3}{20}$　(3) $-2.6$　(4) $-12.1$

**03** (1) $+$, $-$, $4$, $+$, $7$, $4$, $+$, $3$

　　(2) $+$, $+$, $8$, $+$, $8$, $5$, $+$, $3$

　　(3) $+$, $+$, $3$, $+$, $2$, $3$, $+$, $5$

　　(4) $+$, $-$, $6$, $-$, $14$, $6$, $-$, $20$

**04** (1) $+22$　(2) $-14$　(3) $-6.8$　(4) $-10.2$

　　(5) $+\dfrac{5}{8}$　(6) $-\dfrac{11}{12}$

---

**02** 분모가 다른 분수의 계산은 분모의 최소공배수로 통분한 후 계산한다.

(1) $\left(+\dfrac{2}{7}\right)+\left(+\dfrac{2}{3}\right)=+\left(\dfrac{6}{21}+\dfrac{14}{21}\right)$

　　　　　　　　　$=+\dfrac{20}{21}$

(2) $\left(+\dfrac{2}{5}\right)+\left(-\dfrac{1}{4}\right)=+\left(\dfrac{8}{20}-\dfrac{5}{20}\right)$

　　　　　　　　　$=+\dfrac{3}{20}$

(3) $(-6.2)+(+3.6)=-(6.2-3.6)=-2.6$

(4) $(-4)+(-8.1)=-(4+8.1)=-12.1$

**04** (1) $(+13)-(-9)=(+13)+(+9)$

　　　　　　　　$=+(13+9)$

　　　　　　　　$=+22$

(2) $(-8)-(+6)=(-8)+(-6)$

　　　　　　　$=-(8+6)$

　　　　　　　$=-14$

(3) $(+2.6)-(+9.4)=(+2.6)+(-9.4)$

　　　　　　　　$=-(9.4-2.6)$

　　　　　　　　$=-6.8$

(4) $(-8.7)-(+1.5)=(-8.7)+(-1.5)$

　　　　　　　　$=-(8.7+1.5)$

　　　　　　　　$=-10.2$

(5) $\left(+\dfrac{1}{2}\right)-\left(-\dfrac{1}{8}\right)=\left(+\dfrac{1}{2}\right)+\left(+\dfrac{1}{8}\right)$

　　　　　　　　$=+\left(\dfrac{4}{8}+\dfrac{1}{8}\right)$

　　　　　　　　$=+\dfrac{5}{8}$

(6) $\left(-\dfrac{4}{3}\right)-\left(-\dfrac{5}{12}\right)=\left(-\dfrac{4}{3}\right)+\left(+\dfrac{5}{12}\right)$

　　　　　　　　$=-\left(\dfrac{16}{12}-\dfrac{5}{12}\right)$

　　　　　　　　$=-\dfrac{11}{12}$

**잠깐만** 답이 양수인 경우 $+$ 부호를 생략해도 된다.
➡ $+23=23$

**01** (1) +, +, 24  (2) +, +, 55
   (3) −, −, 18  (4) −, −, 45

**02** (1) $-\dfrac{35}{3}$  (2) 0  (3) $+\dfrac{1}{6}$  (4) $+3.2$

**03** (1) $-\dfrac{5}{8}$  (2) $\dfrac{4}{9}$  (3) $\dfrac{10}{7}$

**04** (1) ×, $\dfrac{3}{7}$, −, 14, ×, $\dfrac{3}{7}$, −, 6
   (2) ×, $\dfrac{18}{33}$, +, $\dfrac{11}{9}$, ×, $\dfrac{18}{33}$, +, $\dfrac{2}{3}$

**05** (1) $-\dfrac{20}{7}$  (2) $+\dfrac{4}{3}$  (3) $-3$  (4) $+5$

**02** (1) $(+10)\times\left(-\dfrac{7}{6}\right)=-\left(\overset{5}{10}\times\dfrac{7}{\underset{3}{6}}\right)=-\dfrac{35}{3}$

(2) 어떤 수와 0의 곱은 항상 0이다.

(3) $\left(+\dfrac{5}{8}\right)\times\left(+\dfrac{4}{15}\right)=+\left(\dfrac{\overset{1}{5}}{\underset{2}{8}}\times\dfrac{\overset{1}{4}}{\underset{3}{15}}\right)=+\dfrac{1}{6}$

(4) $(-2)\times(-1.6)=+(2\times1.6)=+3.2$

**03** (1) 부호는 그대로 두고 분모와 분자를 바꾼다.

(2) $2\dfrac{1}{4}=\dfrac{9}{4}\Rightarrow\dfrac{4}{9}$

(3) $0.7=\dfrac{7}{10}\Rightarrow\dfrac{10}{7}$

**04** (1) $(+14)\div\left(-\dfrac{7}{3}\right)=(+14)\times\left(-\dfrac{3}{7}\right)$
$=-\left(\overset{2}{14}\times\dfrac{3}{\underset{1}{7}}\right)=-6$

(2) $\left(-\dfrac{11}{9}\right)\div\left(-\dfrac{33}{18}\right)=\left(-\dfrac{11}{9}\right)\times\left(-\dfrac{18}{33}\right)$
$=+\left(\dfrac{\overset{1}{11}}{\underset{1}{9}}\times\dfrac{\overset{2}{18}}{\underset{3}{33}}\right)=+\dfrac{2}{3}$

**05** (1) $\left(-\dfrac{4}{7}\right)\div\left(+\dfrac{1}{5}\right)=\left(-\dfrac{4}{7}\right)\times\left(+\dfrac{5}{1}\right)$
$=-\left(\dfrac{4}{7}\times5\right)=-\dfrac{20}{7}$

(2) $(-4)\div(-3)=(-4)\times\left(-\dfrac{1}{3}\right)$
$=+\left(4\times\dfrac{1}{3}\right)=+\dfrac{4}{3}$

(3) $(+24)\div(-8)=(+24)\times\left(-\dfrac{1}{8}\right)$
$=-\left(\overset{3}{24}\times\dfrac{1}{\underset{1}{8}}\right)=-3$

(4) $(+6)\div(+1.2)=(+6)\div\left(+\dfrac{12}{10}\right)=(+6)\times\left(+\dfrac{10}{12}\right)$
$=+\left(\overset{1}{6}\times\dfrac{\overset{5}{10}}{\underset{\underset{1}{2}}{12}}\right)=+5$

**01** (1) $12+x=20$  (2) $36-x=15$
   (3) $\dfrac{1}{3}\times x+5=8$  (4) $2.5\times x\div3=12$
   (5) $(x-4)\times7=14$  (6) $\dfrac{x}{4}+\dfrac{x}{6}=9$

**02** (1) $x$, 2  (2) $x$, 15  (3) $x$, 4  (4) $x$, 9

**03** (1) $300-x$  (2) $x\times2$  (3) $60\times x$

**04** (1) ① $500\times x$ ② $3000-500\times x$
   (2) ① $x\times2$ ② $x\times2+5$

**05** ③

**02** (1) 어떤 수에서 3을 빼고 2를 더한 값 ➡ $x-3+2$
   $\underset{x}{\phantom{어떤 수에서}}\ \underset{-3}{\phantom{3을 빼고}}\ \underset{+2}{\phantom{2를 더한 값}}$

(2) 어떤 수의 7배에서 15를 뺀 값 ➡ $x\times7-15$
   $\underset{x}{\phantom{어떤 수의}}\ \underset{\times7}{\phantom{7배}}\ \underset{-15}{\phantom{15를}}$

(3) 81을 어떤 수로 나눈 값에 4를 더한 값 ➡ $81\div x+4$
   $\underset{81}{\phantom{81을}}\ \underset{\div x}{\phantom{어떤 수로 나눈}}\ \underset{+4}{\phantom{4를}}$

(4) 200에서 어떤 수의 9배를 뺀 값 ➡ $200-x\times9$
   $\underset{200}{\phantom{200}}\ \underset{x}{\phantom{어떤 수의}}\ \underset{\times9}{\phantom{9배}}\ \underset{-}{\phantom{뺀}}$

**03** (1) (남자 관람객 수)=300−(여자 관람객 수)=$300-x$(명)
   (2) (여학생 수)=(남학생 수)×2=$x\times2$(명)
   (3) (거리)=(속력)×(시간)이므로 $60\times x$(km)

**04** (1) (거스름돈)=3000−(볼펜 한 자루의 값)×(볼펜의 수)
   $=3000-500\times x$(원)
   (2) ① 현재 아버지의 나이는 아들의 나이의 2배이므로
   (아버지의 나이)=(아들의 나이)×2=$x\times2$(세)
   ② 5년 후 아버지의 나이 ➡ $x\times2+5$(세)

**05** ③ 한 변의 길이가 $x$ cm인 정삼각형의 둘레의 길이
   ➡ $(x\times3)$ cm

**01** (1) 7  (2) $-18$  (3) $1.9x$  (4) $-0.5x$  (5) $0.1x$  (6) $-4x$

**02** (1) 4  (2) $-2$  (3) $13(x+1)$  (4) $-2.5(7+x)$

**03** (1) ① $x\times3$ ② $3x$  (2) ① $150\times x$ ② $150x$
   (3) $4x$  (4) $6x$

**04** (1) $\dfrac{1}{8}$  (2) $-\dfrac{1}{12}$  (3) $\dfrac{9}{5}x$  (4) $-\dfrac{4}{7}x$

**05** (1) 1, $x$  (2) $\dfrac{x}{2}$  (3) $\dfrac{3x}{11}$  (4) $-\dfrac{17x}{6}$

**06** (1) $\dfrac{7}{3}x$  (2) $-\dfrac{16}{9}x$  (3) $-\dfrac{2}{5}x$  (4) $\dfrac{4}{9}x$

**01** (3) $x\times1.9=1.9\times x=1.9x$
   (4) $(-0.5)\times x=-0.5x$
   (5) $0.1\times x=0.1x$
   (6) $x\times(-4)=(-4)\times x=-4x$

**02** (1) $(8+x) \times 4 = 4 \times (8+x) = 4(8+x)$

(2) $(x-3) \times (-2) = (-2) \times (x-3) = -2(x-3)$

(3) $(x+1) \times 13 = 13 \times (x+1) = 13(x+1)$

(4) $(-2.5) \times (7+x) = -2.5(7+x)$

**04** (3) $x \times \dfrac{9}{5} = \dfrac{9}{5} \times x = \dfrac{9}{5}x$

(4) $x \times \left(-\dfrac{4}{7}\right) = \left(-\dfrac{4}{7}\right) \times x = -\dfrac{4}{7}x$

**05** (3) $x \times \dfrac{3}{11} = \dfrac{x \times 3}{11} = \dfrac{3x}{11}$

(4) $\left(-\dfrac{17}{6}\right) \times x = \dfrac{-17 \times x}{6} = -\dfrac{17x}{6}$

**06** (2) $x \times \left(-\dfrac{16}{9}\right) = \dfrac{x \times (-16)}{9} = \dfrac{-16x}{9} = -\dfrac{16}{9}x$

(3) $x \times \left(-\dfrac{2}{5}\right) = \dfrac{x \times (-2)}{5} = \dfrac{-2x}{5} = -\dfrac{2}{5}x$

---

**06 나눗셈 기호의 생략** 016~017쪽

**01** (1) $x$  (2) $-\dfrac{x}{6}$  (3) $\dfrac{15}{x}$  (4) $-\dfrac{3}{x}$

**02** (1) $\dfrac{5}{4}$, $\dfrac{5}{4}x$  (2) $\dfrac{6}{11}x$  (3) $-\dfrac{7}{3}x$  (4) $-2x$

**03** (1) $x+3$  (2) $\dfrac{6-x}{9}$  (3) $\dfrac{15}{x-8}$  (4) $\dfrac{24}{4+x}$

**04** (1) ① $x \div 10$ ② $\dfrac{x}{10}$  (2) ① $15 \div x$ ② $\dfrac{15}{x}$

(3) $\dfrac{x}{4}$  (4) $\dfrac{x}{2}$

**05** (1) $10000 - 1000x$  (2) $\dfrac{60}{x}$  (3) $\dfrac{56}{x}$

**06** ②

**02** (1) $x \div \dfrac{4}{5} = x \times \dfrac{5}{4} = \dfrac{5}{4} \times x = \dfrac{5}{4}x$

(2) $x \div \dfrac{11}{6} = x \times \dfrac{6}{11} = \dfrac{6}{11} \times x = \dfrac{6}{11}x$

(3) $(-x) \div \dfrac{3}{7} = (-x) \times \dfrac{7}{3} = \dfrac{7}{3} \times (-x) = -\dfrac{7}{3}x$

(4) $x \div \left(-\dfrac{1}{2}\right) = x \times (-2) = (-2) \times x = -2x$

**04** (3) $x \div 4 = \dfrac{x}{4}$  (4) $x \div 2 = \dfrac{x}{2}$

**05** (1) (거스름돈) $=10000-$(장미 한 송이의 값)$\times$(장미의 수)

$=10000-1000 \times x$

(2) 거리: 60 km, 속력: 시속 $x$ km

➡ (시간) $= \dfrac{(거리)}{(속력)}$ 이므로 (시간) $= \dfrac{60}{x}$ (시간)

(3) (직사각형의 넓이) $=$ (가로의 길이) $\times$ (세로의 길이)

➡ (세로의 길이) $= \dfrac{(넓이)}{(가로의 길이)}$ 이므로

(세로의 길이) $= \dfrac{56}{x}$ cm

**06** ② 한 시간에 $x$ km로 4시간 동안 간 거리 ➡ $4x$ km

---

**07 식을 간단히 나타내기(1)** 018~019쪽

**01** (1) 30  (2) $\dfrac{4}{5}$  (3) $-42x$  (4) $x$  (5) $\dfrac{24}{7}x$  (6) $-6x$

**02** (1) 7, 7, 28  (2) $-3$, $-24$  (3) $-25x$  (4) $21x$

(5) $-0.4x$  (6) $-\dfrac{4}{3}x$

**03** (1) 2  (2) $\dfrac{1}{15}$, $\dfrac{1}{5}$  (3) $\dfrac{8}{3}$, $\dfrac{32}{3}x$  (4) $\dfrac{4}{10}$, $\dfrac{10}{4}$, $5x$

(5) $-4x$  (6) $-2x$

**04** (1) $-\dfrac{5}{7}x$  (2) $-\dfrac{9}{4}x$  (3) $-\dfrac{4}{3}x$  (4) $-\dfrac{12}{5}x$

(5) $-\dfrac{15}{2}x$  (6) $\dfrac{70}{3}x$

**01** (1) $5x \times 6 = (5 \times 6)x = 30x$

(2) $4x \times \dfrac{1}{5} = \left(4 \times \dfrac{1}{5}\right)x = \dfrac{4}{5}x$

(3) $(-6x) \times 7 = -(6 \times 7)x = -42x$

(4) $0.2x \times 5 = (0.2 \times 5)x = 1x = x$

(5) $\dfrac{3}{7} \times 8x = \left(\dfrac{3 \times 8}{7}\right)x = \dfrac{24}{7}x$

(6) $(-9x) \times \dfrac{2}{3} = -\left(\dfrac{\overset{3}{9} \times 2}{\underset{1}{3}}\right)x = -6x$

> 잠깐만 1 또는 $-1$은 생략한다. ➡ $1 \times x = x$, $(-1) \times x = -x$

**02** (3) $(-5x) \times 5 = (-5) \times x \times 5 = (-5) \times 5 \times x = -25x$

(4) $\dfrac{7}{2}x \times 6 = \dfrac{7}{2} \times x \times 6 = \dfrac{7}{2} \times \overset{3}{\underset{1}{6}} \times x = 21x$

(5) $(-0.1x) \times 4 = (-0.1) \times x \times 4$

$= (-0.1) \times 4 \times x = -0.4x$

(6) $2x \times \left(-\dfrac{2}{3}\right) = 2 \times x \times \left(-\dfrac{2}{3}\right)$

$= 2 \times \left(-\dfrac{2}{3}\right) \times x = -\dfrac{4}{3}x$

**03** (1) $16x \div 8 = (16 \div 8)x = 2x$

(2) $3x \div 15 = \left(\overset{1}{3} \times \dfrac{1}{\underset{3}{15}}\right)x = \dfrac{1}{5}x$

(3) $4x \div \dfrac{3}{8} = \left(4 \times \dfrac{8}{3}\right)x = \dfrac{32}{3}x$

(4) $2x \div 0.4 = 2x \div \dfrac{4}{10} = 2x \times \dfrac{10}{4} = \left(\overset{1}{2} \times \dfrac{\overset{5}{10}}{\underset{\underset{1}{2}}{4}}\right)x = 5x$

(5) $(-20x) \div 5 = (-20x) \times \dfrac{1}{5} = -\left(\overset{4}{20} \times \dfrac{1}{\underset{1}{5}}\right)x = -4x$

(6) $12x \div (-6) = 12x \times \left(-\dfrac{1}{6}\right) = -\left(\overset{2}{12} \times \dfrac{1}{\underset{1}{6}}\right)x = -2x$

**04** (1) $5x \div (-7) = 5x \times \left(-\dfrac{1}{7}\right) = -\left(5 \times \dfrac{1}{7}\right)x = -\dfrac{5}{7}x$

(2) $2x \div \left(-\dfrac{8}{9}\right) = 2x \times \left(-\dfrac{9}{8}\right) = -\left(\overset{1}{2} \times \dfrac{9}{\underset{4}{8}}\right)x = -\dfrac{9}{4}x$

(3) $4x \div (-3) = 4x \times \left(-\dfrac{1}{3}\right) = -\left(4 \times \dfrac{1}{3}\right)x = -\dfrac{4}{3}x$

(4) $(-3x)\div\dfrac{5}{4}=(-3x)\times\dfrac{4}{5}=-\left(3\times\dfrac{4}{5}\right)x=-\dfrac{12}{5}x$

(5) $(-6x)\div0.8=(-6x)\div\dfrac{8}{10}=(-6x)\times\dfrac{10}{8}$

$\qquad=-\left(\overset{3}{6}\times\dfrac{\overset{5}{10}}{\underset{4}{8}}\right)x=-\dfrac{15}{2}x$
$\qquad\qquad\qquad\quad\underset{2}{\ }$

(6) $(-7x)\div(-0.3)=(-7x)\div\left(-\dfrac{3}{10}\right)$

$\qquad=(-7x)\times\left(-\dfrac{10}{3}\right)$

$\qquad=+\left(7\times\dfrac{10}{3}\right)x=\dfrac{70}{3}x$

---

## 08 식을 간단히 나타내기(2)  020~021쪽

**01** (1) 8 (2) 13 (3) $1.7x$ (4) $-0.6x$

(5) $\dfrac{8}{5}x$ (6) $-\dfrac{3}{5}x$

**02** (1) 7 (2) 9 (3) $5.9x$ (4) $2.4x$ (5) $\dfrac{3}{7}x$ (6) $\dfrac{1}{9}x$

**03** ①, ④

**04** (1) 8, $-3$, $-x$ (2) 6, 6, $-9x$ (3) $\dfrac{19}{12}x$ (4) $-\dfrac{23}{10}x$

**05** (1) 10, 4, 5, 7, 14, 12 (2) $-3$, 1, 13, 9, $-2$, 4

(3) $8.1x-14$ (4) $8x+3$ (5) $\dfrac{9}{7}x+22$

(6) $-\dfrac{17}{5}x-19$

---

**01** (1) $5x+3x=(5+3)x=8x$

(2) $12x+x=(12+1)x=13x$

(3) $0.2x+1.5x=(0.2+1.5)x=1.7x$

(4) $(-0.8x)+0.2x=-(0.8-0.2)x=-0.6x$

(5) $\dfrac{7}{5}x+\dfrac{1}{5}x=\left(\dfrac{7}{5}+\dfrac{1}{5}\right)x=\dfrac{8}{5}x$

(6) $\dfrac{3}{5}x+\left(-\dfrac{6}{5}x\right)=-\left(\dfrac{6}{5}-\dfrac{3}{5}\right)x=-\dfrac{3}{5}x$

**02** (1) $11x-4x=(11-4)x=7x$

(2) $10x-x=(10-1)x=9x$

(3) $6x-0.1x=(6-0.1)x=5.9x$

(4) $1.9x-(-0.5x)=1.9x+(+0.5x)=(1.9+0.5)x=2.4x$

(5) $\dfrac{4}{7}x-\dfrac{1}{7}x=\left(\dfrac{4}{7}-\dfrac{1}{7}\right)x=\dfrac{3}{7}x$

(6) $\dfrac{2}{3}x-\dfrac{5}{9}x=\dfrac{6}{9}x-\dfrac{5}{9}x=\left(\dfrac{6}{9}-\dfrac{5}{9}\right)x=\dfrac{1}{9}x$

**03** ⑤ 문자가 다르다.

**04** (3) $\dfrac{1}{4}x+x+\dfrac{1}{3}x=\left(\dfrac{1}{4}+1+\dfrac{1}{3}\right)x$

$\qquad=\left(\dfrac{3}{12}+\dfrac{12}{12}+\dfrac{4}{12}\right)x=\dfrac{19}{12}x$

---

(4) $-\dfrac{1}{2}x+\dfrac{1}{5}x-2x=\left(-\dfrac{1}{2}+\dfrac{1}{5}-2\right)x$

$\qquad=\left(-\dfrac{5}{10}+\dfrac{2}{10}-\dfrac{20}{10}\right)x=-\dfrac{23}{10}x$

**잠깐만** 부호가 생략된 수의 덧셈과 뺄셈

(1) $5x-8x+2x=(5-8+2)x$

$\qquad\quad\downarrow\;(+5)+(-8)+(+2)$

$\qquad=-(8-5)+(+2)=(-3)+(+2)$

$\qquad=-(3-2)=-1$

**05** (3) $7.3x+0.8x-10-4=(7.3+0.8)x+(-10-4)$

$\qquad=8.1x-14$

(4) $15x-7x-1+4=(15-7)x+(-1+4)=8x+3$

(5) $\dfrac{12}{7}x+20-\dfrac{3}{7}x+2=\dfrac{12}{7}x-\dfrac{3}{7}x+20+2$

$\qquad=\left(\dfrac{12}{7}-\dfrac{3}{7}\right)x+(20+2)$

$\qquad=\dfrac{9}{7}x+22$

(6) $-\dfrac{11}{5}x-11-\dfrac{6}{5}x-8=-\dfrac{11}{5}x-\dfrac{6}{5}x-11-8$

$\qquad=\left(-\dfrac{11}{5}-\dfrac{6}{5}\right)x+(-11-8)$

$\qquad=-\dfrac{17}{5}x-19$

---

## 09 괄호가 있는 식을 간단히 나타내기  022~023쪽

**01** (1) 2, 2, 2, 14 (2) $2x$, 3, $-8$, 12

(3) $-x+3$ (4) $3x-\dfrac{3}{2}$

**02** (1) 4, 20, 7, 20 (2) 5, 5, 15, $-3$, 25

(3) $9x-16$ (4) $26x+8$ (5) $4x+6$ (6) $3x-\dfrac{11}{3}$

**03** (1) $\dfrac{1}{7}$, $\dfrac{1}{7}$, $\dfrac{1}{7}$, $\dfrac{1}{7}$, 1 (2) $-\dfrac{1}{4}$, $-\dfrac{1}{4}$, $-\dfrac{1}{4}$, $-\dfrac{1}{2}$, $\dfrac{3}{4}$

(3) $4x-3$ (4) $5x-3$

**04** (1) $x+\dfrac{7}{2}$ (2) $-\dfrac{2}{3}x-\dfrac{5}{3}$ (3) $10x+30$

(4) $-18x+54$ (5) $18x+27$ (6) $8x-12$

---

**01** (3) $-\dfrac{1}{3}(3x-9)=-\dfrac{1}{3}\times3x+\dfrac{1}{3}\times\overset{3}{9}=-x+3$
$\qquad\qquad\qquad\quad\underset{1}{\ }\qquad\underset{1}{\ }$

(4) $(4x-2)\times\dfrac{3}{4}=\overset{1}{4}x\times\dfrac{3}{\underset{1}{4}}-\overset{1}{2}\times\dfrac{3}{\underset{2}{4}}=3x-\dfrac{3}{2}$

**02** (3) $13x-2(2x+8)=13x-4x-16=9x-16$

(4) $-2(x+3)+7(4x+2)=-2x-6+28x+14$

$\qquad=-2x+28x-6+14$

$\qquad=26x+8$

(5) $\dfrac{1}{4}(8x+12)+\dfrac{1}{2}(6+4x)$

$\qquad=\dfrac{1}{\underset{1}{4}}\times\overset{2}{8}x+\dfrac{1}{\underset{1}{4}}\times\overset{3}{12}+\dfrac{1}{\underset{1}{2}}\times\overset{3}{6}+\dfrac{1}{\underset{1}{2}}\times\overset{2}{4}x$

$\qquad=2x+3+3+2x=2x+2x+3+3$

$\qquad=4x+6$

(6) $\dfrac{2}{3}(5x-4)-\dfrac{1}{3}(x+3)$

$=\dfrac{2}{3}\times5x-\dfrac{2}{3}\times4-\dfrac{1}{3}\times x-\dfrac{1}{3}\times3$

$=\dfrac{10}{3}x-\dfrac{8}{3}-\dfrac{1}{3}x-\dfrac{3}{3}$

$=\dfrac{10}{3}x-\dfrac{1}{3}x-\dfrac{8}{3}-\dfrac{3}{3}$

$=\dfrac{9}{3}x-\dfrac{11}{3}=3x-\dfrac{11}{3}$

**03** (3) $(12x-9)\div3=(12x-9)\times\dfrac{1}{3}$

$=\overset{4}{12}x\times\dfrac{1}{\underset{1}{3}}-\overset{3}{9}\times\dfrac{1}{\underset{1}{3}}$

$=4x-3$

(4) $(-10x+6)\div(-2)=(-10x+6)\times\left(-\dfrac{1}{2}\right)$

$=-\overset{5}{10}x\times\left(-\dfrac{1}{\underset{1}{2}}\right)+\overset{3}{6}\times\left(-\dfrac{1}{\underset{1}{2}}\right)$

$=5x-3$

**04** (1) $(2x+7)\times3\div6=(2x+7)\times3\times\dfrac{1}{\underset{2}{6}}=(2x+7)\times\dfrac{1}{2}$

$=\overset{1}{2}x\times\dfrac{1}{\underset{1}{2}}+7\times\dfrac{1}{2}=x+\dfrac{7}{2}$

(2) $-\dfrac{1}{2}(4x+10)\div3=\left(-\dfrac{1}{2}\right)\times(4x+10)\times\dfrac{1}{3}$

$=\left(-\dfrac{1}{2}\right)\times\dfrac{1}{3}\times(4x+10)$

$=\left(-\dfrac{1}{6}\right)\times(4x+10)$

$=\left(-\dfrac{1}{\underset{3}{6}}\right)\times\overset{2}{4}x-\dfrac{1}{\underset{3}{6}}\times\overset{5}{10}$

$=-\dfrac{2}{3}x-\dfrac{5}{3}$

(3) $(3x+9)\div\dfrac{3}{5}\times2=(3x+9)\times\dfrac{5}{3}\times2=(3x+9)\times\dfrac{10}{3}$

$=\overset{1}{3}x\times\dfrac{10}{\underset{1}{3}}+\overset{3}{9}\times\dfrac{10}{\underset{1}{3}}$

$=10x+30$

(4) $-(6x-18)\div\dfrac{1}{3}=-(6x-18)\times3=(-6x+18)\times3$

$=-6x\times3+18\times3$

$=-18x+54$

(5) $(2x+3)\div\dfrac{2}{3}\times6=(2x+3)\times\dfrac{3}{2}\times\overset{3}{6}=(2x+3)\times9$

$=2x\times9+3\times9=18x+27$

(6) $(-9+6x)\times4\div3=(-9+6x)\times4\times\dfrac{1}{3}$

$=(-9+6x)\times\dfrac{4}{3}$

$=-\overset{3}{9}\times\dfrac{4}{\underset{1}{3}}+\overset{2}{6}x\times\dfrac{4}{\underset{1}{3}}$

$=-12+8x=8x-12$

---

**10 분수 꼴인 식을 간단히 나타내기** 024~025쪽

**01** (1) 2, 3, 2, 5, 3

(2) 3, 4, 3, 8, $-2$, 17, $-\dfrac{1}{6}$, $\dfrac{17}{12}$

**02** (1) $\dfrac{21}{20}x+\dfrac{9}{10}$ (2) $\dfrac{4x-1}{3}$

**03** ③

**04** (1) 5, 3, 18, 3, $-13$, 2

(2) 4, 5, 28, 15, 9, 3

**05** (1) $\dfrac{2}{3}x+\dfrac{5}{2}$ (2) $\dfrac{-19x-1}{12}$

**06** $\dfrac{5}{4}x-\dfrac{5}{12}$

**02** (1) $\dfrac{x+2}{4}+\dfrac{4x+2}{5}=\dfrac{5(x+2)+4(4x+2)}{20}$

$=\dfrac{5x+10+16x+8}{20}$

$=\dfrac{21x+18}{20}=\dfrac{21}{20}x+\dfrac{\overset{9}{18}}{\underset{10}{20}}$

$=\dfrac{21}{20}x+\dfrac{9}{10}$

(2) $\dfrac{x+2}{3}+x-1=\dfrac{x+2}{3}+\dfrac{x-1}{1}=\dfrac{x+2+3(x-1)}{3}$

$=\dfrac{x+2+3x-3}{3}=\dfrac{4x-1}{3}$

**03** $\dfrac{x+4}{2}+\dfrac{5x-1}{6}+\dfrac{2-2x}{3}$

$=\dfrac{3(x+4)+5x-1+2(2-2x)}{6}$

$=\dfrac{3x+12+5x-1+4-4x}{6}$

$=\dfrac{3x+5x-4x+12-1+4}{6}=\dfrac{4x+15}{6}=\dfrac{2}{3}x+\dfrac{5}{2}$

**05** (1) $\dfrac{2x+3}{2}-\dfrac{x-3}{3}=\dfrac{3(2x+3)-2(x-3)}{6}$

$=\dfrac{6x+9-2x+6}{6}$

$=\dfrac{4x+15}{6}=\dfrac{2}{3}x+\dfrac{5}{2}$

(2) $\dfrac{-x+2}{3}-\dfrac{5x+3}{4}=\dfrac{4(-x+2)-3(5x+3)}{12}$

$=\dfrac{-4x+8-15x-9}{12}$

$=\dfrac{-19x-1}{12}$

**06** $\dfrac{x+7}{6}+\dfrac{4x-1}{3}-\dfrac{x+5}{4}$

$=\dfrac{2(x+7)+4(4x-1)-3(x+5)}{12}$

$=\dfrac{2x+14+16x-4-3x-15}{12}$

$=\dfrac{2x+16x-3x+14-4-15}{12}$

$=\dfrac{15x-5}{12}=\dfrac{5}{4}x-\dfrac{5}{12}$

**01** $0, 4, -8, 9$　　**02** $-3.2, -8, -\dfrac{1}{5}$

**03** $7$　　　　　**04** $2$　　　　　**05** $\dfrac{9}{5}$

**06** $-15$　　　**07** $+\dfrac{17}{9}$　　**08** $+0.7$

**09** $+24$　　　**10** $-33$　　　**11** $-\dfrac{7}{9}$

**12** $-\dfrac{5}{6}$　　　**13** $+2$　　　**14** $x\times6+2$

**15** $(x\div8)$원　　**16** $\dfrac{1}{5}x$　　**17** $-\dfrac{5}{2}x$

**18** $\dfrac{27}{2}x$　　　**19** $-\dfrac{5}{2}x$　　**20** $-\dfrac{35}{3}x$

**21** $6x+15$　　**22** $-\dfrac{3}{7}x$　　**23** $\dfrac{19}{18}x$

**24** $6.2x-6$　　**25** $-\dfrac{37}{10}x-6$　　**26** $5x+6$

**27** $2x-27$　　**28** $-x-2$　　**29** $12x+48$

**30** $\dfrac{-5x+17}{12}$

---

**01**
정수 $\begin{cases} \text{양의 정수: } 4, 9 \\ 0 \\ \text{음의 정수: } -8 \end{cases}$

**02** 음의 유리수는 분모와 분자가 자연수인 분수에 음의 부호를 붙인 수이고, 모든 정수와 소수는 분수 꼴로 나타낼 수 있으므로 유리수이다. ➡ $-3.2, -8, -\dfrac{1}{5}$

**03** 절댓값은 그 수에서 부호를 뗀 수와 같다. ➡ $|-7|=7$

**06** $(-7)+(-8)=-(7+8)=-15$

**07** $\left(+\dfrac{2}{9}\right)-\left(-\dfrac{5}{3}\right)=\left(+\dfrac{2}{9}\right)+\left(+\dfrac{5}{3}\right)=+\left(\dfrac{2}{9}+\dfrac{5}{3}\right)$
$=+\left(\dfrac{2}{9}+\dfrac{15}{9}\right)=+\dfrac{17}{9}$

**08** $(+2.3)-(+1.6)=(+2.3)+(-1.6)$
$=+(2.3-1.6)=+0.7$

**09** $(+6)\times(+4)=+(6\times4)=+24$

**10** $(+18)\times\left(-\dfrac{11}{6}\right)=-\left(\overset{3}{\cancel{18}}\times\dfrac{11}{\underset{1}{\cancel{6}}}\right)=-33$

**11** 두 수를 곱해서 1이 될 때, 한 수를 다른 수의 역수라고 한다.
➡ $\underbrace{\left(-\dfrac{9}{7}\right)\times\left(-\dfrac{7}{9}\right)}_{\text{역수}}=1$

**12** $\left(+\dfrac{5}{8}\right)\div\left(-\dfrac{3}{4}\right)=\left(+\dfrac{5}{8}\right)\times\left(-\dfrac{4}{3}\right)$
$=-\left(\dfrac{5}{\underset{2}{\cancel{8}}}\times\dfrac{\overset{1}{\cancel{4}}}{3}\right)=-\dfrac{5}{6}$

**13** $(+3)\div(+1.5)=(+3)\div\left(+\dfrac{15}{10}\right)=(+3)\times\left(+\dfrac{10}{15}\right)$
$=+\left(\overset{1}{\cancel{3}}\times\dfrac{\overset{2}{\cancel{10}}}{\underset{\underset{1}{5}}{\cancel{15}}}\right)=+2$

**14** 어떤 수 $\underset{x\times6}{x의\ 6배}$보다 $\underset{+2}{2만큼\ 큰\ 수}$ ➡ $x\times6+2$

**15** 8개에 $x$원인 사탕 한 개의 가격 ➡ $(x\div8)$원

**17** $(-x)\div\dfrac{2}{5}=(-x)\times\dfrac{5}{2}=\dfrac{5}{2}\times(-x)=-\dfrac{5}{2}x$

**18** $\dfrac{9}{4}x\times6=\dfrac{9}{4}\times x\times6=\dfrac{9}{\underset{2}{\cancel{4}}}\times\overset{3}{\cancel{6}}\times x=\dfrac{27}{2}x$

**19** $(-2x)\div0.8=(-2x)\div\dfrac{8}{10}=(-2x)\times\dfrac{10}{8}$
$=(-2)\times x\times\dfrac{10}{8}$
$=(\overset{1}{\cancel{-2}})\times\dfrac{\overset{5}{\cancel{10}}}{\underset{\underset{4}{\cancel{8}}}{}}\times x=-\dfrac{5}{2}x$

**20** $5x\times\left(-\dfrac{7}{3}\right)=5\times x\times\left(-\dfrac{7}{3}\right)=5\times\left(-\dfrac{7}{3}\right)\times x=-\dfrac{35}{3}x$

**21** $8x+15-2x=8x-2x+15=(8-2)x+15=6x+15$

**22** $\dfrac{2}{7}x+\left(-\dfrac{5}{7}x\right)=\left(\dfrac{2}{7}-\dfrac{5}{7}\right)x=-\dfrac{3}{7}x$

**23** $\dfrac{5}{6}x-\dfrac{7}{9}x+x=\left(\dfrac{5}{6}-\dfrac{7}{9}+1\right)x=\left(\dfrac{15}{18}-\dfrac{14}{18}+\dfrac{18}{18}\right)x$
$=\left(\dfrac{1}{18}+\dfrac{18}{18}\right)x=\dfrac{19}{18}x$

**24** $5.4x-9+0.8x+3=5.4x+0.8x-9+3$
$=(5.4+0.8)x+(-9+3)=6.2x-6$

**25** $-\dfrac{9}{2}x+1+\dfrac{4}{5}x-7=-\dfrac{9}{2}x+\dfrac{4}{5}x+1-7$
$=\left(-\dfrac{9}{2}+\dfrac{4}{5}\right)x+(1-7)$
$=\left(-\dfrac{45}{10}+\dfrac{8}{10}\right)x-6$
$=-\dfrac{37}{10}x-6$

**26** $8x-3(x-2)=8x-3x+6=5x+6$

**27** $4(x-5)-(7+2x)=4x-20-7-2x=4x-2x-20-7$
$=2x-27$

**28** $-\dfrac{1}{3}(6x+12)\div2=-\dfrac{1}{3}\times(6x+12)\times\dfrac{1}{2}$
$=-\dfrac{1}{3}\times\dfrac{1}{2}\times(6x+12)$
$=-\dfrac{1}{6}\times(6x+12)$
$=-\dfrac{1}{\underset{1}{\cancel{6}}}\times\overset{1}{\cancel{6}}x-\dfrac{1}{\underset{1}{\cancel{6}}}\times\overset{2}{\cancel{12}}=-x-2$

**29** $(2x+8)\div\dfrac{2}{3}\times4=(2x+8)\times\dfrac{3}{\underset{1}{\cancel{2}}}\times\overset{2}{\cancel{4}}$
$=(2x+8)\times6=2x\times6+8\times6$
$=12x+48$

**30** $\dfrac{x-1}{4}-\dfrac{2x-5}{3}=\dfrac{3(x-1)-4(2x-5)}{12}$
$=\dfrac{3x-3-8x+20}{12}=\dfrac{-5x+17}{12}$

**2단계** 등식과 방정식      029~046쪽

## 12 등식     030~031쪽

**01** (1) ◯ (2) × (3) ◯ (4) ×

**02** (1) 좌변: $12+5x$, 우변: $8+2x$

     (2) 좌변: 9, 우변: $36-x$

**03** (1) 등식이다. / 좌변: $9+4$, 우변: 25

     (2) 등식이 아니다.

     (3) 등식이다. / 좌변: $x+2$, 우변: 0

     (4) 등식이다. / 좌변: $20-9x$, 우변: $5+\dfrac{x}{3}$

**04** ⑤

**05** (1) $2x$, =, $x+10$ / $2x=x+10$

     (2) $12x$, =, 96 / $12x=96$

     (3) $5000-15x$, =, 500 / $5000-15x=500$

**06** $36-5x=6$      **07** ②

---

**01** (2), (4) 등호가 없으므로 등식이 아니다.

   **잠깐만** 다음은 모두 등식이 아니다.

   ① 등호가 없는 식 ➡ $9×x+2$

   ② 부등호($>$, $<$, $≥$, $≤$)를 사용한 식 ➡ $x+8>15$

**02** (1) $\underset{\text{좌변}}{12+5x}=\underset{\text{우변}}{8+2x}$

   (2) $\underset{\text{좌변}}{9}=\underset{\text{우변}}{36-x}$

**03** (2) 등호가 없으므로 등식이 아니다.

**04** $\underset{\text{좌변}}{-7+4x}=\underset{\text{우변}}{-3x+21}$

**06** $\underset{36}{\underline{\text{연필 36자루}}}$를 $\underset{x×5}{\underline{x\text{명에게 5자루씩}}}$ $\underset{-}{\underline{\text{나누어 주었더니}}}$ $\underset{=6}{\underline{\text{6자루가}}}$
$\underline{\text{남았다.}}$ ➡ $36-5x=6$

**07** ④ $x×4÷9=4x÷9=\dfrac{4x}{9}$

      곱셈 기호 생략    나눗셈 기호 생략

   ⑤ $x÷5$ ➡ $\dfrac{x}{5}>15$

      나눗셈 기호 생략

## 13 방정식     032~033쪽

**01** (1) ◯ (2) × (3) × (4) ◯ (5) × (6) ◯

**02** 0, −1, 2, 거짓 / 1, 2, 참 / 1

**03** (1) 3 (2) 2 (3) 2 (4) 1 (5) 1 (6) 3

**04** (1) ◯ (2) × (3) × (4) ◯

**05** ②      **06** ③

---

**01** (2) 미지수가 없으므로 방정식이 아니다.

   (3), (5) 등호(=)가 없으므로 방정식이 아니다.

   (4), (6) 미지수가 많아도 방정식이다.

**02**

| $x$의 값 | 좌변 | 우변 | 참/거짓 |
|---|---|---|---|
| $-1$ | $3×(-1)-1=-4$ | 2 | 거짓 |
| 0 | $3×0-1=-1$ | 2 | 거짓 |
| 1 | $3×1-1=2$ | 2 | 참 |

방정식의 해 ➡ $x=1$

**03** (1) $x=1$일 때, $12×1=12$

     $x=2$일 때, $12×2=24$

     $x=3$일 때, $12×3=36$ (◯)

   (2) $x=1$일 때, $3×1+1=4$

     $x=2$일 때, $3×2+1=7$ (◯)

     $x=3$일 때, $3×3+1=10$

   (3) $x=1$일 때, $-3×1+5=2$

     $x=2$일 때, $-3×2+5=-1$ (◯)

     $x=3$일 때, $-3×3+5=-4$

   (4) $x=1$일 때, $5-2×1=3$ (◯)

     $x=2$일 때, $5-2×2=1$

     $x=3$일 때, $5-2×3=-1$

   (5) $x=1$일 때, 좌변: $-1+3=2$, 우변: $1+1=2$ (◯)

     $x=2$일 때, 좌변: $-2+3=1$, 우변: $2+1=3$

     $x=3$일 때, 좌변: $-3+3=0$, 우변: $3+1=4$

   (6) $x=1$일 때, 좌변: $-2×1+6=4$, 우변: $1-3=-2$

     $x=2$일 때, 좌변: $-2×2+6=2$, 우변: $2-3=-1$

     $x=3$일 때, 좌변: $-2×3+6=0$, 우변: $3-3=0$ (◯)

**04** [ ] 안의 수를 $x$ 대신에 넣어 계산했을 때 (좌변)=(우변)이
면 방정식의 해이다.

   (1) 좌변: $-4+3=-1$, 우변: $-1$ (◯)

   (2) 좌변: $7-3×3=-2$, 우변: 2

   (3) 좌변: $2×4-4=4$, 우변: 6

   (4) 좌변: $-5$, 우변: $\overset{2}{4}×\left(-\dfrac{1}{\underset{1}{2}}\right)-3=-2-3=-5$ (◯)

   **잠깐만** $x$ 대신에 넣는 수가 음수이면 괄호를 사용한다.

**05** ① 좌변: $4×2+5=13$, 우변: $8×2=16$

   ② 좌변: $9×1-7=2$, 우변: $2×1=2$ (◯)

   ③ 좌변: 12, 우변: $-4×3=-12$

   ④ 좌변: $5×4+10=30$, 우변: 25

   ⑤ 좌변: $-6×5+8=-22$, 우변: $4×5+2=22$

**06** ① 좌변: $2+8=10$, 우변: 6

   ② 좌변: $-3×2+5=-1$, 우변: 8

   ③ 좌변: $5×2-8=2$, 우변: 2 (◯)

   ④ 좌변: $\dfrac{9}{5}×2+3=\dfrac{18}{5}+\dfrac{15}{5}=\dfrac{33}{5}$, 우변: 12

   ⑤ 좌변: $12×2+4=28$, 우변: $-8×2+12=-4$

## 14 등식의 성질(1), 방정식 $x-a=b$ | 034~035쪽

**01** (1) 6 (2) 11 (3) 0.3 (4) $\dfrac{4}{5}$

**02** (1) 12, 12, 12, 32 (2) 7, 7, 7, 4

(3) 1.9, 1.9, 1.9, $-9.1$ (4) $\dfrac{4}{3}$, $\dfrac{4}{3}$, $\dfrac{4}{3}$, $\dfrac{2}{3}$

**03** (1) 9 (2) 1 (3) 7 (4) 1.6 (5) 0.9 (6) $\dfrac{7}{8}$

**04** 같은 수, 더하여도

**05** (왼쪽에서부터) (1) 9, 6 (2) $\dfrac{13}{9}$, $\dfrac{4}{9}$

**06** (1) $x=30$ (2) $x=28$ (3) $x=7$ (4) $x=7.7$

(5) $x=4.4$ (6) $x=-\dfrac{12}{5}$

**04**
$$x-3.4=1.6$$
$$x-3.4\boxed{+3.4}=1.6\boxed{+3.4}$$
$$x=5$$
➡ 등식의 양변에 같은 수를 더하여도 등식은 성립한다.

**05** (1)
$$x-6=3$$
$$x-6\boxed{+6}=3\boxed{+6}$$
$$x=9$$

(2)
$$x-\dfrac{4}{9}=1$$
$$x-\dfrac{4}{9}\boxed{+\dfrac{4}{9}}=1\boxed{+\dfrac{4}{9}}$$
$$x=\dfrac{9}{9}+\dfrac{4}{9}$$
$$x=\dfrac{13}{9}$$

**06** 등식의 양변에 같은 수를 더하여 해를 구한다.

(1)
$$x-15=15$$
$$x-15+15=15+15$$
$$x=30$$

(2)
$$x-20=8$$
$$x-20+20=8+20$$
$$x=28$$

(3)
$$x-9=-2$$
$$x-9+9=-2+9$$
$$x=7$$

(4)
$$x-3.5=4.2$$
$$x-3.5+3.5=4.2+3.5$$
$$x=7.7$$

(5)
$$x-1.1=3.3$$
$$x-1.1+1.1=3.3+1.1$$
$$x=4.4$$

(6)
$$x-\dfrac{1}{5}=-\dfrac{13}{5}$$
$$x-\dfrac{1}{5}+\dfrac{1}{5}=-\dfrac{13}{5}+\dfrac{1}{5}$$
$$x=-\dfrac{12}{5}$$

## 15 등식의 성질(2), 방정식 $x+a=b$ | 036~037쪽

**01** (1) 3 (2) 15 (3) 1.8 (4) $\dfrac{7}{10}$

**02** (1) 7, 7, 7, $-18$ (2) 2, 2, 2, 13

(3) 5.5, 5.5, 5.5, 10.1 (4) $\dfrac{3}{4}$, $\dfrac{3}{4}$, $\dfrac{3}{4}$, $-2$

**03** (1) 2 (2) 3 (3) 11 (4) 2.3 (5) 1.2 (6) $\dfrac{8}{5}$

**04** 같은 수, 빼어도

**05** (왼쪽에서부터) (1) 2.6, 5.4 (2) $-16$, 9

**06** (1) $x=11$ (2) $x=-17$ (3) $x=-6$ (4) $x=2.9$

(5) $x=-2.1$ (6) $x=\dfrac{4}{7}$

**02** (4) $x+\dfrac{3}{4}=-\dfrac{5}{4}$, $x+\dfrac{3}{4}-\dfrac{3}{4}=-\dfrac{5}{4}-\dfrac{3}{4}$

➡ $x=-\dfrac{\overset{2}{\cancel{8}}}{\underset{1}{\cancel{4}}}$, $x=-2$

**04**
$$x+\dfrac{4}{9}=1$$
$$x+\dfrac{4}{9}\boxed{-\dfrac{4}{9}}=1\boxed{-\dfrac{4}{9}}$$
$$x=\dfrac{5}{9}$$
➡ 등식의 양변에서 같은 수를 빼어도 등식은 성립한다.

**05** (1)
$$x+5.4=8$$
$$x+5.4\boxed{-5.4}=8\boxed{-5.4}$$
$$x=2.6$$

(2)
$$x+9=-7$$
$$x+9\boxed{-9}=-7\boxed{-9}$$
$$x=-16$$

**06** (1)
$$x+6=17$$
$$x+6-6=17-6$$
$$x=11$$

(2)
$$x+12=-5$$
$$x+12-12=-5-12$$
$$x=-17$$

(3)
$$x+15=9$$
$$x+15-15=9-15$$
$$x=-6$$

(4)
$$x+2.3=5.2$$
$$x+2.3-2.3=5.2-2.3$$
$$x=2.9$$

(5)
$$x+1.4=-0.7$$
$$x+1.4-1.4=-0.7-1.4$$
$$x=-2.1$$

(6)
$$x+\dfrac{5}{7}=\dfrac{9}{7}$$
$$x+\dfrac{5}{7}-\dfrac{5}{7}=\dfrac{9}{7}-\dfrac{5}{7}$$
$$x=\dfrac{4}{7}$$

## 16 등식의 성질(3), 방정식 $\dfrac{x}{a}=b$  038~039쪽

**01** (1) 12  (2) $-5$  (3) 0.4  (4) $\dfrac{4}{3}$

**02** (1) 8, 8, 8, 32  (2) 12, 12, 12, 36
(3) 5, 5, 5, $-15$  (4) $-7$, $-7$, $-7$, $-14$

**03** (1) 4  (2) 2  (3) 6  (4) 10  (5) 7  (6) $-4$

**04** (왼쪽에서부터) (1) 6, 8  (2) $-6.5$, $-5$

**05** (1) $x=18$  (2) $x=-15$  (3) $x=3.5$  (4) $x=-12.6$
(5) $x=-\dfrac{36}{5}$  (6) $x=10$

**06** ③, ⑤

## 17 등식의 성질(4), 방정식 $ax=b$  040~041쪽

**01** (1) 9  (2) $-4$  (3) 0.7  (4) $\dfrac{5}{6}$

**02** (1) 5, 5, 5, $\dfrac{4}{5}$  (2) 0.4, 0.4, 0.4, $-3$
(3) $-7$, $-7$, $-7$, $-3$  (4) $\dfrac{2}{3}$, $\dfrac{2}{3}$, $\dfrac{2}{3}$, $\dfrac{6}{5}$

**03** (1) 2  (2) $-3$  (3) $-7$  (4) 1.6  (5) 0.4  (6) 9

**04** (왼쪽에서부터) (1) 5, 1.2  (2) $-\dfrac{9}{4}$, $-\dfrac{5}{3}$

**05** (1) $x=9$  (2) $x=-3$  (3) $x=16$  (4) $x=-13$

**06** (1) ㉡, ㉣  (2) ㉠, ㉢

---

**04** (1) $\dfrac{x}{8}=\dfrac{3}{4}$

$\dfrac{x}{8}\times 8=\dfrac{3}{4}\times \overset{2}{8}$

$x=6$

(2) $-\dfrac{x}{5}=1.3$

$-\dfrac{x}{5}\times(-5)=1.3\times(-5)$

$x=-6.5$

**05** (1) $\dfrac{x}{2}=9$

$\dfrac{x}{2}\times 2=9\times 2$

$x=18$

(2) $-\dfrac{x}{3}=5$

$-\dfrac{x}{3}\times(-3)=5\times(-3)$

$x=-15$

> 잠깐만 $x$의 계수가 음수이면 양변에 음수를 곱한다.

(3) $\dfrac{x}{5}=0.7$

$\dfrac{x}{5}\times 5=0.7\times 5$

$x=3.5$

(4) $\dfrac{x}{3}=-4.2$

$\dfrac{x}{3}\times 3=-4.2\times 3$

$x=-12.6$

(5) $-\dfrac{1}{4}x=\dfrac{9}{5}$

$-\dfrac{1}{4}x\times(-4)=\dfrac{9}{5}\times(-4)$

$x=-\dfrac{36}{5}$

(6) $\dfrac{1}{6}x=\dfrac{5}{3}$

$\dfrac{1}{6}x\times 6=\dfrac{5}{3}\times \overset{2}{6}$

$x=10$

**06** ① $a=b$이면 $a-c=b-c$이다.
②, ④ $a=b$이면 $a+c=b+c$이다.
③, ⑤ $a=b$이면 $ac=bc$이다.

---

**04** (1) $1.2x=6$

$1.2x\div 1.2=6\div 1.2$

$x=5$

(2) $-\dfrac{5}{3}x=\dfrac{15}{4}$

$-\dfrac{5}{3}x\div\left(-\dfrac{5}{3}\right)=\dfrac{15}{4}\div\left(-\dfrac{5}{3}\right)$

$x=\dfrac{\overset{3}{15}}{4}\times\left(-\dfrac{3}{5}\right)$

$x=-\dfrac{9}{4}$

**05** (1) $5x=45$

$5x\div 5=45\div 5$

$x=9$

(2) $13x=-39$

$13x\div 13=-39\div 13$

$x=-3$

(3) $0.2x=3.2$

$0.2x\div 0.2=3.2\div 0.2$

$x=16$

(4) $-\dfrac{1}{2}x=\dfrac{13}{2}$

$-\dfrac{1}{2}x\div\left(-\dfrac{1}{2}\right)=\dfrac{13}{2}\div\left(-\dfrac{1}{2}\right)$

$x=\dfrac{13}{2}\times\left(-\overset{1}{2}\right)$

$x=-13$

**06** (1) $2x+2=5$

$2x+2-2=5-2$ ← 양변에서 2를 빼면(㉡)

$2x=3$

$2x\div 2=3\div 2$ ← 양변을 2로 나누면(㉣)

$x=\dfrac{3}{2}$

(2) $\dfrac{x}{4}-3=9$

$\dfrac{x}{4}-3+3=9+3$ ← 양변에 3을 더하면(㉠)

$\dfrac{x}{4}=12$

$\dfrac{x}{4}\times 4=12\times 4$ ← 양변에 4를 곱하면(㉢)

$x=48$

**01** (1) $4$   (2) $3x$   (3) $-x=-8-5$   (4) $x=2+6$

    (5) $2x=4+1$   (6) $x+5x=-8$

**02** (1) $x+6x=6+8$   (2) $-x+2x=5-3$

    (3) $2x+8x=-6-4$   (4) $-5x-3x=5+11$

**03** (1) $-5$   (2) $3x$   (3) $2x=-4$   (4) $\frac{4}{5}x=1$

**04** (1) $12,\ 8$   (2) $5.5,\ 11.5$

**05** (1) $x=11$   (2) $x=10$   (3) $x=-5.1$   (4) $x=3.5$

    (5) $x=-\dfrac{9}{5}$   (6) $x=\dfrac{5}{7}$

**06** ④           **07** ②, ④

**03** (1) $7x=3-8$

       $7x=-5$

  (2) $x+2x=1$

       $3x=1$

  (3) $4x-2x=-9+5$

       $2x=-4$

  (4) $x-\dfrac{x}{5}=-2+3,\ \dfrac{5}{5}x-\dfrac{x}{5}=1$

       $\dfrac{4}{5}x=1$

**05** (1) $x-7=4$

       $x=4+7$

       $x=11$

  (2) $5+x=15$

       $x=15-5$

       $x=10$

  (3) $x+2=-3.1$

       $x=-3.1-2$

       $x=-5.1$

  (4) $x-8=-4.5$

       $x=-4.5+8$

       $x=3.5$

  (5) $x+\dfrac{8}{5}=-\dfrac{1}{5}$

       $x=-\dfrac{1}{5}-\dfrac{8}{5}$

       $x=-\dfrac{9}{5}$

  (6) $x-\dfrac{2}{7}=\dfrac{3}{7}$

       $x=\dfrac{3}{7}+\dfrac{2}{7}$

       $x=\dfrac{5}{7}$

**06** ① $2x+15=25$      ② $5x-2=-8$

       $2x=25-15$          $5x=-8+2$

  ③ $7x+4=4x$       ⑤ $4x=-5x$

     $7x-4x=-4$          $4x+5x=0$

**07** $4x-7=3$   ┐ $-7$을 이항

     $4x=3+7$ ┘

➡     $4x-7=3$   |   $4x-7=3$

   $4x-7+7=3+7$  |  $4x-7-(-7)=3-(-7)$

       $4x=10$     |        $4x=10$

**01** ×     **02** ○     **03** ○

**04** ×     **05** 좌변: $8$, 우변: $-3+5x$

**06** $7$     **07** $-2$     **08** $0.3$

**09** $6,\ 6,\ 15$   **10** $3,\ 3,\ -6$   **11** $\dfrac{3}{4}$

**12** $\dfrac{2}{9}$     **13** $-4$     **14** $0.5$

**15** $x=1$    **16** $8x+7x=21$   **17** $10x=9-3$

**18** $x-9x=40$   **19** ×     **20** ○

**21** $x=-1$   **22** $x=16$   **23** $x=-\dfrac{21}{5}$

**24** $x=5$    **25** $x=-\dfrac{1}{45}$   **26** ⑤

**27** ③      **28** ④

**01** 등호($=$)가 없으므로 등식이 아니다.

**02** 등호($=$)가 있으므로 등식이다.

**03** 미지수 $x$가 있는 등식이므로 방정식이다.

**04** 등호($=$)가 없으므로 방정식이 아니다.

**06** $a=b$이면 $a+c=b+c$이다.

**07** $a=b$이면 $ac=bc$이다.

**08** $a=b$이면 $\dfrac{a}{c}=\dfrac{b}{c}$ (단, $c\neq0$)이다.

**09** 등식의 양변에 같은 수를 더하여도 등식은 성립한다.

  ➡ 양변에 $6$을 더한다.

**10** 등식의 양변에 같은 수를 곱하여도 등식은 성립한다.

  ➡ 양변에 $3$을 곱한다.

**11**     $x-\dfrac{3}{4}=-15$   ┐ 양변에 $\frac{3}{4}$을 더하면

   $x-\dfrac{3}{4}+\dfrac{3}{4}=-15+\dfrac{3}{4}$ ◀┘

**12**     $x+\dfrac{2}{9}=30$   ┐ 양변에서 $\frac{2}{9}$를 빼면

   $x+\dfrac{2}{9}-\dfrac{2}{9}=30-\dfrac{2}{9}$ ┘

**13**      $-\dfrac{x}{4}=7$   ┐ 양변에 $-4$를 곱하면

   $-\dfrac{x}{4}\times(-4)=7\times(-4)$ ┘

**14**
$$0.5x=30$$
$$0.5x \div 0.5 = 30 \div 0.5$$ ← 양변을 0.5로 나누면

**15** $x=-1$일 때, $-(-1)+4=1+4=5$
$x=0$일 때, $0+4=4$
$x=1$일 때, $-1+4=3$
따라서 방정식의 해는 $x=1$이다.

**16** $-\blacksquare$를 이항 $\rightarrow +\blacksquare$로 부호가 바뀐다.
$$8x=21-7x \Rightarrow 8x+7x=21$$

**17** $+\blacksquare$를 이항 $\rightarrow -\blacksquare$로 부호가 바뀐다.
$$10x+3=9 \Rightarrow 10x=9-3$$

**18** $+\blacksquare$를 이항 $\rightarrow -\blacksquare$로 부호가 바뀐다.
$$x=40+9x \Rightarrow x-9x=40$$

**19** $x$ 대신 2를 넣으면
좌변: $4\times2+6=14$, 우변: 2

**20** $x$ 대신 $-1$을 넣으면
좌변: $-2(-1+3)=(-2)\times2=-4$, 우변: $-4$

**21**
$$x+9=8$$
$$x+9-9=8-9$$
$$x=-1$$

**22**
$$x-11=5$$
$$x=5+11$$
$$x=16$$

**23**
$$\frac{x}{6}=-0.7$$
$$\frac{x}{6}\times6=-\frac{7}{\overset{}{10}}\times\overset{3}{6}$$
$$x=-\frac{21}{5}$$

**24**
$$2.1x=10.5$$
$$2.1x\div2.1=10.5\div2.1$$
$$x=\frac{\overset{5}{105}}{\underset{1}{10}}\times\frac{\overset{1}{10}}{\underset{1}{21}}$$
$$x=5$$

**25**
$$x+\frac{4}{9}=\frac{19}{45}$$
$$x=\frac{19}{45}-\frac{4}{9}=\frac{19}{45}-\frac{20}{45}$$
$$x=-\frac{1}{45}$$

**26** ⑤ $35-6x=2$

**27**
$$\frac{1}{3}x+2=1$$
$$\frac{1}{3}x+2-2=1-2$$ ← 양변에서 2를 빼면 (ㄴ)
$$\frac{1}{3}x=-1$$
$$\frac{1}{3}x\times3=-1\times3$$ ← 양변에 3을 곱하면 (ㄷ)
$$x=-3$$

**28** ① $x=10$ ② $x=-1$ ③ $x=-2$ ④ $x=2$ ⑤ $x=-10$

---

**3단계 방정식 풀기** 047~064쪽

**20 방정식 $ax+b=c$, $ax-b=c$** 048~049쪽

**01** (1) 5, 9, 2, $\frac{9}{2}$, $\frac{9}{2}$ / 2

(2) 10, $-12$, 3, $-\frac{12}{3}$, $-4$ / 3

**02** (1) 1.9, 1.6, 1.6, 2, 0.8

(2) $\frac{1}{10}$, 5, 5, $\frac{1}{5}$, $\frac{1}{10}$

**03** (1) 1 (2) $\frac{1}{2}$

**04** (1) $x=-\frac{3}{4}$ (2) $x=-\frac{1}{7}$ (3) $x=0.6$

(4) $x=2$ (5) $x=5$ (6) $x=1$

**05** $3x-6=24$
$$3x=24+6$$
$$3x=30$$
$$x=10$$

**06** $4x-4=16$, $x=5$

---

**03** (1) $6x-5=1$
$$6x=1+5$$
$$6x=6$$
$$x=1$$

(2) $8x-7=-3$
$$8x=-3+7$$
$$8x=4$$
$$x=\frac{\overset{1}{4}}{\underset{2}{8}}$$
$$x=\frac{1}{2}$$

**04** $x$를 포함하는 항을 좌변으로, 상수항을 우변으로 이항하여 방정식을 푼다.

(1) $8=-4x+5$
$$4x=5-8$$
$$4x=-3$$
$$x=-\frac{3}{4}$$

(2) $-7x-\frac{2}{3}=\frac{1}{3}$
$$-7x=\frac{1}{3}+\frac{2}{3}$$
$$-7x=1$$
$$x=-\frac{1}{7}$$

(3) $4x+0.5=2.9$
$$4x=2.9-0.5$$
$$4x=2.4$$
$$x=0.6$$

(4) $2x - \dfrac{5}{3} = \dfrac{7}{3}$

$\quad\quad 2x = \dfrac{7}{3} + \dfrac{5}{3}$

$\quad\quad 2x = \dfrac{12}{3}$

$\quad\quad 2x = 4$

$\quad\quad\quad x = 2$

(5) $9 - 3x = -6$

$\quad -3x = -6 - 9$

$\quad -3x = -15$

$\quad\quad\quad x = 5$

(6) $-1.2 + 5x = 3.8$

$\quad\quad 5x = 3.8 + 1.2$

$\quad\quad 5x = 5$

$\quad\quad\quad x = 1$

**05** 이항할 때 부호에 주의한다.

$3x - 6 = 24$

$\quad 3x = 24 + 6$

$\quad 3x = 30$

$\quad\quad x = 10$

**06** 어떤 수를 $x$라 하고 문장을 방정식으로 나타낸다.

좌변: 어떤 수의 4배에서 4를 뺐더니 → $x \times 4 - 4$

우변: 16

➡ $x \times 4 - 4 = 16$

$\quad 4x - 4 = 16$

$\quad\quad 4x = 16 + 4$

$\quad\quad 4x = 20$

$\quad\quad\quad x = 5$

---

**21** 방정식 $ax + b = cx + d$　　　050~051쪽

**01** (1) $3x$, $4$, $2$, $16$, $8$ / $2$

　　(2) $6x$, $13$, $10$, $-5$, $-\dfrac{1}{2}$ / $10$

**02** (1) $3x$, $1.2$, $5$, $1.5$, $5$, $15$, $15$, $\dfrac{1}{5}$, $\dfrac{3}{10}$

　　(2) $x$, $\dfrac{2}{9}$, $5$, $5$, $5$, $\dfrac{1}{5}$, $\dfrac{1}{9}$

**03** (1) $2$　　(2) $\dfrac{4}{7}$

**04** (1) $x = 3$　(2) $x = \dfrac{3}{7}$　(3) $x = \dfrac{1}{10}$　(4) $x = \dfrac{1}{10}$

　　(5) $x = 3$　(6) $x = \dfrac{1}{27}$

**05** ⑤

**06** $9x + 2 = 7x + 5$, $x = \dfrac{3}{2}$

---

**03** (1) $2x + 1 = x + 3$

$\quad 2x - x = 3 - 1$

$\quad\quad\quad x = 2$

(2) $12x + 5 = 5x + 9$

$\quad 12x - 5x = 9 - 5$

$\quad\quad\quad 7x = 4$

$\quad\quad\quad\quad x = \dfrac{4}{7}$

**04** (1) $x + 2 = -x + 8$

$\quad x + x = 8 - 2$

$\quad\quad 2x = 6$

$\quad\quad\quad x = 3$

(2) $2x = -x + \dfrac{9}{7}$

$\quad 2x + x = \dfrac{9}{7}$, $3x = \dfrac{9}{7}$

$\quad x = \dfrac{\overset{3}{\cancel{9}}}{7} \times \dfrac{1}{\underset{1}{\cancel{3}}}$, $x = \dfrac{3}{7}$

(3) $6x + 2.1 = -6x + 3.3$

$\quad 6x + 6x = 3.3 - 2.1$

$\quad\quad 12x = 1.2$

$\quad x = \dfrac{\overset{1}{\cancel{12}}}{10} \times \dfrac{1}{\underset{1}{\cancel{12}}}$, $x = \dfrac{1}{10}$

(4) $-5x + 1.4 = 2x + 0.7$

$\quad 1.4 - 0.7 = 2x + 5x$

$\quad 0.7 = 7x$, $7x = 0.7$

$\quad x = \dfrac{\overset{1}{\cancel{7}}}{10} \times \dfrac{1}{\underset{1}{\cancel{7}}}$, $x = \dfrac{1}{10}$

(5) $-6x + 9 = -3x$

$\quad\quad 9 = -3x + 6x$

$\quad\quad 9 = 3x$, $3x = 9$

$\quad\quad\quad x = 3$

(6) $4x + \dfrac{2}{9} = -2x + \dfrac{4}{9}$

$\quad 4x + 2x = \dfrac{4}{9} - \dfrac{2}{9}$

$\quad\quad 6x = \dfrac{2}{9}$

$\quad x = \dfrac{\overset{1}{\cancel{2}}}{9} \times \dfrac{1}{\underset{3}{\cancel{6}}}$, $x = \dfrac{1}{27}$

**05** ① $x + 3 = 2x + 2$

$\quad 3 - 2 = 2x - x$

$\quad\quad x = 1$

② $4x + 5 = x + 8$

$\quad 4x - x = 8 - 5$

$\quad\quad 3x = 3$

$\quad\quad\quad x = 1$

③ $3x+1=2+2x$

$3x-2x=2-1$

$x=1$

④ $-4x+6=-2x+4$

$6-4=-2x+4x$

$2=2x, 2x=2$

$x=1$

⑤ $2-3x=7+2x$

$2-7=2x+3x$

$-5=5x, 5x=-5$

$x=-1$

**06** 어떤 수를 $x$라 하고 문장을 방정식으로 나타낸다.

좌변: 어떤 수의 9배에 2를 더한 수 $\rightarrow x \times 9 + 2$

우변: 어떤 수의 7배에 5를 더한 수 $\rightarrow x \times 7 + 5$

➡ $x \times 9 + 2 = x \times 7 + 5$

$9x+2=7x+5$

$9x-7x=5-2$

$2x=3$

$x=\dfrac{3}{2}$

---

**22 방정식 $ax-b=cx+d$**    052~053쪽

**01** (1) $2x$, 9, 8, 16, 2 / 8  (2) 4, $3x$, 9, $-9$, $-1$ / 9

**02** (1) $4x$, 0.5, 5, 5.5, 5, 55, 55, $\dfrac{1}{5}$, $\dfrac{11}{10}$

(2) $8x$, $\dfrac{7}{11}$, 10, 10, 10, $\dfrac{1}{10}$, $\dfrac{1}{11}$

**03** (1) 9  (2) 2

**04** (1) $x=-\dfrac{10}{7}$  (2) $x=-\dfrac{6}{5}$  (3) $x=2$  (4) $x=\dfrac{2}{9}$

(5) $x=1$  (6) $x=\dfrac{9}{10}$

**05** ①

**06** $7x-2=5x+12$, $x=7$

---

**03** (1) $3x-12=x+6$

$3x-x=6+12$

$2x=18$

$x=9$

(2) $10x-24=-5x+6$

$10x+5x=6+24$

$15x=30$

$x=2$

---

**04** (1) $-7+2x=9x+3$

$-7-3=9x-2x$

$-10=7x, 7x=-10$

$x=-\dfrac{10}{7}$

(2) $-3x-8=5x+\dfrac{8}{5}$

$-8-\dfrac{8}{5}=5x+3x, -\dfrac{40}{5}-\dfrac{8}{5}=8x$

$8x=-\dfrac{48}{5}$

$x=-\dfrac{\overset{6}{48}}{5} \times \dfrac{1}{\underset{1}{8}}, x=-\dfrac{6}{5}$

(3) $8x-15.2=-7x+14.8$

$8x+7x=14.8+15.2$

$15x=30$

$x=2$

(4) 상수항인 분수의 분모가 다르므로 통분하여 계산한다.

$11x-\dfrac{2}{3}=4x+\dfrac{8}{9}$

$11x-4x=\dfrac{8}{9}+\dfrac{2}{3}, 7x=\dfrac{8}{9}+\dfrac{6}{9}$

$7x=\dfrac{14}{9}$

$x=\dfrac{\overset{2}{14}}{9} \times \dfrac{1}{\underset{1}{7}}, x=\dfrac{2}{9}$

(5) $x-\dfrac{9}{4}=-3x+\dfrac{7}{4}$

$x+3x=\dfrac{7}{4}+\dfrac{9}{4}$

$4x=\dfrac{16}{4}, 4x=4$

$x=1$

(6) $-0.8+5x=2x+1.9$

$5x-2x=1.9+0.8$

$3x=2.7$

$x=\dfrac{\overset{9}{27}}{10} \times \dfrac{1}{\underset{1}{3}}, x=\dfrac{9}{10}$

**05** ① $4x-4=x+5$

$4x-x=5+4$

$3x=9$

$x=3$

② $-4+2x=3x+1$

$-4-1=3x-2x$

$x=-5$

③ $-x-3=5+3x$

$-3-5=3x+x$

$-8=4x, 4x=-8$

$x=-2$

④ $-2x-1=-5x+2$
$-2x+5x=2+1$
$3x=3$
$x=1$

⑤ $3x-2=8-2x$
$3x+2x=8+2$
$5x=10$
$x=2$

**06** 어떤 수를 $x$라 하고 문장을 방정식으로 나타낸다.
좌변: 어떤 수에 7을 곱한 후 2를 뺀 값 → $x \times 7 - 2$
우변: 어떤 수의 5배에 12를 더한 값 → $x \times 5 + 12$
➡ $x \times 7 - 2 = x \times 5 + 12$
$7x-2=5x+12$
$7x-5x=12+2$
$2x=14$
$x=7$

---

## 23 방정식 $ax+b=cx-d$ 054~055쪽

**01** (1) $3x$, $4$, $6$, $-12$, $-2$ / $6$
(2) $4x$, $6$, $14$, $-7$, $-\dfrac{1}{2}$ / $14$

**02** (1) $x$, $3.4$, $8$, $-7$, $-\dfrac{7}{8}$
(2) $1$, $6x$, $13$, $4$, $13$, $\dfrac{1}{4}$, $\dfrac{13}{20}$

**03** (1) $3$   (2) $-3$

**04** (1) $x=\dfrac{9}{10}$   (2) $x=\dfrac{17}{8}$   (3) $x=-\dfrac{7}{10}$   (4) $x=-\dfrac{5}{2}$
(5) $x=\dfrac{3}{4}$   (6) $x=\dfrac{11}{6}$

**05** ⑤

**06** $2x+0.4=4x-2$, $x=1.2$

**03** (1) $4x+3=11x-18$
$3+18=11x-4x$
$21=7x$
$7x=21$
$x=3$

(2) $8x+2=3x-13$
$8x-3x=-13-2$
$5x=-15$
$x=-3$

**04** (1) $6-4x=-2.1+5x$
$6+2.1=5x+4x$
$8.1=9x$
$9x=\dfrac{81}{10}$
$x=\dfrac{\overset{9}{\cancel{81}}}{10} \times \dfrac{1}{\underset{1}{\cancel{9}}}$, $x=\dfrac{9}{10}$

(2) $-x+4=3x-\dfrac{9}{2}$
$4+\dfrac{9}{2}=3x+x$
$4x=\dfrac{8}{2}+\dfrac{9}{2}$, $4x=\dfrac{17}{2}$
$x=\dfrac{17}{2} \times \dfrac{1}{4}$, $x=\dfrac{17}{8}$

(3) $7x+1.2=-2x-5.1$
$7x+2x=-5.1-1.2$
$9x=-6.3$
$x=-\dfrac{\overset{7}{\cancel{63}}}{10} \times \dfrac{1}{\underset{1}{\cancel{9}}}$, $x=-\dfrac{7}{10}$

(4) $3.8+4x=2x-1.2$
$4x-2x=-1.2-3.8$
$2x=-5$
$x=-\dfrac{5}{2}$

(5) $\dfrac{4}{5}+x=5x-\dfrac{11}{5}$
$\dfrac{4}{5}+\dfrac{11}{5}=5x-x$
$\dfrac{15}{5}=4x$, $4x=3$
$x=\dfrac{3}{4}$

(6) $5x+\dfrac{2}{3}=6x-\dfrac{7}{6}$
$\dfrac{2}{3}+\dfrac{7}{6}=6x-5x$
$\dfrac{4}{6}+\dfrac{7}{6}=x$
$x=\dfrac{11}{6}$

**05** ① $2x+4=3x-1$
$4+1=3x-2x$
$x=5$

② $-x+8=2x-1$
$8+1=2x+x$
$9=3x$, $3x=9$
$x=3$

③ $x+2=-4+3x$
$2+4=3x-x$
$6=2x$, $2x=6$
$x=3$

④ $-2x+4=-8x-2$

$\quad -2x+8x=-2-4$

$\quad\quad\quad 6x=-6$

$\quad\quad\quad\quad x=-1$

⑤ $x+1=-7-3x$

$\quad x+3x=-7-1$

$\quad\quad\quad 4x=-8$

$\quad\quad\quad\quad x=-2$

**06** 어떤 수를 $x$라 하고 문장을 방정식으로 나타낸다.

좌변: 어떤 수의 2배에 0.4를 더한 값 → $x\times2+0.4$

우변: 어떤 수와 4의 곱에서 2를 뺀 값 → $x\times4-2$

➡ $x\times2+0.4=x\times4-2$

$\quad 2x+0.4=4x-2$

$\quad 0.4+2=4x-2x$

$\quad 2.4=2x,\ 2x=2.4$

$\quad\quad\quad x=1.2$

---

## 24 방정식 $ax-b=cx-d$

056~057쪽

**01** (1) $3x,\ 2,\ 2,\ -5,\ -\dfrac{5}{2}$ / 2

(2) $\dfrac{4}{5},\ 2x,\ 3,\ 3,\ \dfrac{3}{10},\ \dfrac{1}{3},\ \dfrac{1}{10}$ / 3

**02** (1) $8,\ 7x,\ 5$  (2) $4x,\ 11.9,\ 7,\ 9,\ \dfrac{9}{7}$

**03** (1) $-\dfrac{4}{5}$  (2) $\dfrac{14}{5}$

**04** (1) $x=-2$  (2) $x=1$  (3) $x=-\dfrac{7}{10}$  (4) $x=\dfrac{1}{10}$

(5) $x=4.6$  (6) $x=-\dfrac{1}{16}$

**05** ③

**06** $4x-\dfrac{2}{5}=5x-\dfrac{6}{5},\ x=\dfrac{4}{5}$

---

**03** (1) $9x-5=4x-9$

$\quad 9x-4x=-9+5$

$\quad\quad\quad 5x=-4$

$\quad\quad\quad\quad x=-\dfrac{4}{5}$

(2) $-3x-18=-8x-4$

$\quad -3x+8x=-4+18$

$\quad\quad\quad 5x=14$

$\quad\quad\quad\quad x=\dfrac{14}{5}$

---

**04** (1) $3x-5=-2x-15$

$\quad 3x+2x=-15+5$

$\quad\quad\quad 5x=-10$

$\quad\quad\quad\quad x=-2$

(2) $-13+12x=3x-4$

$\quad 12x-3x=-4+13$

$\quad\quad\quad 9x=9$

$\quad\quad\quad\quad x=1$

(3) $-x-9.2=4x-5.7$

$\quad -9.2+5.7=4x+x$

$\quad -3.5=5x,\ 5x=-3.5$

$\quad x=-\dfrac{\overset{7}{\cancel{35}}}{10}\times\dfrac{1}{\underset{1}{\cancel{5}}},\ x=-\dfrac{7}{10}$

(4) $9x-\dfrac{21}{10}=2x-\dfrac{7}{5}$

$\quad 9x-2x=-\dfrac{7}{5}+\dfrac{21}{10},\ 7x=-\dfrac{14}{10}+\dfrac{21}{10}$

$\quad 7x=\dfrac{7}{10}$

$\quad x=\dfrac{\overset{1}{\cancel{7}}}{10}\times\dfrac{1}{\underset{1}{\cancel{7}}},\ x=\dfrac{1}{10}$

(5) $2x-6.4=3x-11$

$\quad -6.4+11=3x-2x$

$\quad\quad\quad x=4.6$

(6) $-\dfrac{3}{4}+x=5x-\dfrac{1}{2}$

$\quad -\dfrac{3}{4}+\dfrac{1}{2}=5x-x,\ -\dfrac{3}{4}+\dfrac{2}{4}=4x$

$\quad 4x=-\dfrac{1}{4}$

$\quad x=-\dfrac{1}{4}\times\dfrac{1}{4},\ x=-\dfrac{1}{16}$

---

**05**

$\quad 2x-1=5$

$\quad 2x=5+1$

$\quad 2x=6$

$\quad\quad x=3$

① $2x-1=3x-5$

$\quad -1+5=3x-2x$

$\quad\quad\quad x=4$

② $7x-1=5x-3$

$\quad 7x-5x=-3+1$

$\quad\quad\quad 2x=-2$

$\quad\quad\quad\quad x=-1$

③ $-4x-2=-8-2x$

$\quad -2+8=-2x+4x$

$\quad 6=2x,\ 2x=6$

$\quad\quad x=3$

④ $3x-2=-2x-4$
$3x+2x=-4+2$
$5x=-2$
$x=-\dfrac{2}{5}$

⑤ $-3+x=-4x-2$
$x+4x=-2+3$
$5x=1$
$x=\dfrac{1}{5}$

**06** 어떤 수를 $x$라 하고 문장을 방정식으로 나타낸다.

좌변: 어떤 수의 4배에서 $\dfrac{2}{5}$를 뺀 값 → $x\times4-\dfrac{2}{5}$

우변: 어떤 수와 5의 곱에서 $\dfrac{6}{5}$을 뺀 값 → $x\times5-\dfrac{6}{5}$

➡ $x\times4-\dfrac{2}{5}=x\times5-\dfrac{6}{5}$

$4x-\dfrac{2}{5}=5x-\dfrac{6}{5}$

$-\dfrac{2}{5}+\dfrac{6}{5}=5x-4x$

$x=\dfrac{4}{5}$

---

## 25 방정식의 활용 (1)
058~059쪽

**01** (1) 사탕을 나누어 준 사람 수
(2) 5, 57 / $4x+5$, =, 57 / $4x+5=57$
(3) $4x+5=57$
$4x=57-5$
$4x=52$
$x=13$
(4) 13

**02** (1) 어떤 수
(2) $3x-4$, =, 17 / $3x-4=17$
(3) $3x-4=17$
$3x=17+4$
$3x=21$
$x=7$
(4) 7

**03** (1) 산 연필의 개수
(2) $500x+200$, =, 4200 / $500x+200=4200$
(3) $500x+200=4200$
$500x=4200-200$
$500x=4000$
$x=4000\div500$
$x=8$
(4) 8

---

**04** (1) 현재 아들의 나이
(2) $3x-2$, =, 40 / $3x-2=40$
(3) $3x-2=40$
$3x=40+2$
$3x=42$
$x=14$
(4) 14

---

## 26 방정식의 활용 (2)
060~061쪽

**01** (1) 이웃집의 수
(2) 7, 5, 4 / $4x+7$, =, $5x-4$ / $4x+7=5x-4$
(3) $4x+7=5x-4$
$7+4=5x-4x$
$x=11$
(4) 11

**02** (1) 어떤 수
(2) $3x+3.4$, =, $11x-1.4$ / $3x+3.4=11x-1.4$
(3) $3x+3.4=11x-1.4$
$3.4+1.4=11x-3x$
$4.8=8x$
$x=4.8\div8$
$x=0.6$
(4) 0.6

**03** (1) 공책 한 권의 값
(2) $3000-3x$, =, $2000-x-400$ /
$3000-3x=2000-x-400$
(3) $3000-3x=2000-x-400$
$3000-3x=1600-x$
$3000-1600=-x+3x$
$1400=2x$
$x=700$
(4) 700

**04** (1) 저금하는 날수
(2) $3800+500x$, =, $5000+300x$ /
$3800+500x=5000+300x$
(3) $3800+500x=5000+300x$
$500x-300x=5000-3800$
$200x=1200$
$x=6$
(4) 6

## 27 실력 확인 TEST

**01** $3x$, $13$, $5$, $-5$, $-1$

**02** $x=3$

**03** $x=\dfrac{1}{3}$

**04** $x=-2$

**05** $x=1$

**06** $3x$, $0.2$, $4$, $4$, $1$

**07** $x=-3$

**08** $x=3$

**09** $x=2$

**10** $x=-2$

**11** $x$, $1.6$, $4$, $-4$, $-1$

**12** $x=-7$

**13** $x=\dfrac{1}{4}$

**14** $x=-\dfrac{2}{5}$

**15** $x=\dfrac{17}{9}$

**16** $\dfrac{3}{2}$, $9x$, $13$, $13$, $13$, $\dfrac{1}{13}$, $\dfrac{1}{10}$

**17** $x=-2$

**18** $x=4.6$

**19** $x=\dfrac{1}{12}$

**20** $x=-\dfrac{7}{10}$

**21** (1) 산 빵의 개수

(2) $600x+900$, $=$, $3300$ / $600x+900=3300$

(3) $600x+900=3300$
$600x=3300-900$
$600x=2400$
$x=4$

(4) $4$

**22** (1) 저금하는 날수

(2) $2700+600x$, $=$, $4300+400x$ /
$2700+600x=4300+400x$

(3) $2700+600x=4300+400x$
$600x-400x=4300-2700$
$200x=1600$
$x=8$

(4) $8$

**23** (1) 현재 딸의 나이

(2) $3x-1=38$
$3x=38+1$
$3x=39$
$x=13$

(3) $13$

**24** (1) 어떤 수

(2) $3x+4.6=7x-3.4$
$4.6+3.4=7x-3x$
$8=4x$, $4x=8$
$x=2$

(3) $2$

**25** (1) 학생 수

(2) $5x-1=3x+9$
$5x-3x=9+1$
$2x=10$
$x=5$

(3) $5$

**02** $-6x+21=3$
$21-3=6x$
$6x=18$
$x=3$

**03** $3x-\dfrac{1}{5}=\dfrac{4}{5}$
$3x=\dfrac{4}{5}+\dfrac{1}{5}$
$3x=1$
$x=\dfrac{1}{3}$

**04** $-x+5=x+9$
$5-9=x+x$
$-4=2x$, $2x=-4$
$x=-2$

**05** $2x+1.7=-3x+6.7$
$2x+3x=6.7-1.7$
$5x=5$
$x=1$

**07** $-2x-8=x+1$
$-8-1=x+2x$
$-9=3x$, $3x=-9$
$x=-3$

**08** $7x-19=-3x+11$
$7x+3x=11+19$
$10x=30$
$x=3$

**09** $3x-6.3=-x+1.7$
$3x+x=1.7+6.3$
$4x=8$
$x=2$

**10** $2x-\dfrac{4}{5}=3x+\dfrac{6}{5}$
$-\dfrac{4}{5}-\dfrac{6}{5}=3x-2x$
$-\dfrac{10}{5}=x$
$x=-2$

**12** $6x+1=4x-13$
$6x-4x=-13-1$
$2x=-14$
$x=-7$

**13** $-x+\dfrac{1}{4}=7x-\dfrac{7}{4}$
$\dfrac{1}{4}+\dfrac{7}{4}=7x+x$
$\dfrac{8}{4}=8x$, $8x=2$
$x=\dfrac{1}{4}$

**14**
$$8x+2.1=-x-1.5$$
$$8x+x=-1.5-2.1$$
$$9x=-3.6$$
$$x=-\frac{\overset{4}{\cancel{36}}}{\underset{5}{\cancel{10}}}\times\frac{1}{\underset{1}{\cancel{9}}}$$
$$x=-\frac{2}{5}$$

**15**
$$-x+3=2x-\frac{8}{3}$$
$$3+\frac{8}{3}=2x+x$$
$$\frac{9}{3}+\frac{8}{3}=3x$$
$$3x=\frac{17}{3}$$
$$x=\frac{17}{3}\times\frac{1}{3}$$
$$x=\frac{17}{9}$$

**16**
$$-9x-\frac{1}{5}=4x-\frac{3}{2}$$
$$-\frac{1}{5}+\frac{3}{2}=4x+9x$$
$$\frac{13}{10}=13x$$

$$-\frac{1}{5}+\frac{3}{2}=-\frac{2}{10}+\frac{15}{10}$$
$$=\frac{13}{10}$$

$$x=\frac{13}{10}\times\frac{1}{\underset{1}{\cancel{13}}}$$
$$x=\frac{1}{10}$$

**17**
$$-4-6x=-2-5x$$
$$-4+2=-5x+6x$$
$$x=-2$$

**18**
$$3x-2.4=4x-7$$
$$-2.4+7=4x-3x$$
$$x=4.6$$

**19**
$$-\frac{1}{3}+x=3x-\frac{1}{2}$$
$$-\frac{1}{3}+\frac{1}{2}=3x-x$$
$$-\frac{2}{6}+\frac{3}{6}=2x,\ 2x=\frac{1}{6}$$
$$x=\frac{1}{6}\times\frac{1}{2},\ x=\frac{1}{12}$$

**20**
$$-x-5.2=2x-3.1$$
$$-5.2+3.1=2x+x$$
$$-2.1=3x$$
$$3x=-2.1$$
$$x=-\frac{\overset{7}{\cancel{21}}}{10}\times\frac{1}{\underset{1}{\cancel{3}}}$$
$$x=-\frac{7}{10}$$

---

**4단계** 여러 가지 방정식 풀기  065~084쪽

**28 괄호가 있는 방정식(1)**  066~067쪽

**01** (1) 2, 2, 8, 6, 8, 6, 8, 16, 2
(2) -3, 3, -9, 3, -9, 3, -9, 9, -1

**02** (1) $\frac{15}{4}$  (2) 2  (3) 1  (4) $\frac{10}{9}$

**03** (1) $x=-2$  (2) $x=\frac{5}{7}$  (3) $x=-20$  (4) $x=\frac{10}{9}$
(5) $x=-\frac{4}{3}$  (6) $x=-\frac{8}{11}$

**04** ③     **05** ④

---

**02** (1) $3(-x+5)=x,\ -3x+15=x$
$$15=x+3x,\ 4x=15$$
$$x=\frac{15}{4}$$

(2) $5x=-2(2x-9),\ 5x=-4x+18$
$$5x+4x=18,\ 9x=18,\ x=2$$

(3) $x-4=-(x+2),\ x-4=-x-2$
$$x+x=-2+4,\ 2x=2$$
$$x=1$$

(4) $3(2x-3)=-3x+1,\ 6x-9=-3x+1$
$$6x+3x=1+9,\ 9x=10$$
$$x=\frac{10}{9}$$

**03** (1) $-4(x+2)=3x+6,\ -4x-8=3x+6$
$$-8-6=3x+4x,\ -14=7x,\ 7x=-14$$
$$x=-2$$

(2) $x+3=2(4-3x),\ x+3=8-6x$
$$x+6x=8-3,\ 7x=5$$
$$x=\frac{5}{7}$$

(3) $-3x+12=-4(x+2),\ -3x+12=-4x-8$
$$-3x+4x=-8-12,\ x=-20$$

(4) $2(-3+2x)=4-5x,\ -6+4x=4-5x$
$$4x+5x=4+6,\ 9x=10$$
$$x=\frac{10}{9}$$

(5) $8-(x+3)=-4x+1,\ 8-x-3=-4x+1$
$$5-x=-4x+1,\ -x+4x=1-5$$
$$3x=-4,\ x=-\frac{4}{3}$$

(6) $7x-8=-4(x+4),\ 7x-8=-4x-16$
$$7x+4x=-16+8,\ 11x=-8$$
$$x=-\frac{8}{11}$$

**04** $2(x+1)-3x=5-2x,\ 2x+2-3x=5-2x$
$$-x+2=5-2x,\ -x+2x=5-2$$
$$x=3$$

4단계 여러 가지 방정식 풀기 **23**

**05**

$4x-7=3(x-5)$
$4x-7=3x-15$
$4x-3x=-15+7$
$x=-8$

① $7=2(-2x+3)$
$7=-4x+6$
$4x=6-7,\ 4x=-1$
$x=-\dfrac{1}{4}$

② $-4(x-2)=5x$
$-4x+8=5x$
$8=5x+4x$
$9x=8$
$x=\dfrac{8}{9}$

③ $-(x+3)=5+4x$
$-x-3=5+4x$
$-3-5=4x+x$
$-8=5x,\ 5x=-8$
$x=-\dfrac{8}{5}$

④ $2(x-5)=3x-2$
$2x-10=3x-2$
$-10+2=3x-2x$
$x=-8$

⑤ $2x+1=-(5+x)$
$2x+1=-5-x$
$2x+x=-5-1$
$3x=-6$
$x=-2$

---

## 29  괄호가 있는 방정식 (2)
068~069쪽

**01** (1) 2, 4, 4, 2, −2, 10, −5
(2) 4, 3, −4, 3, 4, 14, 14, $\dfrac{1}{4}$, $\dfrac{7}{2}$

**02** (1) $\dfrac{3}{2}$  (2) −2  (3) −6  (4) $-\dfrac{15}{11}$

**03** (1) $x=-2$  (2) $x=-\dfrac{9}{4}$  (3) $x=-\dfrac{7}{9}$  (4) $x=-\dfrac{7}{9}$
(5) $x=6$  (6) $x=7$

**04** ②          **05** ②

---

**02** (1) $5(x-1)=-(x-4)$
$5x-5=-x+4$
$5x+x=4+5,\ 6x=9$
$x=\overset{3}{9}\times\dfrac{1}{\underset{2}{6}},\ x=\dfrac{3}{2}$

(2) $-3(4+2x)=2(x+2)$
$-12-6x=2x+4,\ -12-4=2x+6x$
$-16=8x,\ 8x=-16,\ x=-2$

(3) $-(6-x)=3(x+2)$
$-6+x=3x+6,\ -6-6=3x-x$
$2x=-12,\ x=-6$

(4) $4(x+2)=-7(1+x)$
$4x+8=-7-7x,\ 4x+7x=-7-8$
$11x=-15,\ x=-\dfrac{15}{11}$

---

**03** (1) $-(4x+10)=2(2x+3)$
$-4x-10=4x+6,\ -10-6=4x+4x$
$-16=8x,\ 8x=-16,\ x=-2$

(2) $-(3x+3)=5(x+3),\ -3x-3=5x+15$
$-3-15=5x+3x,\ -18=8x,\ 8x=-18$
$x=-\overset{9}{18}\times\dfrac{1}{\underset{4}{8}},\ x=-\dfrac{9}{4}$

(3) $-(x+5)-4x=2(2x+1)$
$-x-5-4x=4x+2,\ -5x-5=4x+2$
$-5-2=4x+5x,\ -7=9x,\ 9x=-7$
$x=-\dfrac{7}{9}$

(4) $7(x+2)-9=-2(x+1)$
$7x+14-9=-2x-2,\ 7x+5=-2x-2$
$7x+2x=-2-5,\ 9x=-7$
$x=-\dfrac{7}{9}$

(5) $3(1-x)-2x=3(3-2x)$
$3-3x-2x=9-6x,\ 3-5x=9-6x$
$-5x+6x=9-3,\ x=6$

(6) $11-(5-2x)=4(x-2)$
$11-5+2x=4x-8,\ 6+2x=4x-8$
$6+8=4x-2x,\ 2x=14$
$x=7$

**04** $3(2x-1)=x-2(7-2x)$
$6x-3=x-14+4x,\ 6x-3=5x-14$
$6x-5x=-14+3,\ x=-11$

**05** $8-(2x-1)+4x=-(x+4)+7$
$8-2x+1+4x=-x-4+7$
$9+2x=-x+3,\ 2x+x=3-9$
$3x=-6,\ x=-2$

---

## 30  비례식으로 주어진 방정식
070~071쪽

**01** (1) 35  (2) 18  (3) 4  (4) 35
**02** (1) $x$, 4, 4, 4, 4, 4
(2) 5x, 10, 6, 10, 4, 6, 6, −12, −2
**03** (1) −5  (2) 1
**04** (1) $x=-\dfrac{3}{5}$  (2) $x=-\dfrac{1}{3}$  (3) $x=2$  (4) $x=-\dfrac{1}{2}$
(5) $x=-6$  (6) $x=\dfrac{3}{4}$

**05** ③

**01**
(1) $15 \times 7 = \square \times 3$, $\square \times 3 = 105$, $\square = 35$

(2) $4 \times \square = 3 \times 24$, $4 \times \square = 72$, $\square = 18$

(3) $\square \times 9 = 18 \times 2$, $\square \times 9 = 36$, $\square = 4$

(4) $5 \times 56 = 8 \times \square$, $8 \times \square = 280$, $\square = 35$

**03**
(1) $(x-1):3 = 2x:5$
$$5 \times (x-1) = 3 \times 2x, \; 5x-5 = 6x$$
$$-5 = 6x-5x, \; x = -5$$

(2) $(2x+1):(3-x) = 3:2$
$$2 \times (2x+1) = 3 \times (3-x)$$
$$4x+2 = 9-3x, \; 4x+3x = 9-2$$
$$7x = 7, \; x = 1$$

**04**
(1) $4:(x-1) = 3:2x$
$$4 \times 2x = 3 \times (x-1), \; 8x = 3x-3$$
$$8x-3x = -3, \; 5x = -3$$
$$x = -\frac{3}{5}$$

(2) $7:4 = (2x+3):(1-x)$
$$7 \times (1-x) = 4 \times (2x+3)$$
$$7-7x = 8x+12, \; 7-12 = 8x+7x$$
$$-5 = 15x, \; 15x = -5$$
$$x = -\frac{\overset{1}{\cancel{5}}}{\underset{3}{\cancel{15}}}, \; x = -\frac{1}{3}$$

(3) $4:2 = (-x+8):(2x-1)$
$$4 \times (2x-1) = 2 \times (-x+8)$$
$$8x-4 = -2x+16, \; 8x+2x = 16+4$$
$$10x = 20, \; x = 2$$

(4) $(2x+2):(x-1) = 2:-3$
$$-3 \times (2x+2) = 2 \times (x-1)$$
$$-6x-6 = 2x-2, \; -6+2 = 2x+6x$$
$$-4 = 8x, \; 8x = -4$$
$$x = -\frac{\overset{1}{\cancel{4}}}{\underset{2}{\cancel{8}}}, \; x = -\frac{1}{2}$$

(5) $(5x+2):(-x+1) = -4:1$
$$5x+2 = -4 \times (-x+1)$$
$$5x+2 = 4x-4, \; 5x-4x = -4-2$$
$$x = -6$$

(6) $4:(2x-1) = 2:(1-x)$
$$4 \times (1-x) = 2 \times (2x-1), \; 4-4x = 4x-2$$
$$4+2 = 4x+4x, \; 6 = 8x, \; 8x = 6$$
$$x = \frac{\overset{3}{\cancel{6}}}{\underset{4}{\cancel{8}}}, \; x = \frac{3}{4}$$

**05** $(6x+3):(-3+3x) = 1:2$
$$2 \times (6x+3) = -3+3x$$
$$12x+6 = -3+3x, \; 12x-3x = -3-6$$
$$9x = -9, \; x = -1$$

072~073쪽

## 31 계수가 소수인 방정식

**01** (위에서부터) 100, 100, 100, 100, 100, 100, 3, 42, 3, 42, 3, 21, 3, 7

**02** (1) 5, $-15$, 5, $-15$, 5, 5, 1

(2) 23, $-9$, $-9$, 23, $-32$, $-4$

**03** (1) 2　(2) 3

**04** (1) $x = -6$　(2) $x = 12$　(3) $x = 40$　(4) $x = 3$

(5) $x = -1$　(6) $x = -3$

**05** $x = \dfrac{8}{3}$

**03**
(1) $$0.4-0.1x = 1.4x-2.6$$
$$10 \times (0.4-0.1x) = 10 \times (1.4x-2.6)$$
$$4-x = 14x-26, \; 4+26 = 14x+x$$
$$15x = 30, \; x = 2$$

(2) $$0.3x-1.4 = 2.4x-7.7$$
$$10 \times (0.3x-1.4) = 10 \times (2.4x-7.7)$$
$$3x-14 = 24x-77, \; -14+77 = 24x-3x$$
$$21x = 63, \; x = 3$$

**04**
(1) $$0.02x+0.19 = 0.06x+0.43$$
$$100 \times (0.02x+0.19) = 100 \times (0.06x+0.43)$$
$$2x+19 = 6x+43, \; 19-43 = 6x-2x$$
$$-24 = 4x, \; 4x = -24$$
$$x = -6$$

(2) $$0.05x+0.31 = 1.75-0.07x$$
$$100 \times (0.05x+0.31) = 100 \times (1.75-0.07x)$$
$$5x+31 = 175-7x, \; 5x+7x = 175-31$$
$$12x = 144, \; x = 12$$

(3) $$-0.02x+0.3 = -0.5$$
$$100 \times (-0.02x+0.3) = 100 \times (-0.5)$$
$$-2x+30 = -50, \; 30+50 = 2x$$
$$2x = 80, \; x = 40$$

(4) $$-0.3x+1.35 = 0.15x$$
$$100 \times (-0.3x+1.35) = 100 \times 0.15x$$
$$-30x+135 = 15x, \; 135 = 15x+30x$$
$$45x = 135, \; x = 3$$

(5) $$0.01x-0.49 = 0.5x$$
$$100 \times (0.01x-0.49) = 100 \times 0.5x$$
$$x-49 = 50x, \; -49 = 50x-x$$
$$-49 = 49x, \; 49x = -49$$
$$x = -1$$

(6) $$1.2+0.05x = -0.35x$$
$$100 \times (1.2+0.05x) = 100 \times (-0.35x)$$
$$120+5x = -35x, \; 5x+35x = -120$$
$$40x = -120$$
$$x = -3$$

**05**
$$0.5x+2=0.2(-1+x)+3$$
$$10\times(0.5x+2)=10\times0.2(-1+x)+10\times3$$
$$5x+20=2(-1+x)+30$$
$$5x+20=-2+2x+30,\ 5x+20=2x+28$$
$$5x-2x=28-20,\ 3x=8$$
$$x=\frac{8}{3}$$

---

## 32 계수가 분수인 방정식  074~075쪽

**01** (위에서부터) 6, 6, 6, 6, 6, 6, 6, 5, 5, 6, 3, 11, 3, $\dfrac{11}{3}$

**02** (1) 9, 9, 12, 2, 12, 36, 2, 2, 48, 24
　　(2) 5, 5, $-2$, 5, 2, $-5$, 2, 2, 1

**03** (1) $-\dfrac{12}{5}$　(2) $\dfrac{1}{3}$

**04** (1) $x=-\dfrac{1}{2}$　(2) $x=-2$　(3) $x=-50$　(4) $x=-\dfrac{2}{5}$

　　(5) $x=3$　(6) $x=\dfrac{9}{4}$

**05** $x=-\dfrac{1}{21}$

---

**03** (1)
$$\frac{2}{3}x=\frac{3}{2}x+2$$
$$6\times\frac{2}{3}x=6\times\left(\frac{3}{2}x+2\right)$$
$$\overset{2}{6}\times\frac{2}{3}x=\overset{3}{6}\times\frac{3}{2}x+6\times2$$
$$4x=9x+12,\ -12=9x-4x$$
$$5x=-12,\ x=-\frac{12}{5}$$

(2)
$$-\frac{4}{5}x=-\frac{1}{3}+\frac{1}{5}x$$
$$15\times\left(-\frac{4}{5}x\right)=15\times\left(-\frac{1}{3}+\frac{1}{5}x\right)$$
$$\overset{3}{15}\times\left(-\frac{4}{5}x\right)=\overset{5}{15}\times\left(-\frac{1}{3}\right)+\overset{3}{15}\times\frac{1}{5}x$$
$$-12x=-5+3x,\ 5=3x+12x$$
$$15x=5,\ x=\frac{\overset{1}{5}}{\underset{3}{15}},\ x=\frac{1}{3}$$

**04** (1)
$$-\frac{1}{6}=\frac{7}{3}x+1$$
$$6\times\left(-\frac{1}{6}\right)=6\times\left(\frac{7}{3}x+1\right)$$
$$\overset{1}{6}\times\left(-\frac{1}{6}\right)=\overset{2}{6}\times\frac{7}{3}x+6\times1$$
$$-1=14x+6,\ -1-6=14x$$
$$14x=-7,\ x=-\frac{\overset{1}{7}}{\underset{2}{14}},\ x=-\frac{1}{2}$$

(2)
$$\frac{3}{4}x=-\frac{5}{2}x-\frac{13}{2}$$
$$4\times\frac{3}{4}x=4\times\left(-\frac{5}{2}x-\frac{13}{2}\right)$$
$$\overset{1}{4}\times\frac{3}{4}x=\overset{2}{4}\times\left(-\frac{5}{2}x\right)-\overset{2}{4}\times\frac{13}{2}$$
$$3x=-10x-26,\ 3x+10x=-26$$
$$13x=-26,\ x=-2$$

(3)
$$\frac{1}{5}x-2=\frac{1}{4}x+\frac{1}{2}$$
$$20\times\left(\frac{1}{5}x-2\right)=20\times\left(\frac{1}{4}x+\frac{1}{2}\right)$$
$$\overset{4}{20}\times\frac{1}{5}x-20\times2=\overset{5}{20}\times\frac{1}{4}x+\overset{10}{20}\times\frac{1}{2}$$
$$4x-40=5x+10$$
$$-40-10=5x-4x$$
$$x=-50$$

(4)
$$\frac{2}{3}x+\frac{1}{6}=\frac{3}{2}x+\frac{1}{2}$$
$$6\times\left(\frac{2}{3}x+\frac{1}{6}\right)=6\times\left(\frac{3}{2}x+\frac{1}{2}\right)$$
$$\overset{2}{6}\times\frac{2}{3}x+\overset{1}{6}\times\frac{1}{6}=\overset{3}{6}\times\frac{3}{2}x+\overset{3}{6}\times\frac{1}{2}$$
$$4x+1=9x+3,\ 1-3=9x-4x$$
$$-2=5x,\ 5x=-2$$
$$x=-\frac{2}{5}$$

(5)
$$\frac{4}{5}x-\frac{3}{2}=\frac{1}{10}x+\frac{3}{5}$$
$$10\times\left(\frac{4}{5}x-\frac{3}{2}\right)=10\times\left(\frac{1}{10}x+\frac{3}{5}\right)$$
$$\overset{2}{10}\times\frac{4}{5}x-\overset{5}{10}\times\frac{3}{2}=\overset{1}{10}\times\frac{1}{10}x+\overset{2}{10}\times\frac{3}{5}$$
$$8x-15=x+6,\ 8x-x=6+15$$
$$7x=21,\ x=3$$

(6)
$$1+\frac{5}{6}x=\frac{7}{4}+\frac{1}{2}x$$
$$12\times\left(1+\frac{5}{6}x\right)=12\times\left(\frac{7}{4}+\frac{1}{2}x\right)$$
$$12\times1+\overset{2}{12}\times\frac{5}{6}x=\overset{3}{12}\times\frac{7}{4}+\overset{6}{12}\times\frac{1}{2}x$$
$$12+10x=21+6x,\ 10x-6x=21-12$$
$$4x=9,\ x=\frac{9}{4}$$

**05**
$$\frac{1}{3}+\frac{7}{12}x=-\frac{7}{6}x+\frac{1}{4}$$
$$12\times\left(\frac{1}{3}+\frac{7}{12}x\right)=12\times\left(-\frac{7}{6}x+\frac{1}{4}\right)$$
$$\overset{4}{12}\times\frac{1}{3}+\overset{1}{12}\times\frac{7}{12}x=\overset{2}{12}\times\left(-\frac{7}{6}x\right)+\overset{3}{12}\times\frac{1}{4}$$
$$4+7x=-14x+3,\ 7x+14x=3-4$$
$$21x=-1,\ x=-\frac{1}{21}$$

**33** 계수에 소수와 분수가 모두 있는 방정식 `076~077쪽`

**01** (1) $-\dfrac{7}{10}$, 10, 10, $-7$, 8, 8, 7, 15, 1

(2) $\dfrac{12}{10}$, 10, 10, 21, $-9$, 3, 21, 7

**02** (1) 6  (2) $-5$  (3) $\dfrac{15}{2}$  (4) 16

**03** (1) $x=\dfrac{15}{13}$  (2) $x=19$  (3) $x=10$  (4) $x=-10$

(5) $x=-\dfrac{7}{5}$  (6) $x=\dfrac{10}{3}$

**04** $x=-7$  　　　　**05** ③

**02** (1)
$$\frac{5}{2}x-\frac{7}{4}x=4.5$$
$$\frac{5}{2}x-\frac{7}{4}x=\frac{45}{10}$$
$$20\times\left(\frac{5}{2}x-\frac{7}{4}x\right)=20\times\frac{45}{10}$$
$$\overset{10}{20}\times\frac{5}{2}x-\overset{5}{20}\times\frac{7}{4}x=\overset{2}{20}\times\frac{45}{10}$$
$$50x-35x=90,\ 15x=90$$
$$x=6$$

(2)
$$1.3x=-\frac{5}{2}+0.8x$$
$$\frac{13}{10}x=-\frac{5}{2}+\frac{8}{10}x$$
$$10\times\frac{13}{10}x=10\times\left(-\frac{5}{2}+\frac{8}{10}x\right)$$
$$\overset{1}{10}\times\frac{13}{10}x=\overset{5}{10}\times\left(-\frac{5}{2}\right)+\overset{1}{10}\times\frac{8}{10}x$$
$$13x=-25+8x,\ 13x-8x=-25$$
$$5x=-25,\ x=-5$$

(3)
$$\frac{2}{5}x-\frac{1}{2}=0.2x+1$$
$$\frac{2}{5}x-\frac{1}{2}=\frac{2}{10}x+1$$
$$10\times\left(\frac{2}{5}x-\frac{1}{2}\right)=10\times\left(\frac{2}{10}x+1\right)$$
$$\overset{2}{10}\times\frac{2}{5}x-\overset{5}{10}\times\frac{1}{2}=\overset{1}{10}\times\frac{2}{10}x+10\times1$$
$$4x-5=2x+10,\ 4x-2x=10+5$$
$$2x=15,\ x=\frac{15}{2}$$

(4)
$$0.5x-\frac{5}{2}=\frac{3}{10}x+0.7$$
$$\frac{5}{10}x-\frac{5}{2}=\frac{3}{10}x+\frac{7}{10}$$
$$10\times\left(\frac{5}{10}x-\frac{5}{2}\right)=10\times\left(\frac{3}{10}x+\frac{7}{10}\right)$$
$$\overset{1}{10}\times\frac{5}{10}x-\overset{5}{10}\times\frac{5}{2}=\overset{1}{10}\times\frac{3}{10}x+\overset{1}{10}\times\frac{7}{10}$$
$$5x-25=3x+7,\ 5x-3x=7+25$$
$$2x=32,\ x=16$$

**03** (1)
$$1-\frac{2}{3}x=0.2x$$
$$1-\frac{2}{3}x=\frac{2}{10}x$$
$$30\times\left(1-\frac{2}{3}x\right)=30\times\frac{2}{10}x$$
$$30\times1-\overset{10}{30}\times\frac{2}{3}x=\overset{3}{30}\times\frac{2}{10}x$$
$$30-20x=6x,\ 30=6x+20x$$
$$26x=30,\ x=\frac{\overset{15}{30}}{\underset{13}{26}},\ x=\frac{15}{13}$$

(2)
$$0.8-\frac{1}{5}x+3=0$$
$$\frac{8}{10}-\frac{1}{5}x+3=0$$
$$10\times\left(\frac{8}{10}-\frac{1}{5}x+3\right)=0$$
$$\overset{1}{10}\times\frac{8}{10}-\overset{2}{10}\times\frac{1}{5}x+10\times3=0$$
$$8-2x+30=0,\ 38=2x$$
$$2x=38,\ x=19$$

(3)
$$\frac{1}{2}x-2=0.4x-1$$
$$\frac{1}{2}x-2=\frac{4}{10}x-1$$
$$10\times\left(\frac{1}{2}x-2\right)=10\times\left(\frac{4}{10}x-1\right)$$
$$\overset{5}{10}\times\frac{1}{2}x-10\times2=\overset{1}{10}\times\frac{4}{10}x-10\times1$$
$$5x-20=4x-10,\ 5x-4x=-10+20$$
$$x=10$$

(4)
$$0.9+\frac{3}{4}x=0.6x-\frac{3}{5}$$
$$\frac{9}{10}+\frac{3}{4}x=\frac{6}{10}x-\frac{3}{5}$$
$$20\times\left(\frac{9}{10}+\frac{3}{4}x\right)=20\times\left(\frac{6}{10}x-\frac{3}{5}\right)$$
$$\overset{2}{20}\times\frac{9}{10}+\overset{5}{20}\times\frac{3}{4}x=\overset{2}{20}\times\frac{6}{10}x-\overset{4}{20}\times\frac{3}{5}$$
$$18+15x=12x-12,\ 15x-12x=-12-18$$
$$3x=-30,\ x=-10$$

(5)
$$-\frac{1}{4}x+0.6=\frac{1}{4}-0.5x$$
$$-\frac{1}{4}x+\frac{6}{10}=\frac{1}{4}-\frac{5}{10}x$$
$$20\times\left(-\frac{1}{4}x+\frac{6}{10}\right)=20\times\left(\frac{1}{4}-\frac{5}{10}x\right)$$
$$\overset{5}{20}\times\left(-\frac{1}{4}x\right)+\overset{2}{20}\times\frac{6}{10}=\overset{5}{20}\times\frac{1}{4}-\overset{2}{20}\times\frac{5}{10}x$$
$$-5x+12=5-10x$$
$$-5x+10x=5-12$$
$$5x=-7,\ x=-\frac{7}{5}$$

(6)
$$2-0.2x=\frac{1}{4}x+\frac{1}{2}$$
$$2-\frac{2}{10}x=\frac{1}{4}x+\frac{1}{2}$$
$$20\times\left(2-\frac{2}{10}x\right)=20\times\left(\frac{1}{4}x+\frac{1}{2}\right)$$
$$20\times 2-\overset{2}{20}\times\frac{2}{\underset{1}{10}}x=\overset{5}{20}\times\frac{1}{\underset{1}{4}}x+\overset{10}{20}\times\frac{1}{\underset{1}{2}}$$
$$40-4x=5x+10, \quad 40-10=5x+4x$$
$$9x=30$$
$$x=\frac{\overset{10}{30}}{\underset{3}{9}}, \quad x=\frac{10}{3}$$

**04**
$$0.3x-1.5=\frac{3}{5}x+0.6$$
$$\frac{3}{10}x-\frac{15}{10}=\frac{3}{5}x+\frac{6}{10}$$
$$10\times\left(\frac{3}{10}x-\frac{15}{10}\right)=10\times\left(\frac{3}{5}x+\frac{6}{10}\right)$$
$$\overset{1}{10}\times\frac{3}{\underset{1}{10}}x-\overset{1}{10}\times\frac{15}{\underset{1}{10}}=\overset{2}{10}\times\frac{3}{\underset{1}{5}}x+\overset{1}{10}\times\frac{6}{\underset{1}{10}}$$
$$3x-15=6x+6, \quad -15-6=6x-3x$$
$$-21=3x, \quad 3x=-21$$
$$x=-7$$

**05**
$$\frac{1}{2}(2x-1)=0.5, \quad \frac{1}{2}(2x-1)=\frac{5}{10}$$
$$\overset{5}{10}\times\frac{1}{\underset{1}{2}}(2x-1)=\overset{1}{10}\times\frac{5}{\underset{1}{10}}$$
$$5\times(2x-1)=5, \quad 10x-5=5$$
$$10x=5+5, \quad 10x=10$$
$$x=1$$

---

**34** 분수 형태의 방정식 (1)  078~079쪽

**01** (1) 6, 6, 8, 8, 1, 9, 3
     (2) 4, 4, 3, 5, 3, 5, 15, 3

**02** (1) 1    (2) 2    (3) $-2$    (4) $\dfrac{1}{4}$

**03** (1) $x=\dfrac{1}{2}$    (2) $x=\dfrac{5}{3}$    (3) $x=\dfrac{8}{3}$    (4) $x=1$
     (5) $x=\dfrac{3}{2}$    (6) $x=\dfrac{3}{5}$

**04** ②             **05** $x=-\dfrac{7}{2}$

**02** (1)
$$\frac{3x-1}{2}=1$$
$$\overset{1}{2}\times\frac{3x-1}{\underset{1}{2}}=2\times 1, \quad 3x-1=2$$
$$3x=2+1, \quad 3x=3, \quad x=1$$

(2)
$$\frac{4-5x}{9}=-\frac{2}{3}$$
$$\overset{1}{9}\times\frac{4-5x}{\underset{1}{9}}=\overset{3}{9}\times\left(-\frac{2}{\underset{1}{3}}\right)$$
$$4-5x=-6, \quad 4+6=5x$$
$$5x=10, \quad x=2$$

(3)
$$\frac{x-1}{3}=-1$$
$$\overset{1}{3}\times\frac{x-1}{\underset{1}{3}}=3\times(-1), \quad x-1=-3$$
$$x=-3+1, \quad x=-2$$

(4)
$$\frac{7}{10}=\frac{4-2x}{5}$$
$$\overset{1}{10}\times\frac{7}{\underset{1}{10}}=\overset{2}{10}\times\frac{4-2x}{\underset{1}{5}}$$
$$7=2(4-2x), \quad 7=8-4x$$
$$4x=8-7, \quad 4x=1, \quad x=\frac{1}{4}$$

**03** (1)
$$\frac{2x-7}{3}=-2$$
$$\overset{1}{3}\times\frac{2x-7}{\underset{1}{3}}=3\times(-2)$$
$$2x-7=-6, \quad 2x=-6+7$$
$$2x=1, \quad x=\frac{1}{2}$$

(2)
$$\frac{7}{6}=\frac{9-4x}{2}, \quad \overset{1}{6}\times\frac{7}{\underset{1}{6}}=\overset{3}{6}\times\frac{9-4x}{\underset{1}{2}}$$
$$7=3\times(9-4x)$$
$$7=27-12x, \quad 12x=27-7$$
$$12x=20, \quad x=\frac{\overset{5}{20}}{\underset{3}{12}}, \quad x=\frac{5}{3}$$

(3)
$$\frac{x-6}{2}+1=-\frac{2}{3}$$
$$6\times\left(\frac{x-6}{2}+1\right)=6\times\left(-\frac{2}{3}\right)$$
$$\overset{3}{6}\times\frac{x-6}{\underset{1}{2}}+6\times 1=\overset{2}{6}\times\left(-\frac{2}{\underset{1}{3}}\right)$$
$$3\times(x-6)+6\times 1=-4$$
$$3x-18+6=-4, \quad 3x-12=-4$$
$$3x=-4+12, \quad 3x=8, \quad x=\frac{8}{3}$$

(4)
$$-\frac{5}{7}+\frac{2x+1}{3}=\frac{2}{7}$$
$$21\times\left(-\frac{5}{7}+\frac{2x+1}{3}\right)=21\times\frac{2}{7}$$
$$\overset{3}{21}\times\left(-\frac{5}{\underset{1}{7}}\right)+\overset{7}{21}\times\frac{2x+1}{\underset{1}{3}}=\overset{3}{21}\times\frac{2}{\underset{1}{7}}$$
$$3\times(-5)+7\times(2x+1)=6$$
$$-15+14x+7=6, \quad 14x-8=6$$
$$14x=6+8, \quad 14x=14, \quad x=1$$

(5)
$$\frac{-7+x}{4}+2=\frac{5}{8}$$

$$8\times\left(\frac{-7+x}{4}+2\right)=8\times\frac{5}{8}$$

$$\overset{2}{8}\times\frac{-7+x}{4}+8\times2=\overset{1}{8}\times\frac{5}{8}$$

$$2\times(-7+x)+8\times2=5$$

$$-14+2x+16=5,\ 2x+2=5$$

$$2x=5-2,\ 2x=3$$

$$x=\frac{3}{2}$$

(6)
$$\frac{4}{5}+\frac{3x-4}{2}=-\frac{3}{10}$$

$$10\times\left(\frac{4}{5}+\frac{3x-4}{2}\right)=10\times\left(-\frac{3}{10}\right)$$

$$\overset{2}{10}\times\frac{4}{5}+\overset{5}{10}\times\frac{3x-4}{2}=\overset{1}{10}\times\left(-\frac{3}{10}\right)$$

$$8+5\times(3x-4)=-3$$

$$8+15x-20=-3$$

$$15x-12=-3$$

$$15x=-3+12$$

$$15x=9$$

$$x=\overset{3}{\frac{9}{15}},\ x=\frac{3}{5}$$

04
$$\frac{x-3}{4}+\frac{1}{3}=1$$

$$12\times\left(\frac{x-3}{4}+\frac{1}{3}\right)=12\times1$$

$$\overset{3}{12}\times\frac{x-3}{4}+\overset{4}{12}\times\frac{1}{3}=12$$

$$3(x-3)+4=12$$

$$3x-9+4=12$$

$$3x-5=12$$

$$3x=12+5$$

$$3x=17$$

$$x=\frac{17}{3}$$

05
$$3-\frac{x+6}{5}=\frac{5}{2}$$

$$10\times\left(3-\frac{x+6}{5}\right)=10\times\frac{5}{2}$$

$$10\times3-\overset{2}{10}\times\frac{x+6}{5}=\overset{5}{10}\times\frac{5}{2}$$

$$30-2(x+6)=25$$

$$30-2x-12=25$$

$$-2x+18=25$$

$$18-25=2x$$

$$-7=2x,\ 2x=-7$$

$$x=-\frac{7}{2}$$

## 35 분수 형태의 방정식 (2)

**01** (1) 12, 12, 3, 3, 2, 2, 3, 1
  (2) 6, 6, 3, 2, 3, 3, 2, 5, 5, 1

**02** (1) $-4$  (2) $\frac{11}{12}$  (3) 2  (4) $\frac{55}{13}$

**03** (1) $x=-1$  (2) $x=\frac{2}{3}$  (3) $x=-6$  (4) $x=9$
  (5) $x=-7$  (6) $x=7$

**04** $x=4$          **05** ②

02 (1)
$$\frac{x-1}{3}=\frac{5}{12}x$$

$$\overset{4}{12}\times\frac{x-1}{3}=\overset{1}{12}\times\frac{5}{12}x$$

$$4\times(x-1)=5x,\ 4x-4=5x$$

$$-4=5x-4x$$

$$x=-4$$

(2)
$$\frac{2x+1}{2}=\frac{8-x}{5}$$

$$\overset{5}{10}\times\frac{2x+1}{2}=\overset{2}{10}\times\frac{8-x}{5}$$

$$5\times(2x+1)=2\times(8-x)$$

$$10x+5=16-2x,\ 10x+2x=16-5$$

$$12x=11$$

$$x=\frac{11}{12}$$

(3)
$$\frac{x-5}{3}=\frac{x-4}{2}$$

$$\overset{2}{6}\times\frac{x-5}{3}=\overset{3}{6}\times\frac{x-4}{2}$$

$$2\times(x-5)=3\times(x-4),\ 2x-10=3x-12$$

$$-10+12=3x-2x$$

$$x=2$$

(4)
$$\frac{7-x}{2}=\frac{2x+4}{9}$$

$$\overset{9}{18}\times\frac{7-x}{2}=\overset{2}{18}\times\frac{2x+4}{9}$$

$$9\times(7-x)=2\times(2x+4)$$

$$63-9x=4x+8,\ 63-8=4x+9x$$

$$13x=55$$

$$x=\frac{55}{13}$$

03 (1)
$$-\frac{2x-4}{3}=\frac{3-x}{2}$$

$$\overset{2}{6}\times\left(-\frac{2x-4}{3}\right)=\overset{3}{6}\times\frac{3-x}{2}$$

$$2\times(-2x+4)=3\times(3-x)$$

$$-4x+8=9-3x,\ 8-9=-3x+4x$$

$$x=-1$$

(2)
$$\frac{1+x}{2}=\frac{1}{5}x+\frac{7}{10}$$

$$\overset{5}{10}\times\frac{1+x}{2}=10\times\left(\frac{1}{5}x+\frac{7}{10}\right)$$

$$5\times(1+x)=\overset{2}{10}\times\frac{1}{5}x+\overset{1}{10}\times\frac{7}{10}$$

$$5+5x=2x+7,\ 5x-2x=7-5$$

$$3x=2,\ x=\frac{2}{3}$$

(3)
$$\frac{x}{7}-\frac{x+3}{2}=\frac{9}{14}$$

$$14\times\left(\frac{x}{7}-\frac{x+3}{2}\right)=\overset{1}{14}\times\frac{9}{14}$$

$$\overset{2}{14}\times\frac{x}{7}-\overset{7}{14}\times\frac{x+3}{2}=9,\ 2x-7\times(x+3)=9$$

$$2x-7x-21=9,\ -5x=9+21$$

$$-5x=30$$

$$x=-6$$

(4)
$$-\frac{1}{3}(1-x)=\frac{x+7}{6}$$

$$\overset{2}{6}\times\left(-\frac{1}{3}\right)\times(1-x)=\overset{1}{6}\times\frac{x+7}{6}$$

$$-2\times(1-x)=x+7,\ -2+2x=x+7$$

$$2x-x=7+2$$

$$x=9$$

(5)
$$\frac{x-2}{3}-\frac{x-3}{5}=-1$$

$$15\times\left(\frac{x-2}{3}-\frac{x-3}{5}\right)=15\times(-1)$$

$$\overset{5}{15}\times\frac{x-2}{3}-\overset{3}{15}\times\frac{x-3}{5}=-15$$

$$5\times(x-2)-3\times(x-3)=-15$$

$$5x-10-3x+9=-15$$

$$2x-1=-15$$

$$2x=-15+1$$

$$2x=-14$$

$$x=-7$$

(6)
$$\frac{2x+1}{5}-\frac{x-7}{10}=3$$

$$10\times\left(\frac{2x+1}{5}-\frac{x-7}{10}\right)=10\times3$$

$$\overset{2}{10}\times\frac{2x+1}{5}-\overset{1}{10}\times\frac{x-7}{10}=30$$

$$2\times(2x+1)-(x-7)=30$$

$$4x+2-x+7=30$$

$$3x+9=30$$

$$3x=30-9$$

$$3x=21$$

$$x=7$$

---

04
$$\frac{x-6}{4}+\frac{2x+1}{6}=1$$

$$12\times\left(\frac{x-6}{4}+\frac{2x+1}{6}\right)=12\times1$$

$$\overset{3}{12}\times\frac{x-6}{4}+\overset{2}{12}\times\frac{2x+1}{6}=12$$

$$3\times(x-6)+2\times(2x+1)=12,\ 3x-18+4x+2=12$$

$$7x-16=12,\ 7x=12+16$$

$$7x=28,\ x=4$$

05
$$\frac{5x-1}{12}+\frac{2}{3}=\frac{-x+3}{6}$$

$$12\times\left(\frac{5x-1}{12}+\frac{2}{3}\right)=12\times\frac{-x+3}{6}$$

$$\overset{1}{12}\times\frac{5x-1}{12}+\overset{4}{12}\times\frac{2}{3}=\overset{2}{12}\times\frac{-x+3}{6}$$

$$5x-1+8=2\times(-x+3)$$

$$5x+7=-2x+6$$

$$5x+2x=6-7,\ 7x=-1$$

$$x=-\frac{1}{7}$$

## 36 실력 확인 TEST 082~084쪽

**01** $4,\ 12,\ -12,\ 4,\ -12$     **02** $x=5$

**03** $x=\frac{1}{4}$     **04** $x=2$     **05** $x=4$

**06** $3,\ 6,\ 3,\ 3,\ 6,\ 5,\ -5,\ -1$     **07** $x=-1$

**08** $x=-5$     **09** $x=5$     **10** $x=1$

**11** $10,\ 10,\ 3,\ 28,\ 3,\ 28,\ 3,\ 18,\ 6$     **12** $x=6$

**13** $x=-3$     **14** $x=18$     **15** $x=2$

**16** $4,\ 4,\ 14,\ 4,\ 4,\ 14,\ 14,\ -2$     **17** $x=\frac{8}{3}$

**18** $x=-\frac{1}{17}$     **19** $x=1$     **20** $x=-4$

**21** $x=-7$     **22** $x=-\frac{5}{2}$     **23** $x=-2$

**24** $x=-\frac{3}{5}$     **25** $x=-7$     **26** $x=12$

**27** $x=-11$     **28** $x=4$     **29** $x=2$

**30** $x=-\frac{1}{18}$

**02** $-4x+20=-3(x-5),\ -4x+20=-3x+15$
$$20-15=-3x+4x,\ x=5$$

**03** $2(x+5)=3(2x+3),\ 2x+10=6x+9$
$$10-9=6x-2x,\ 4x=1,\ x=\frac{1}{4}$$

**04** $2(2x-3)=-(x-4),\ 4x-6=-x+4$

$4x+x=4+6,\ 5x=10,\ x=2$

**05** $2(1-x)+3x=2(-1+x)$

$2-2x+3x=-2+2x,\ 2+x=-2+2x$

$2+2=2x-x,\ x=4$

**07** $(x+2):(x-3)=-1:4$

$4\times(x+2)=-(x-3),\ 4x+8=-x+3$

$4x+x=3-8,\ 5x=-5,\ x=-1$

**08** $1:2=(x+3):(x+1)$

$x+1=2\times(x+3),\ x+1=2x+6$

$1-6=2x-x,\ x=-5$

**09** $(4x+1):6=(2x-3):2$

$2\times(4x+1)=6\times(2x-3),\ 8x+2=12x-18$

$2+18=12x-8x,\ 4x=20,\ x=5$

**10** $7:2=(-x+8):(x+1)$

$7\times(x+1)=2\times(-x+8),\ 7x+7=-2x+16$

$7x+2x=16-7,\ 9x=9,\ x=1$

**12** $-0.02x+0.15=0.03$

$100\times(-0.02x+0.15)=100\times0.03$

$-2x+15=3,\ 15-3=2x$

$12=2x,\ x=6$

**13** $0.2x-4.7=2.9x+3.4$

$10\times(0.2x-4.7)=10\times(2.9x+3.4)$

$2x-47=29x+34,\ -47-34=29x-2x$

$-81=27x,\ 27x=-81$

$x=-3$

**14** $-0.01x+0.49=1.75-0.08x$

$100\times(-0.01x+0.49)=100\times(1.75-0.08x)$

$-x+49=175-8x$

$-x+8x=175-49$

$7x=126$

$x=18$

**15** $-0.4x+1.14=0.17x$

$100\times(-0.4x+1.14)=100\times0.17x$

$-40x+114=17x$

$114=17x+40x$

$57x=114$

$x=2$

**17** $\dfrac{3x+2}{2}=5$

$\overset{1}{2}\times\dfrac{3x+2}{\underset{1}{2}}=2\times5$

$3x+2=10$

$3x=10-2$

$3x=8,\ x=\dfrac{8}{3}$

**18** $-\dfrac{3}{4}x=\dfrac{2}{3}x+\dfrac{1}{12}$

$12\times\left(-\dfrac{3}{4}x\right)=12\times\left(\dfrac{2}{3}x+\dfrac{1}{12}\right)$

$\overset{3}{12}\times\left(-\dfrac{3}{4}x\right)=\overset{4}{12}\times\dfrac{2}{3}x+\overset{1}{12}\times\dfrac{1}{12}$

$-9x=8x+1,\ -1=8x+9x$

$17x=-1,\ x=-\dfrac{1}{17}$

**19** $\dfrac{x+2}{6}=\dfrac{3-x}{4}$

$\overset{2}{12}\times\dfrac{x+2}{\underset{1}{6}}=\overset{3}{12}\times\dfrac{3-x}{\underset{1}{4}}$

$2\times(x+2)=3\times(3-x),\ 2x+4=9-3x$

$2x+3x=9-4,\ 5x=5,\ x=1$

**20** $\dfrac{x-2}{3}=\dfrac{3}{4}x+1$

$12\times\dfrac{x-2}{3}=12\times\left(\dfrac{3}{4}x+1\right)$

$\overset{4}{12}\times\dfrac{x-2}{\underset{1}{3}}=\overset{3}{12}\times\dfrac{3}{\underset{1}{4}}x+12\times1$

$4\times(x-2)=9x+12,\ 4x-8=9x+12$

$-8-12=9x-4x,\ -20=5x$

$5x=-20,\ x=-4$

**21** $2x-5(x+3)=6$

$2x-5x-15=6,\ -3x-15=6$

$-15-6=3x,\ 3x=-21,\ x=-7$

**22** $\dfrac{x-2}{3}-\dfrac{2x-5}{4}=1$

$12\times\left(\dfrac{x-2}{3}-\dfrac{2x-5}{4}\right)=12\times1$

$\overset{4}{12}\times\dfrac{x-2}{\underset{1}{3}}-\overset{3}{12}\times\dfrac{2x-5}{\underset{1}{4}}=12$

$4\times(x-2)-3\times(2x-5)=12$

$4x-8-6x+15=12,\ -2x+7=12$

$7-12=2x,\ -5=2x$

$2x=-5,\ x=-\dfrac{5}{2}$

**23** $\dfrac{5}{3}x+\dfrac{1}{2}=\dfrac{5x-7}{6}$

$6\times\left(\dfrac{5}{3}x+\dfrac{1}{2}\right)=6\times\dfrac{5x-7}{6}$

$\overset{2}{6}\times\dfrac{5}{\underset{1}{3}}x+\overset{3}{6}\times\dfrac{1}{\underset{1}{2}}=\overset{1}{6}\times\dfrac{5x-7}{\underset{1}{6}}$

$10x+3=5x-7,\ 10x-5x=-7-3$

$5x=-10,\ x=-2$

**24** $4:(x-1)=3:2x$

$4\times2x=3\times(x-1),\ 8x=3x-3$

$8x-3x=-3,\ 5x=-3,\ x=-\dfrac{3}{5}$

**25**
$$0.2(3x+1)=-4$$
$$10\times0.2(3x+1)=10\times(-4)$$
$$2(3x+1)=-40$$
$$6x+2=-40$$
$$6x=-40-2,\ 6x=-42,\ x=-7$$

**26**
$$4-\frac{2x}{3}=-10+\frac{x}{2}$$
$$6\times\left(4-\frac{2x}{3}\right)=6\times\left(-10+\frac{x}{2}\right)$$
$$6\times4-\overset{2}{6}\times\frac{2x}{\underset{1}{3}}=6\times(-10)+\overset{3}{6}\times\frac{x}{\underset{1}{2}}$$
$$24-4x=-60+3x,\ 24+60=3x+4x$$
$$84=7x,\ 7x=84,\ x=12$$

**27**
$$0.6x-1.2=x+3.2$$
$$10\times(0.6x-1.2)=10\times(x+3.2)$$
$$6x-12=10x+32$$
$$-12-32=10x-6x$$
$$-44=4x,\ 4x=-44$$
$$x=-11$$

**28**
$$\frac{3}{4}x+1=\frac{1}{2}(x+4)$$
$$4\times\left(\frac{3}{4}x+1\right)=\overset{2}{4}\times\frac{1}{2}(x+4)$$
$$\overset{1}{4}\times\frac{3}{\underset{1}{4}}x+4\times1=2(x+4)$$
$$3x+4=2x+8$$
$$3x-2x=8-4$$
$$x=4$$

**29**
$$\frac{x+2}{6}-1=\frac{5-4x}{9}$$
$$18\times\left(\frac{x+2}{6}-1\right)=18\times\frac{5-4x}{9}$$
$$\overset{3}{18}\times\frac{x+2}{\underset{1}{6}}-18\times1=\overset{2}{18}\times\frac{5-4x}{\underset{1}{9}}$$
$$3(x+2)-18=2(5-4x)$$
$$3x+6-18=10-8x$$
$$3x-12=10-8x$$
$$3x+8x=10+12,\ 11x=22,\ x=2$$

**30**
$$\frac{1}{5}(x+3)=0.7+2x$$
$$\frac{1}{5}(x+3)=\frac{7}{10}+2x$$
$$\overset{2}{10}\times\frac{1}{\underset{1}{5}}(x+3)=10\times\left(\frac{7}{10}+2x\right)$$
$$2\times(x+3)=\overset{1}{10}\times\frac{7}{\underset{1}{10}}+10\times2x$$
$$2x+6=7+20x,\ 6-7=20x-2x$$
$$-1=18x,\ 18x=-1,\ x=-\frac{1}{18}$$

---

**5단계** 방정식 활용     085~106쪽

**37** 방정식의 활용 (1) − 수     [086~087쪽]

**01** $(x+3)\times2,\ x+8,\ 2(x+3)=x+8$ / 풀이 참조 / 2
**02** 6
**03** $x+2,\ x+(x+2)=108$ / 풀이 참조 / 53, 53, 55
**04** 47

**01**
$$2(x+3)=x+8$$
$$2x+6=x+8$$
$$2x-x=8-6$$
$$x=2$$

**02** 어떤 수를 $x$라 하면
- 어떤 수에 3을 곱하였더니: $x\times3$
- 처음 구하려고 했던 수, 즉 어떤 수에 3을 더한 수보다 9만큼 커졌습니다.: $(x+3)+9$
➡ $$3x=(x+3)+9$$
$$3x=x+12$$
$$3x-x=12$$
$$2x=12,\ x=6$$
따라서 어떤 수는 6이다.

**03**
$$x+(x+2)=108$$
$$2x+2=108$$
$$2x=108-2$$
$$2x=106,\ x=53$$

**04** 연속하는 세 자연수를 $x-1,\ x,\ x+1$이라 하면
$$(x-1)+x+(x+1)=144$$
$$3x=144,\ x=48$$
따라서 세 자연수 중 가운데 수가 48이므로 가장 작은 수는 $48-1=47$이다.

**38** 방정식의 활용 (1) − 수     [088~089쪽]

**01** $10\times x+3,\ 10x+3=30+x+9$ / 풀이 참조 / 4, 34
**02** 27
**03** $x+4,\ x+(x+4)=32$ / 풀이 참조 / 14
**04** 20세

**01**
$$10x+3=30+x+9$$
$$10x+3=39+x$$
$$10x-x=39-3$$
$$9x=36,\ x=4$$

**02** 두 자리 자연수의 십의 자리 숫자를 $x$라 하면

일의 자리 숫자가 7이므로 이 자연수는

$10 \times x + 7 = 10x + 7$이고, 각 자리 숫자의 합은 $x + 7$이다.

$10x + 7 = 3(x + 7)$

$10x + 7 = 3x + 21$

$10x - 3x = 21 - 7$

$7x = 14$, $x = 2$

따라서 자연수는 $10 \times 2 + 7 = 27$이다.

**03** $x + (x + 4) = 32$, $2x + 4 = 32$, $2x = 32 - 4$

$2x = 28$, $x = 14$

**04** 현재 아들의 나이를 $x$세라 하면

현재 아버지의 나이는 $(70 - x)$세이므로

10년 후 아버지의 나이: $(70 - x + 10)$세

10년 후 아들의 나이: $(x + 10)$세

$70 - x + 10 = 2(x + 10)$

$80 - x = 2x + 20$

$80 - 20 = 2x + x$

$3x = 60$, $x = 20$

따라서 현재 아들의 나이는 20세이다.

---

**39** 방정식의 활용 (1) – 수 〔090~091쪽〕

**01** $15 - x$, $1000(15 - x) + 300x = 10000 - 2700$

/ 풀이 참조 / 11

**02** 11마리

**03** $20000 + 500x$, $12000 + 2000x$,

$12000 + 2000x = 3(20000 + 500x)$ / 풀이 참조 / 96

**04** 200분 후

**01** $1000(15 - x) + 300x = 10000 - 2700$

$15000 - 1000x + 300x = 7300$

$15000 - 7300 = 1000x - 300x$

$700x = 7700$, $x = 11$

**02** 돼지를 $x$마리라 하면 닭은 $(20 - x)$마리이다.

돼지의 다리 수의 합은 $4x$개

닭의 다리 수의 합은 $2(20 - x)$개이므로

$4x + 2(20 - x) = 62$, $4x + 40 - 2x = 62$

$4x - 2x = 62 - 40$, $2x = 22$, $x = 11$

따라서 돼지는 모두 11마리이다.

**03** $12000 + 2000x = 3(20000 + 500x)$

$12000 + 2000x = 60000 + 1500x$

$2000x - 1500x = 60000 - 12000$

$500x = 48000$, $x = 96$

---

**04** $x$분 후 양초 A의 길이는 $(20 - 0.01x)$ cm

양초 B의 길이는 $(15 - 0.03x)$ cm이므로

$20 - 0.01x = 2(15 - 0.03x)$

$20 - 0.01x = 30 - 0.06x$

$100 \times (20 - 0.01x) = 100 \times (30 - 0.06x)$

$2000 - x = 3000 - 6x$, $-x + 6x = 3000 - 2000$

$5x = 1000$, $x = 200$

따라서 길이가 2배가 되는 것은 200분 후이다.

---

**40** 방정식의 활용 (2) – 둘레, 넓이 〔092~093쪽〕

**01** $x + 4$, $2(x + 4 + x) = 32$ / 풀이 참조 / 6, 10

**02** 16 m

**03** $x + 2$, $\dfrac{1}{2} \times (x + x + 2) \times 5 = 35$ / 풀이 참조 / 6

**04** 18

**01** $2(x + 4 + x) = 32$, $2(2x + 4) = 32$

$4x + 8 = 32$, $4x = 32 - 8$

$4x = 24$, $x = 6$

**02** 가로의 길이를 $x$ m라 하면 세로의 길이는 $(3x - 2)$ m이다.

둘레의 길이가 44 m이므로

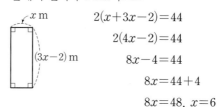

$2(x + 3x - 2) = 44$

$2(4x - 2) = 44$

$8x - 4 = 44$

$8x = 44 + 4$

$8x = 48$, $x = 6$

따라서 세로의 길이는 $3 \times 6 - 2 = 18 - 2 = 16$ (m)이다.

**03** $\dfrac{1}{2} \times (x + x + 2) \times 5 = 35$

$\dfrac{5}{2}(2x + 2) = 35$

$2 \times \dfrac{5}{2}(2x + 2) = 2 \times 35$

$5(2x + 2) = 70$, $10x + 10 = 70$

$10x = 70 - 10$, $10x = 60$, $x = 6$

**04** (새로운 직사각형의 가로의 길이) $= 9 + 3 = 12$ (cm)

(새로운 직사각형의 세로의 길이) $= (9 + x)$ cm

새로운 직사각형의 넓이는 처음 정사각형의 넓이의 4배이므로

$12(9 + x) = 4 \times (9 \times 9)$

$108 + 12x = 324$

$12x = 324 - 108$

$12x = 216$, $x = 18$

따라서 $x$의 값은 18이다.

## 41 방정식의 활용 (3) – 증가, 감소　094~095쪽

**01** $x \times \dfrac{8}{100}$, $x + \dfrac{8}{100}x = 351$ / 풀이 참조 / 325

**02** 120명

**03** $15 - \dfrac{19}{100}x = -\left(1000 \times \dfrac{8}{100}\right)$ / 풀이 참조 / 500

**04** 632.5 kg

---

**01**　$x + \dfrac{8}{100}x = 351$, $100 \times \left(x + \dfrac{8}{100}x\right) = 100 \times 351$

　　$100x + 8x = 35100$, $108x = 35100$, $x = 325$

**02**　작년 여학생 수를 $x$명이라 하면

　　작년 남학생 수는 $(300 - x)$명이다.

　　올해 여학생 수는 작년과 같으므로 $x$명

　　올해 남학생 수는 작년에 비하여 10 % 증가하였으므로

　　$\left\{(300 - x) + (300 - x) \times \dfrac{10}{100}\right\}$명이다.

　　$\rightarrow (300-x)+(300-x)\times\dfrac{10}{100}=(300-x)\times\dfrac{100}{100}+(300-x)\times\dfrac{10}{100}$

　　$=(300-x)\times\left(\dfrac{100}{100}+\dfrac{10}{100}\right)=(300-x)\times\dfrac{110}{100}$

　　올해 전체 학생 수는

　　$300 + \overset{3}{300} \times \dfrac{6}{\underset{1}{100}} = 300 + 18 = 318$(명)이므로

　　$x + \dfrac{110}{100}(300 - x) = 318$

　　$100 \times \left\{x + \dfrac{110}{100}(300 - x)\right\} = 100 \times 318$

　　$100x + 33000 - 110x = 31800$

　　$33000 - 31800 = 110x - 100x$

　　$10x = 1200$, $x = 120$

　　따라서 작년 여학생 수는 120명이다.

**03**　$15 - \dfrac{19}{100}x = -\left(1000 \times \dfrac{8}{100}\right)$

　　$100 \times \left(15 - \dfrac{19}{100}x\right) = 100 \times (-80)$

　　$1500 - 19x = -8000$, $1500 + 8000 = 19x$

　　$19x = 9500$, $x = 500$

**04**　작년 사과 생산량을 $x$ kg이라 하면

　　작년 배 생산량은 $(1200 - x)$ kg이다.

　　올해 전체 생산량이 20 kg 증가하였으므로

　　$\dfrac{10}{100}x - \dfrac{6}{100}(1200 - x) = 20$

　　$100 \times \left\{\dfrac{10}{100}x - \dfrac{6}{100}(1200 - x)\right\} = 100 \times 20$

　　$10x - 6(1200 - x) = 2000$

　　$10x - 7200 + 6x = 2000$

　　$10x + 6x = 2000 + 7200$

　　$16x = 9200$, $x = 575$

　　따라서 올해 사과 생산량은

　　$575 + 575 \times \dfrac{10}{100} = 575 + 57.5 = 632.5$ (kg)이다.

---

## 42 방정식의 활용 (4) – 거리, 속력, 시간　096~097쪽

**01** $\dfrac{x}{3}$, $\dfrac{x}{12}$, $\dfrac{45}{60}$, $\dfrac{x}{3} - \dfrac{x}{12} = \dfrac{45}{60}$ / 풀이 참조 / 3

**02** 20 km

**03** $60x$, $80 \times \left(x - \dfrac{15}{60}\right)$, $60x = 80\left(x - \dfrac{15}{60}\right)$ / 풀이 참조 / 1

**04** 오전 9시 30분

---

**01**　$\dfrac{x}{3} - \dfrac{x}{12} = \dfrac{45}{60}$

　　$60 \times \left(\dfrac{x}{3} - \dfrac{x}{12}\right) = 60 \times \dfrac{45}{60}$

　　$20x - 5x = 45$

　　$15x = 45$, $x = 3$

**02**　시속 80 km로 달린 거리를 $x$ km라 하면

　　시속 100 km로 달린 거리는 $(70 - x)$ km이다.

　　시속 80 km로 이동한 시간: $\dfrac{x}{80}$시간

　　시속 100 km로 이동한 시간: $\dfrac{70 - x}{100}$시간

　　$\dfrac{x}{80} + \dfrac{70 - x}{100} = \dfrac{45}{60}$

　　$\dfrac{x}{80} + \dfrac{70 - x}{100} = \dfrac{3}{4}$

　　$400 \times \left(\dfrac{x}{80} + \dfrac{70 - x}{100}\right) = 400 \times \dfrac{3}{4}$

　　$\overset{5}{400} \times \dfrac{x}{\underset{1}{80}} + \overset{4}{400} \times \dfrac{70 - x}{\underset{1}{100}} = \overset{100}{400} \times \dfrac{3}{\underset{1}{4}}$

　　$5x + 4(70 - x) = 300$

　　$5x + 280 - 4x = 300$

　　$x = 300 - 280$, $x = 20$

　　따라서 시속 80 km로 달린 거리는 20 km이다.

**03**　$60x = 80\left(x - \dfrac{\overset{}{15}}{\underset{4}{60}}\right)$

　　$60x = 80\left(x - \dfrac{1}{4}\right)$

　　$60x = 80x - 20$

　　$20 = 80x - 60x$

　　$20x = 20$, $x = 1$

**04**　누나가 출발한 지 $x$분 후에 만난다고 하면 정수는 누나보다 10분을 더 걸었으므로

　　정수가 $(x + 10)$분 동안 걸은 거리: $40(x + 10)$ m

　　누나가 $x$분 동안 걸은 거리: $60x$ m

　　(정수가 걸은 거리) = (누나가 걸은 거리)

　　$40(x + 10) = 60x$

　　$40x + 400 = 60x$

　　$400 = 60x - 40x$

　　$20x = 400$, $x = 20$

　　누나가 오전 9시 10분에 출발하고 20분 후에 만나므로 두 사람이 만나는 시각은 오전 9시 30분이다.

**01** $90x$, $60x$, $4500$, $90x+60x=4500$ / 풀이 참조 / $30$

**02** $100$분 후

**03** $1+x$, $\dfrac{12}{3600}$, $\dfrac{1+x}{360}=\dfrac{12}{3600}$ / 풀이 참조

/ $\dfrac{1}{5}$, $200$, $200$

**04** $300$ m

---

**01**
$$90x+60x=4500$$
$$150x=4500$$
$$x=30$$

**02** 두 사람이 출발한 지 $x$분 후에 처음으로 다시 만난다고 하면
언니가 $x$분 동안 걸은 거리: $65x$ m
동생이 $x$분 동안 걸은 거리: $50x$ m
(언니가 걸은 거리)−(동생이 걸은 거리)$=1500\,(\text{m})$
$$65x-50x=1500$$
$$15x=1500$$
$$x=100$$
따라서 $100$분 후에 처음으로 다시 만난다.

**03**
$$\frac{1+x}{360}=\frac{12}{3600}$$
$$\frac{1+x}{360}=\frac{1}{300}$$
$$\overset{5}{1800}\times\frac{1+x}{360}=\overset{6}{1800}\times\frac{1}{\underset{1}{300}}$$
$$5\times(1+x)=6$$
$$5+5x=6$$
$$5x=6-5$$
$$5x=1$$
$$x=\frac{1}{5}$$

**04** 기차의 길이를 $x$ m라 하면
길이가 $600$ m인 터널을 통과하는 속력: $\dfrac{600+x}{30}$ 초
길이가 $750$ m인 터널을 통과하는 속력: $\dfrac{750+x}{35}$ 초
기차의 속력이 일정하므로
$$\frac{600+x}{30}=\frac{750+x}{35}$$
$$\overset{7}{210}\times\frac{600+x}{30}=\overset{6}{210}\times\frac{750+x}{\underset{1}{35}}$$
$$7(600+x)=6(750+x)$$
$$4200+7x=4500+6x$$
$$7x-6x=4500-4200$$
$$x=300$$
따라서 기차의 길이는 $300$ m이다.

---

**01** $\dfrac{5}{100}\times400=20$, $\dfrac{8}{100}\times(400-x)$,

$20=\dfrac{8}{100}\times(400-x)$ / 풀이 참조 / $150$

**02** $14$ %

**03** $300+x$, $\dfrac{15}{100}\times x$, $\dfrac{24}{100}\times(300+x)$,

$\dfrac{15}{100}\times x+\dfrac{30}{100}\times300=\dfrac{24}{100}\times(300+x)$ / 풀이 참조

/ $200$

**04** $100$ g

---

**01**
$$20=\frac{8}{100}\times(400-x)$$
$$100\times20=100\times\frac{8}{100}\times(400-x)$$
$$2000=8(400-x),\ 2000=3200-8x$$
$$8x=3200-2000,\ 8x=1200,\ x=150$$

**02** 처음 소금물의 농도를 $x$ %라 하면
물을 넣기 전의 소금의 양: $\left(\dfrac{x}{100}\times360\right)$ g
물을 넣은 후의 소금의 양: $\left\{\dfrac{12}{100}\times(360+60)\right\}$ g
소금의 양은 변하지 않으므로
$$\frac{x}{100}\times360=\frac{12}{100}\times(360+60)$$
$$\frac{x}{100}\times360=\frac{12}{100}\times420$$
$$\overset{1}{100}\times\frac{x}{\underset{1}{100}}\times360=\overset{1}{100}\times\frac{12}{\underset{1}{100}}\times420$$
$$360x=5040$$
$$x=14$$
따라서 처음 소금물의 농도는 $14$ %이다.

**03**
$$\frac{15}{100}\times x+\frac{30}{100}\times300=\frac{24}{100}\times(300+x)$$
양변에 $100$을 곱하면
$$15x+9000=7200+24x$$
$$9000-7200=24x-15x$$
$$9x=1800,\ x=200$$

**04** 더 넣은 소금의 양을 $x$ g이라 하면
$10$ %의 소금물의 소금의 양: $\left(\dfrac{10}{100}\times200\right)$ g
$40$ %의 소금물의 소금의 양: $\left\{\dfrac{40}{100}\times(200+x)\right\}$ g
($10$ %의 소금물의 소금의 양)$+x$
$=$($40$ %의 소금물의 소금의 양)
$$\frac{10}{100}\times200+x=\frac{40}{100}\times(200+x)$$
양변에 $100$을 곱하면
$$2000+100x=8000+40x,\ 100x-40x=8000-2000$$
$$60x=6000,\ x=100$$
따라서 더 넣은 소금의 양은 $100$ g이다.

5 단계

## 45 방정식의 활용 (6) − 일의 양 / 원가, 정가  |102~103쪽|

**01** $\dfrac{1}{20}$, $\dfrac{1}{30}$, $\dfrac{x}{20}+\dfrac{x}{30}=1$ / 풀이 참조 / 12

**02** 5분

**03** $\left(1-\dfrac{25}{100}\right)x$, 1500, $\left(1-\dfrac{25}{100}\right)x-15000=1500$
/ 풀이 참조 / 22000

**04** 18000원

**01**
$$\dfrac{x}{20}+\dfrac{x}{30}=1$$
$$60\times\left(\dfrac{x}{20}+\dfrac{x}{30}\right)=60\times1$$
$$3x+2x=60$$
$$5x=60,\ x=12$$

**02** 물통에 가득 찬 물의 양을 1이라 하면

A 호스로 1분 동안 받는 물의 양: $\dfrac{1}{20}$

B 호스로 1분 동안 받는 물의 양: $\dfrac{1}{10}$

A 호스로만 물을 받는 시간을 $x$분이라 하면

$$\left(\dfrac{1}{20}+\dfrac{1}{10}\right)\times5+\dfrac{1}{20}\times x=1$$
$$\overset{3}{\underset{4}{\dfrac{3}{20}}}\times\overset{1}{5}+\dfrac{1}{20}\times x=1$$
$$\dfrac{3}{4}+\dfrac{1}{20}x=1$$
$$20\times\left(\dfrac{3}{4}+\dfrac{1}{20}x\right)=20\times1$$
$$\overset{5}{20}\times\dfrac{3}{\underset{1}{4}}+\overset{1}{20}\times\dfrac{1}{\underset{1}{20}}x=20,\ 15+x=20$$
$$x=20-15,\ x=5$$

따라서 A 호스로 물을 5분 더 받아야 한다.

**03**
$$\left(1-\dfrac{25}{100}\right)x-15000=1500$$
$$\dfrac{3}{4}x-15000=1500$$
$$4\times\left(\dfrac{3}{4}x-15000\right)=4\times1500$$
$$3x-60000=6000,\ 3x=6000+60000$$
$$3x=66000,\ x=22000$$

**04** 할인 전 가격을 $x$원이라 하면
할인 금액은 $\left(x\times\dfrac{15}{100}\right)$원이므로

$$x-\dfrac{15}{100}x=15300$$
$$100\times\left(x-\dfrac{15}{100}x\right)=100\times15300$$
$$100x-15x=1530000$$
$$85x=1530000,\ x=18000$$

따라서 할인 전 가격은 18000원이다.

## 46 실력 확인 TEST  |104~106쪽|

**01** $3(x+5)=27$, $x=4$  **02** $35x=280$, $x=8$

**03** 15, 460  **04** 30, 25000

**05** $38+x=2(13+x)$  **06** 12년 후

**07** $x$ / 80 / $\dfrac{x}{70}$, $\dfrac{x}{80}$ / $\dfrac{x}{70}+\dfrac{x}{80}=3$

**08** 112 km  **09** $\dfrac{1}{2}\times(x+x-4)\times8=56$

**10** 9 cm

**11** 5 / 200+$x$ / 16, $\dfrac{5}{100}(200+x)$ / $16=\dfrac{5}{100}(200+x)$

**12** 120 g  **13** 47

**14** 110개월 후  **15** 840명

**16** 4일  **17** 30분 후

**18** 120분 후  **19** 300+$x$ / 75 g

**20** 30000원

**01** 어떤 수를 $x$라 하면
어떤 수에 5를 더하고 3배 한 것: $(x+5)\times3$
$3(x+5)=27,\ 3x+15=27$
$3x=27-15,\ 3x=12,\ x=4$

**02** $x\times7\times5=280,\ 35x=280,\ x=8$

**03** $x+\dfrac{15}{100}x=529,\ 100\times\left(x+\dfrac{15}{100}x\right)=100\times529$
$100x+15x=52900,\ 115x=52900,\ x=460$

**04** $x-\dfrac{30}{100}x=17500,\ 100\times\left(x-\dfrac{30}{100}x\right)=100\times17500$
$100x-30x=1750000,\ 70x=1750000,\ x=25000$

**05** $x$년 후
찬호의 나이: $(13+x)$세, 이모의 나이: $(38+x)$세
➡ $38+x=2(13+x)$

**06** $38+x=2(13+x),\ 38+x=26+2x$
$38-26=2x-x,\ x=12$

**07**

|  | 갈 때 | 올 때 |
|---|---|---|
| 거리(km) | $x$ | $x$ |
| 속력(km/시) | 70 | 80 |
| 걸린 시간(시간) | $\dfrac{x}{70}$ | $\dfrac{x}{80}$ |

➡ (갈 때 걸린 시간)+(올 때 걸린 시간)=3(시간)

**08** $\dfrac{x}{70}+\dfrac{x}{80}=3,\ 560\times\left(\dfrac{x}{70}+\dfrac{x}{80}\right)=560\times3$
$8x+7x=1680,\ 15x=1680,\ x=112$

**09** 윗변의 길이를 $x$ cm라 하면
아랫변의 길이: $(x-4)$ cm
(사다리꼴의 넓이)
$=\dfrac{1}{2}\times\{(윗변의 길이)+(아랫변의 길이)\}\times(높이)$
➡ $\dfrac{1}{2}\times(x+x-4)\times8=56$

**10** $\frac{1}{2} \times (x + x - 4) \times \overset{4}{\cancel{8}} = 56$, $4(2x - 4) = 56$

$\qquad 8x - 16 = 56$, $8x = 56 + 16$

$\qquad 8x = 72$, $x = 9$

**11**

|  | 물을 넣기 전 | 물을 넣은 후 |
|---|---|---|
| 농도(%) | 8 | 5 |
| 소금물의 양(g) | 200 | $200 + x$ |
| 소금의 양(g) | 16 | $\frac{5}{100} \times (200 + x)$ |

(물을 넣기 전의 소금의 양)$= \frac{8}{100} \times \overset{2}{\cancel{200}} = 16$ (g)

**12** $\qquad 16 = \frac{5}{100} \times (200 + x)$

$\qquad 100 \times 16 = 100 \times \frac{5}{100} \times (200 + x)$

$\qquad 1600 = 5(200 + x)$, $1600 = 1000 + 5x$

$1600 - 1000 = 5x$, $5x = 600$, $x = 120$

**13** 연속하는 세 홀수를 $x - 2$, $x$, $x + 2$라 하면

$x - 2 + x + x + 2 = 135$, $3x = 135$, $x = 45$

따라서 세 홀수 중 가운데 수가 45이므로 가장 큰 홀수는

$45 + 2 = 47$이다.

**14** $x$개월 후 도연이의 예금액은 $(20000 + 800x)$원,

준연이의 예금액은 $(18000 + 1800x)$원이므로

$18000 + 1800x = 2(20000 + 800x)$

$18000 + 1800x = 40000 + 1600x$

$1800x - 1600x = 40000 - 18000$

$\qquad 200x = 22000$, $x = 110$

따라서 110개월 후이다.

**15** 작년 여학생 수를 $x$명이라 하면

작년 남학생 수는 $(1600 - x)$명이다.

전체 학생 수가 16명 증가하였으므로

$\frac{5}{100}x - \frac{3}{100}(1600 - x) = 16$

양변에 100을 곱하면

$5x - 3(1600 - x) = 1600$, $5x - 4800 + 3x = 1600$

$8x = 1600 + 4800$, $8x = 6400$, $x = 800$

따라서 올해 여학생 수는 $800 + 800 \times \frac{5}{100} = 840$(명)이다.

**16** 전체 일의 양을 1이라 하면

소현이가 하루 동안 하는 일의 양: $\frac{1}{10}$

동윤이가 하루 동안 하는 일의 양: $\frac{1}{15}$

두 사람이 함께 일한 기간을 $x$일이라 하면

$\qquad \underset{3}{\cancel{\frac{1}{15}}} \times \overset{1}{\cancel{5}} + \frac{x}{10} + \frac{x}{15} = 1$, $\frac{1}{3} + \frac{x}{10} + \frac{x}{15} = 1$

$\qquad 30 \times \left( \frac{1}{3} + \frac{x}{10} + \frac{x}{15} \right) = 30 \times 1$

$\overset{10}{\cancel{30}} \times \underset{1}{\frac{1}{3}} + \overset{3}{\cancel{30}} \times \frac{x}{10} + \overset{2}{\cancel{30}} \times \frac{x}{15} = 30$

$\qquad 10 + 3x + 2x = 30$

$\qquad 5x = 30 - 10$

$\qquad 5x = 20$, $x = 4$

따라서 두 사람이 4일 동안 함께 일을 했다.

**17** 두 사람이 출발한 지 $x$분 후에 처음으로 다시 만난다고 하면

종석이가 $x$분 동안 걸은 거리: $50x$ m

효주가 $x$분 동안 걸은 거리: $30x$ m

(종석이가 걸은 거리)$+$(효주가 걸은 거리)$= 2400$ (m)

$50x + 30x = 2400$, $80x = 2400$, $x = 30$

따라서 30분 후에 처음으로 다시 만난다.

**18** 두 사람이 출발한 지 $x$분 후에 처음으로 다시 만난다고 하면

종석이가 효주보다 1바퀴를 더 걸은 것이므로

$50x - 30x = 2400$, $20x = 2400$, $x = 120$

따라서 120분 후에 처음으로 다시 만난다.

**19** 40 %의 설탕물을 $x$ g 섞는다고 하면

10 %의 설탕물의 설탕의 양: $\left( \frac{10}{100} \times 300 \right)$ g

40 %의 설탕물의 설탕의 양: $\left( \frac{40}{100} \times x \right)$ g

(10 %의 설탕물의 설탕의 양)$+$(40 %의 설탕물의 설탕의 양)

$= $(16 %의 설탕물의 설탕의 양)

$\frac{10}{100} \times 300 + \frac{40}{100} \times x = \frac{16}{100} \times (300 + x)$

양변에 100을 곱하면

$\qquad 10 \times 300 + 40 \times x = 16(300 + x)$

$\qquad 3000 + 40x = 4800 + 16x$

$\qquad 40x - 16x = 4800 - 3000$

$\qquad 24x = 1800$, $x = 75$

따라서 40 %의 설탕물 75 g을 섞었다.

**20** 장식품의 원가를 $x$원이라 하면

정가: $\left( 1 + \frac{20}{100} \right) x = \frac{6}{5}x$(원)

정가에서 4000원을 할인하여 판매한 가격:

$\left( \frac{6}{5}x - 4000 \right)$(원)

(이익)$=$(판매 가격)$-$(원가)

$\qquad \left( \frac{6}{5}x - 4000 \right) - x = 2000$

$\qquad 5 \times \left( \frac{6}{5}x - 4000 - x \right) = 5 \times 2000$

$\underset{1}{\cancel{5}} \times \frac{6}{5}x - 5 \times 4000 - 5 \times x = 10000$

$\qquad 6x - 20000 - 5x = 10000$

$\qquad x = 10000 + 20000$

$\qquad x = 30000$

따라서 장식품의 원가는 30000원이다.

## 47 성취도 확인 평가 1회    108~110쪽

**01** ②     **02** $-5$     **03** $+10.3$

**04** $-20$     **05** $10000-1200 \times x$

**06** ③     **07** $3x-4$     **08** $4x+20$

**09** ③, ⑤     **10** $\dfrac{6}{7}$     **11** $x=-18$

**12** $x=-\dfrac{4}{3}$     **13** $x=-\dfrac{5}{2}$     **14** $x=-1$

**15** $x=\dfrac{3}{2}$     **16** ②     **17** $x=-6$

**18** $x=2$     **19** $x=2$     **20** $x=-1$

**21** ③     **22** $-3$     **23** 36 cm

**24** 4일     **25** 450명

**06** ③ 수와 문자를 곱할 때 1은 생략할 수 있지만 0.1의 1은 생략할 수 없다. ➡ $0.1 \times x = 0.1x$

**07** 동류항끼리 계산하여 식을 간단히 한다.
$$10x-4-7x=10x-7x-4=(10-7)x-4=3x-4$$

**08** $(3x+15) \div \dfrac{3}{4} = (3x+15) \times \dfrac{4}{3} = \overset{1}{3}x \times \dfrac{4}{\underset{1}{3}} + \overset{5}{15} \times \dfrac{4}{\underset{1}{3}}$
$$= 4x+20$$

**11**
$$x+16=-2$$
$$x+16-16=-2-16 \quad \text{〔양변에서 16을 뺀다.〕}$$
$$x=-18$$

**12**
$$-\frac{x}{4}=\frac{1}{3}$$
$$-\frac{x}{4} \times (-4) = \frac{1}{3} \times (-4) \quad \text{〔양변에 -4를 곱한다.〕}$$
$$x=-\frac{4}{3}$$

**13** $x-1=3x+4$, $-1-4=3x-x$, $-5=2x$
$$2x=-5, \ x=-\frac{5}{2}$$

**14** $4x+3.6=-x-1.4$, $4x+x=-1.4-3.6$
$$5x=-5, \ x=-1$$

**15** $-2x+3=x-\dfrac{3}{2}$, $3+\dfrac{3}{2}=x+2x$
$$\frac{9}{2}=3x, \ 3x=\frac{9}{2}$$
$$x=\frac{\overset{3}{9}}{2} \times \frac{1}{\underset{1}{3}}, \ x=\frac{3}{2}$$

**16** $6x+5=-7+2x$, $6x-2x=-7-5$
$$4x=-12, \ x=-3$$

**17** $5(x-1)=7(1+x)$, $5x-5=7+7x$
$$-5-7=7x-5x, \ -12=2x$$
$$2x=-12, \ x=-6$$

**20**
$$-\frac{1}{5}x=\frac{1}{2}x+\frac{7}{10}$$
$$10 \times \left(-\frac{1}{5}x\right)=10 \times \left(\frac{1}{2}x+\frac{7}{10}\right)$$
$$\overset{2}{10} \times \left(-\frac{1}{\underset{1}{5}}x\right)=\overset{5}{10} \times \frac{1}{\underset{1}{2}}x + \overset{1}{10} \times \frac{7}{\underset{1}{10}}$$
$$-2x=5x+7, \ -7=5x+2x$$
$$-7=7x, \ 7x=-7, \ x=-1$$

**21** 외항의 곱과 내항의 곱은 같으므로
$$5:3=(x+7):(2x+4)$$
$$5 \times (2x+4)=3 \times (x+7), \ 10x+20=3x+21$$
$$10x-3x=21-20, \ 7x=1, \ x=\frac{1}{7}$$

**22** 어떤 수를 $x$라 하면
좌변: 어떤 수의 3배에서 1을 뺀 수 ➡ $x \times 3 - 1$
우변: 어떤 수에 1을 더해서 5배 한 수 ➡ $(x+1) \times 5$
$$3x-1=5(x+1), \ 3x-1=5x+5$$
$$-1-5=5x-3x, \ -6=2x, \ 2x=-6, \ x=-3$$
따라서 어떤 수는 $-3$이다.

**23** 새로운 직사각형의 가로의 길이: $(8+x)$ cm
새로운 직사각형의 세로의 길이: $8-2=6$ (cm)
$$(8+x) \times 6=72, \ 48+6x=72, \ 6x=72-48$$
$$6x=24, \ x=4$$
➡ (둘레의 길이)$=2(12+6)=2 \times 18=36$ (cm)

**24** 전체 일의 양을 1이라 하면
형이 하루 동안 하는 일의 양: $\dfrac{1}{10}$
동생이 하루 동안 하는 일의 양: $\dfrac{1}{20}$
두 사람이 함께 일한 시간을 $x$일이라 하면
$$\frac{1}{10} \times 4 + \frac{x}{10} + \frac{x}{20}=1$$
$$20 \times \left(\frac{1}{10} \times 4 + \frac{x}{10} + \frac{x}{20}\right)=20 \times 1$$
$$\overset{2}{20} \times \frac{1}{\underset{1}{10}} \times 4 + \overset{2}{20} \times \frac{x}{\underset{1}{10}} + \overset{1}{20} \times \frac{x}{\underset{1}{20}}=20$$
$$8+2x+x=20, \ 3x=20-8$$
$$3x=12, \ x=4$$

따라서 4일 동안 함께 일했다.

**25** 작년 남학생 수를 $x$명이라 하면
작년 여학생 수는 $(800-x)$명이다.
전체 학생 수가 15명 감소하였으므로
$$-\frac{8}{100}x+\frac{6}{100}(800-x)=-15$$
양변에 100을 곱하면
$$-8x+6(800-x)=-1500$$
$$-8x+4800-6x=-1500$$
$$4800+1500=6x+8x$$
$$6300=14x, \ 14x=6300, \ x=450$$
따라서 작년 남학생 수는 450명이다.

| | | |
|---|---|---|
| **01** 16 | **02** ④ | **03** $-\dfrac{45}{2}$ |
| **04** $-\dfrac{5}{6}$ | **05** $-48x$ | **06** ⑤ |
| **07** $-12x+\dfrac{12}{5}$ | **08** $\dfrac{1}{3}x-\dfrac{19}{12}$ | **09** ④ |
| **10** ②, ⑤ | **11** $\dfrac{4}{7}$ | **12** 0.9 |
| **13** $x-4x=15$ | **14** $x=\dfrac{1}{2}$ | **15** $x=3$ |
| **16** $x=-4$ | **17** ① | **18** $x=-5$ |
| **19** $x=\dfrac{9}{5}$ | **20** $x=1$ | **21** ⑤ |
| **22** ③ | **23** 93개 | **24** 12 km |
| **25** 11300원 | | |

**01** 절댓값은 그 수에서 부호를 뗀 수와 같다.
➡ $|-16|=16$

**02** ④ $\left(-\dfrac{1}{3}\right)-\left(-\dfrac{5}{7}\right)=\left(-\dfrac{1}{3}\right)+\left(+\dfrac{5}{7}\right)$
$=\left(-\dfrac{7}{21}\right)+\left(+\dfrac{15}{21}\right)$
$=+\left(\dfrac{15}{21}-\dfrac{7}{21}\right)=+\dfrac{8}{21}$

**07** $-(15x-3)\div\dfrac{5}{4}=-(15x-3)\times\dfrac{4}{5}$
$=-\overset{3}{15}x\times\dfrac{4}{5}+3\times\dfrac{4}{5}$
$=-12x+\dfrac{12}{5}$

**08** $\dfrac{4-x}{6}+\dfrac{2x-9}{4}=\dfrac{2\times(4-x)+3\times(2x-9)}{12}$
$=\dfrac{8-2x+6x-27}{12}$
$=\dfrac{-2x+6x+8-27}{12}$
$=\dfrac{4x-19}{12}=\dfrac{1}{3}x-\dfrac{19}{12}$

**13** $+\blacksquare\xrightarrow{\text{이항}}-\blacksquare$ 로 부호가 바뀐다. ➡ $x-4x=15$

**14** $5x-\dfrac{7}{4}=\dfrac{3}{4}$, $5x=\dfrac{3}{4}+\dfrac{7}{4}$, $5x=\dfrac{10}{4}$
$x=\dfrac{\overset{1}{\cancel{10}}}{\underset{2}{\cancel{4}}}\times\dfrac{1}{\underset{1}{\cancel{5}}}$, $x=\dfrac{1}{2}$

**15** $x+6=7x-12$, $6+12=7x-x$, $6x=18$, $x=3$

**16** $x-7.4=3x+0.6$, $-7.4-0.6=3x-x$, $2x=-8$, $x=-4$

**17** ① $x=2$ ② $x=\dfrac{9}{28}$ ③ $x=-1$ ④ $x=1$ ⑤ $x=-\dfrac{7}{10}$

**18** $3(x-1)=2x-8$, $3x-3=2x-8$
$3x-2x=-8+3$, $x=-5$

**19** $\dfrac{2-x}{3}+1=\dfrac{3x+1}{6}$
$6\times\left(\dfrac{2-x}{3}+1\right)=6\times\dfrac{3x+1}{6}$
$\overset{2}{\cancel{6}}\times\dfrac{2-x}{\cancel{3}}+6\times1=\overset{1}{\cancel{6}}\times\dfrac{3x+1}{\cancel{6}}$, $2(2-x)+6=3x+1$
$4-2x+6=3x+1$, $4+6-1=3x+2x$
$5x=9$, $x=\dfrac{9}{5}$

**20** $5:(7-2x)=3:(x+2)$, $5\times(x+2)=3\times(7-2x)$
$5x+10=21-6x$, $5x+6x=21-10$
$11x=11$, $x=1$

**21** $0.5-\dfrac{1}{2}x+3=1$, $\dfrac{5}{10}-\dfrac{1}{2}x+3=1$
$\boxed{10}\times\left(\dfrac{5}{10}-\dfrac{1}{2}x+3\right)=\boxed{10}\times1$, $\overset{1}{\cancel{10}}\times\dfrac{5}{\cancel{10}}-\overset{5}{\cancel{10}}\times\dfrac{1}{\cancel{2}}x+10\times3=10$
$5-5x+30=10$, $5+30-10=5x$
$5x=25$, $x=5$

**22** 연속하는 세 짝수를 $x-2$, $x$, $x+2$라 하면
$x-2+x+x+2=198$, $3x=198$, $x=66$
따라서 세 짝수 중 가운데 수가 66이므로 가장 작은 수는
$66-2=64$이다.

**23** 학생 수를 $x$명이라 하면
$6x+21=8x-3$, $21+3=8x-6x$, $2x=24$, $x=12$
학생 수가 12명이므로
초콜릿은 $6\times12+21=72+21=93$(개)이다.

**24** 등산로의 거리를 $x$ km라 하면

| | 올라갈 때 | 내려올 때 |
|---|---|---|
| 거리(km) | $x$ | $x$ |
| 속력(km/시) | 3 | 4 |
| 걸린 시간(시간) | $\dfrac{x}{3}$ | $\dfrac{x}{4}$ |

$\dfrac{x}{3}+\dfrac{x}{4}=7$, $\boxed{12}\times\left(\dfrac{x}{3}+\dfrac{x}{4}\right)=\boxed{12}\times7$
$4x+3x=84$, $7x=84$, $x=12$
따라서 등산로의 거리는 12 km이다.

**25** 물건의 정가를 $x$원이라 하면
(정가의 20 %를 할인하여 판매한 가격)$=\left(1-\dfrac{20}{100}\right)x$(원)
(이익)$=8000\times\dfrac{13}{100}=1040$(원)
(이익)$=$(판매한 가격)$-$(원가)이므로
$\left(1-\dfrac{20}{100}\right)x-8000=1040$, $\dfrac{4}{5}x-8000=1040$
$5\times\left(\dfrac{4}{5}x-8000\right)=5\times1040$, $\overset{1}{\cancel{5}}\times\dfrac{4}{\cancel{5}}x-5\times8000=5200$
$4x-40000=5200$, $4x=5200+40000$
$4x=45200$, $x=11300$
따라서 정가는 11300원이다.

6
단
계

## 49 성취도 확인 평가 3회  114~116쪽

| | | |
|---|---|---|
| **01** 8 | **02** ④ | **03** $+\dfrac{4}{9}$, $-16$ |
| **04** $x \times 6 - 3$ | **05** $-\dfrac{10}{3}x$ | |
| **06** $\left(\dfrac{3}{5}x + 800 \times 4\right)$원 | | **07** ③ |
| **08** ①, ③ | **09** ② | **10** ③ |
| **11** $x = -10$ | **12** $x = 4$ | **13** ⑤ |
| **14** $x = 4$ | **15** $x = 1$ | **16** $x = \dfrac{1}{12}$ |
| **17** ① | **18** $x = \dfrac{4}{3}$ | **19** $x = \dfrac{3}{5}$ |
| **20** $x = \dfrac{13}{7}$ | **21** ④ | **22** 13세 |
| **23** ④ | **24** 8분 후 | **25** 150 g |

**03** $-36 \div \left(+\dfrac{9}{4}\right) = -36 \times \left(+\dfrac{4}{9}\right) = -\left(\overset{4}{\cancel{36}} \times \dfrac{4}{\cancel{9}}\right) = -16$

**06** (공책 한 권의 가격)$= \dfrac{x}{5}$(원), (공책 3권의 가격)$= \dfrac{3}{5}x$(원)

(지우개 4개의 가격)$= (800 \times 4)$원

➡ (공책 3권의 가격)$+$(지우개 4개의 가격)

$\qquad = \dfrac{3}{5}x + 800 \times 4$(원)

**09** 등식의 양변에 같은 수를 더하거나 빼거나 곱하거나 나누어
도 등식은 성립한다. (단, 0으로 나누는 것은 제외한다.)
② $a = b$일 때, 양변에 2를 곱하면 $2a = 2b$이다.

**13** ① $2x + 3 = 1$      ② $x - 8 = -9$
$\qquad 2x = 1 - 3 \qquad\qquad x = -9 + 8$
$\qquad 2x = -2,\ x = -1 \qquad x = -1$

③ $2x + 4 = 3 + x$    ④ $\dfrac{5}{2}x + \dfrac{3}{2} = -1$
$\qquad 2x - x = 3 - 4 \qquad\qquad \dfrac{5}{2}x = -1 - \dfrac{3}{2}$
$\qquad\quad x = -1 \qquad\qquad\qquad \dfrac{5}{2}x = -\dfrac{5}{2}$

⑤ $-4x + 3 = 6x - 7$
$\qquad 3 + 7 = 6x + 4x \qquad\qquad x = -\dfrac{\cancel{5}}{\cancel{2}} \times \dfrac{\cancel{2}}{\cancel{5}}$
$\qquad 10x = 10 \qquad\qquad\qquad x = -1$
$\qquad\quad x = 1$

**16** $-\dfrac{2}{3} + 2x = 3x - \dfrac{3}{4}$, $-\dfrac{2}{3} + \dfrac{3}{4} = 3x - 2x$

$\qquad x = -\dfrac{8}{12} + \dfrac{9}{12}$, $x = \dfrac{1}{12}$

**17** $\qquad 0.02x + 2.1 = 0.32x - 0.9$
$\quad 100 \times (0.02x + 2.1) = 100 \times (0.32x - 0.9)$
$\qquad 2x + 210 = 32x - 90$, $210 + 90 = 32x - 2x$
$\qquad 30x = 300$, $x = 10$

**18** $2(x - 1) = -(x - 2)$, $2x - 2 = -x + 2$
$\qquad 2x + x = 2 + 2$, $3x = 4$, $x = \dfrac{4}{3}$

**19** $(x + 1) : 2 = 4x : 3$, $3 \times (x + 1) = 2 \times 4x$, $3x + 3 = 8x$

$\qquad 3 = 8x - 3x$, $5x = 3$, $x = \dfrac{3}{5}$

**20** $\qquad \dfrac{x-1}{3} + \dfrac{x+1}{4} = 1$

$\quad \boxed{12 \times} \left( \dfrac{x-1}{3} + \dfrac{x+1}{4} \right) = \boxed{12 \times} 1$

$\quad \overset{4}{\cancel{12}} \times \dfrac{x-1}{\cancel{3}} + \overset{3}{\cancel{12}} \times \dfrac{x+1}{\cancel{4}} = 12$, $4(x-1) + 3(x+1) = 12$

$\qquad 4x - 4 + 3x + 3 = 12$, $7x - 1 = 12$

$\qquad\qquad 7x = 12 + 1$, $7x = 13$, $x = \dfrac{13}{7}$

**21** $\quad 5 - \dfrac{x+1}{4} = \dfrac{3}{2}$, $\boxed{4 \times} \left( 5 - \dfrac{x+1}{4} \right) = \boxed{4 \times} \dfrac{3}{2}$

$\quad 4 \times 5 - \overset{1}{\cancel{4}} \times \dfrac{x+1}{\cancel{4}} = \overset{2}{\cancel{4}} \times \dfrac{3}{\cancel{2}}$, $20 - x - 1 = 6$, $19 - x = 6$

$\qquad\quad 19 - 6 = x$, $x = 13$

**22** 현재 준휘의 나이를 $x$세라 하면 아버지의 나이는 $(54 - x)$세
15년 후 아버지의 나이: $(54 - x + 15)$세
15년 후 준휘의 나이: $(x + 15)$세
$54 - x + 15 = 2(x + 15)$, $69 - x = 2x + 30$
$\quad 69 - 30 = 2x + x$, $39 = 3x$, $x = 13$
따라서 현재 준휘의 나이는 13세이다.

**23** 산 아이스크림을 $x$개라 하면 젤리는 $(13 - x)$개이므로
$900 \times (13 - x) + 1500 \times x = 20000 - 4100$
$\quad 11700 - 900x + 1500x = 15900$, $600x = 15900 - 11700$
$\qquad\qquad 600x = 4200$, $x = 7$
따라서 아이스크림을 7개 샀다.

**24** 언니가 출발한 지 $x$분 후에 동생을 만난다고 하면
동생이 $(12 + x)$분 동안 걸은 거리와 언니가 $x$분 동안 뛰어
간 거리가 같으므로
$60(12 + x) = 150x$, $720 + 60x = 150x$
$\qquad 720 = 150x - 60x$, $720 = 90x$, $x = 8$
따라서 8분 후에 동생을 만나게 된다.

**25** 더 넣어야 하는 물의 양을 $x$ g이라 하면

| | 물을 넣기 전 | 물을 넣은 후 |
|---|---|---|
| 농도(%) | 6 | 4 |
| 소금물의 양(g) | 300 | $300 + x$ |
| 소금의 양(g) | $\dfrac{6}{100} \times 300 = 18$ | $\dfrac{4}{100} \times (300 + x)$ |

소금의 양은 변하지 않으므로

$\qquad\quad 18 = \dfrac{4}{100} \times (300 + x)$

$\quad 100 \times 18 = 100 \times \dfrac{4}{100} \times (300 + x)$

$\qquad 1800 = 4(300 + x)$, $1800 = 1200 + 4x$

$\quad 1800 - 1200 = 4x$, $4x = 600$, $x = 150$
따라서 물 150 g을 더 넣어야 한다.

**01** $-5$, $+\dfrac{8}{2}$, $+4$, $+17$

**02** $0.95$, $+\dfrac{8}{2}$, $+4$, $+17$  **03** $-27$

**04** $+\dfrac{22}{21}$  **05** $\dfrac{14}{3}x$  **06** ②, ④

**07** $-3x+5$  **08** $7x+\dfrac{21}{5}$  **09** $x=2$

**10** $2$, $2$, $5$  **11** $0.3$, $0.3$, $12$  **12** ③

**13** $-x+2x=5$  **14** $x=-2$  **15** $x=\dfrac{1}{8}$

**16** ⑤  **17** $x=\dfrac{2}{15}$  **18** $x=-12$

**19** $x=-\dfrac{5}{4}$  **20** $x=-2$  **21** ①

**22** $37$  **23** $16$개월 후  **24** ⑤

**25** $47$명

---

**05** $6x \times \dfrac{7}{9} = \left(\overset{2}{6} \times \dfrac{7}{\underset{3}{9}}\right)x = \dfrac{14}{3}x$

**06** ① (판매한 가격)=(정가)−(할인 금액)

$$= x - \dfrac{20}{100}x = \dfrac{80}{100}x \Rightarrow 0.8x원$$

② (거리)=(속력)×(시간) $\Rightarrow 2 \times x = 2x$ (km)

③ (정사각형의 둘레의 길이)=$4 \times x \Rightarrow 4x$ cm

④ (소금물의 농도)$=\dfrac{(소금의\ 양)}{(소금물의\ 양)} \times 100\,(\%)$

$$\Rightarrow \dfrac{x}{200} \times 100 = \dfrac{1}{2}x\,(\%)$$

⑤ $10 \times x + 4 = 10x + 4$

**08** $(5x+3) \div \dfrac{10}{7} \times 2 = (5x+3) \times \dfrac{7}{\underset{5}{10}} \times \overset{1}{2} = (5x+3) \times \dfrac{7}{5}$

$$= \overset{1}{5}x \times \dfrac{7}{\underset{1}{5}} + 3 \times \dfrac{7}{5} = 7x + \dfrac{21}{5}$$

**16** ① $x=-2$  ② $x=-1$  ③ $x=5$  ④ $x=-\dfrac{1}{4}$  ⑤ $x=-7$

**17** $\dfrac{4}{9} + \dfrac{3}{2}x = -\dfrac{1}{6}x + \dfrac{2}{3}$

$$18 \times \left(\dfrac{4}{9} + \dfrac{3}{2}x\right) = 18 \times \left(-\dfrac{1}{6}x + \dfrac{2}{3}\right)$$

$$\overset{2}{18} \times \dfrac{4}{\underset{1}{9}} + \overset{9}{18} \times \dfrac{3}{\underset{1}{2}}x = \overset{3}{18} \times \left(-\dfrac{1}{\underset{1}{6}}x\right) + \overset{6}{18} \times \dfrac{2}{\underset{1}{3}}$$

$$8 + 27x = -3x + 12,\ 27x + 3x = 12 - 8$$

$$30x = 4,\ x = \dfrac{\overset{2}{4}}{\underset{15}{30}},\ x = \dfrac{2}{15}$$

**18** $\dfrac{x+2}{2} = \dfrac{1}{6}x - 3,\ 6 \times \dfrac{x+2}{2} = 6 \times \left(\dfrac{1}{6}x - 3\right)$

$$\overset{3}{6} \times \dfrac{x+2}{\underset{1}{2}} = \overset{1}{6} \times \dfrac{1}{\underset{1}{6}}x - 6 \times 3$$

$$3(x+2) = x - 18,\ 3x + 6 = x - 18$$

$$3x - x = -18 - 6,\ 2x = -24,\ x = -12$$

**19** $-0.4x + 9 = 2(0.2x + 5)$

$$10 \times (-0.4x + 9) = 10 \times 2(0.2x + 5)$$

$$-4x + 90 = 4x + 100,\ 90 - 100 = 4x + 4x$$

$$-10 = 8x,\ 8x = -10,\ x = -\dfrac{\overset{5}{10}}{\underset{4}{8}},\ x = -\dfrac{5}{4}$$

**20** $\dfrac{2}{3}(1+x) = \dfrac{5}{6}x + 1$

$$6 \times \dfrac{2}{3}(1+x) = 6 \times \left(\dfrac{5}{6}x + 1\right)$$

$$\overset{2}{6} \times \dfrac{2}{\underset{1}{3}}(1+x) = \overset{1}{6} \times \dfrac{5}{\underset{1}{6}}x + 6 \times 1,\ 4(1+x) = 5x + 6$$

$$4 + 4x = 5x + 6,\ 4 - 6 = 5x - 4x,\ x = -2$$

**21** 외항의 곱과 내항의 곱은 같으므로

$$2x : 1 = \left(\dfrac{1}{2}x + 1\right) : 4,\ 4 \times 2x = \dfrac{1}{2}x + 1,\ 8x = \dfrac{1}{2}x + 1$$

$$2 \times 8x = 2 \times \left(\dfrac{1}{2}x + 1\right),\ 16x = \overset{1}{2} \times \dfrac{1}{\underset{1}{2}}x + 2 \times 1$$

$$16x = x + 2,\ 16x - x = 2,\ 15x = 2,\ x = \dfrac{2}{15}$$

**22** 처음 수의 십의 자리 숫자를 $x$라 하면 일의 자리 숫자가 7
이므로 처음 수는 $10 \times x + 7$, 바꾼 수는 $10 \times 7 + x$이다.

$$2(10x+7) - 1 = 70 + x,\ 20x + 14 - 1 = 70 + x$$

$$20x + 13 = 70 + x,\ 20x - x = 70 - 13$$

$$19x = 57,\ x = 3$$

따라서 처음 자연수는 $10 \times 3 + 7 = 37$이다.

**23** $x$개월 후 은정이의 예금액은 $(60000 + 1500x)$원,
동국이의 예금액은 $(52000 + 2000x)$원이므로

$$60000 + 1500x = 52000 + 2000x$$

$$60000 - 52000 = 2000x - 1500x,\ 8000 = 500x,\ x = 16$$

따라서 예금액이 같아지는 것은 16개월 후이다.

**24** 7 %의 소금물을 $x$ g 섞는다고 하면
3 %의 소금물은 $(300 - x)$ g이다.
소금의 양은 변하지 않으므로

$$\dfrac{3}{100} \times (300 - x) + \dfrac{7}{100} \times x = \dfrac{5}{100} \times 300$$

양변에 100을 곱하면 $900 - 3x + 7x = 1500$

$$4x = 1500 - 900,\ 4x = 600,\ x = 150$$

따라서 7 %의 소금물 150 g을 섞어야 한다.

**25** 긴 의자의 개수를 $x$개라 하면
한 의자에 7명씩 앉을 때의 학생 수는 $(7x+5)$명이고,
한 의자에 9명씩 앉으면 9명이 모두 앉는 의자는 $(x-1)$개
이므로 학생 수는 $9(x-1)+2$(명)이다.

$$7x+5 = 9(x-1)+2,\ 7x+5 = 9x-9+2$$

$$7x+5 = 9x-7,\ 5+7 = 9x-7x,\ 2x=12,\ x=6$$

따라서 긴 의자의 개수가 6개이므로 전체 학생 수는
$7 \times 6 + 5 = 47$(명)이다.

# 초고필

## 방정식

### 정답 및 풀이

동아출판 ⟩

# 과학 고수들의 필독서

# HIGH TOP

#2015 개정 교육과정
#믿고 보는 과학 개념서
#통합과학
#물리학 #화학 #생명과학 #지구과학
#과학 #잘하고싶다 #중요 #개념 #열공
#포기하지마 #엄지척 #화이팅

| 01 | 02 | 03 |
| --- | --- | --- |
| 기초부터 심화까지<br>자세하고 빈틈 없는 개념 설명 | 풍부한 그림 자료,<br>수준 높은 문제 수록 | 새 교육과정을 완벽 반영한<br>깊이 있는 내용 |

**중학교** 1~3학년 / **고등학교** 통합과학 / 물리학 Ⅰ, Ⅱ / 화학 Ⅰ, Ⅱ / 생명과학 Ⅰ, Ⅱ / 지구과학 Ⅰ, Ⅱ